修道院‧十字軍

羅馬藝術

中世紀歐洲的建築文化與視覺饗宴

編輯／羅夫‧托曼（Rolf Toman）

攝影／阿希姆‧柏諾茲（Achim Bednorz）

撰文／烏韋‧吉斯（Uwe Geese）

製作／湯瑪斯‧帕芬（Thomas Paffen）

閣林文創

推薦序

　　一般人聽到「中世紀」都會聯想到「黑暗時期」（約西元370～1000年），而就在黑暗時期開始前的西元313年，羅馬帝國的君士坦丁大帝（Constantinus I）宣布帝國百姓有信仰基督教的自由，於是基督教徒便把握機會，離開設在地下的「教堂兼墓穴」，並光明正大地開始建設有著木造天花板的長方形建築——巴西利卡（basillica），巴西利卡式建築的外圍有一排柱廊，入口位於長邊，短邊則有耳室，並採用條形拱券作為屋頂；後來的教堂建築即源自於巴西利卡。文藝復興前期的畫家弗蘭切斯卡（Piero della Francesca）也曾在義大利阿雷佐（Arezzo）的聖法蘭切斯可教堂（Basilique San Francesco）描繪關於君士坦丁大帝與基督教有關的壁畫：《聖十字架的傳說》（Legend of the True Cross）。這件作品裡描繪君士坦丁大帝在睡夢中遇見一位天使，這位天使告訴他，在隔日與敵人交鋒時需出示十字架。隔日，君士坦丁聽從夢中天使的指示，並在戰爭中獲得了勝利。這幅壁畫彷彿暗示著基督教將隨之盛行。

　　羅馬是一個易攻難守的首都，自西元前27年開創以來，經常遭到北方蠻族的入侵。繼君士坦丁大帝之後的七任皇帝，狄奧多西一世（Theodosius I）成為最後一任統治帝國的皇帝。狄奧多西一世去世後，帝國便分為東西兩部分，但依然延續羅馬帝國的國號。西元410年，西哥德人（Visigoth）重挫西羅馬帝國，導致一蹶不振，最終在476年滅亡；而東羅馬帝國則在西元1453年被鄂圖曼土耳其帝國所滅，史學家們稱東羅馬為拜占庭帝國。至於在文化藝術方面，根據羅吉‧亞諾恩（Roger Hanoune）與約翰‧施奇德（John Scheid）合著的《羅馬人》（Nos ancêtres les Romains）一書中提及：「西元前八世紀至克洛維時代（Clovis I，西元481～511年），羅馬帝國在衝突、戰爭和文化交流中建立。早期深受伊特魯里亞（Etruria）和希臘影響的義大利古城——羅馬，從西元二世紀起成為世界的中心。這個多元文化帝國的一部分，一直延續到西元五世紀。」義大利的羅馬飽受蠻族的入侵，也造就了羅馬文化的多樣化，與過去崇尚古希臘、羅馬的優雅寫實風格大為不同。到了十一世紀，由於國際貿易蓬勃發展、都市興盛及十字軍東征的關係，也隨之經濟情況好轉而促進了歐洲的藝術發展。十二世紀時，「羅馬式」的藝術在整個歐洲彷彿甦醒般興起。

　　關於東羅馬的拜占庭藝術，教堂裡的壁畫和鑲嵌畫強調以平面化、單純簡潔的觀念來作畫，可是這種風格，卻讓文藝復興初期的畫家覺得這些制式化的聖徒好像都是睜大眼睛、舉起雙手、表情吃驚，以致到了文藝復興初期，喬托（Giotto di Bondone）的作品改成有人性、有個性的生動人物，而逐漸步入文藝復興的盛期。建築方面，則從木造天花板改成石造天花板，外壁加上雕刻與大理石裝飾，此風格的建築雖然法國南部較多，但在西班牙北部也有不少，並且沿著往西班牙聖地亞哥 - 德 - 康波斯特拉（Santiago de Compostela）的朝聖之路而盛行。建築牆體巨大而厚實，顯得沉重封閉，不過在建築外側發明了「肋」以加強拱的承重能力，我們稱這些特點為「羅馬式建築」，羅馬式建築大多以教堂與修道院為主。以上的探討是依照舊的常識所帶來的對於中世紀黑暗時期的基本認識。然若以新的史觀來定義並探討此時期，如本書的導論所述，將可重新發掘出羅馬式藝術的新層面，並在歷史和宗教的綜觀下，較全面地認識這一段在以往藝術史上被過度負面詮釋的時期。

　　我在1958年赴日留學並開始學習濕壁畫與鑲嵌畫，對於盛行於古典羅馬及拜占庭的藝術也十分關切。1990年，我在法國巴黎購買了一間工作室，一年約有五個月的時間旅居在歐洲，參觀了不少美術館和教堂，尤其對於羅馬式教堂的壁畫、雕刻和鑲嵌畫都有所研究，感到十分喜愛。在我的巴黎工作室附近剛好有一間專門收藏中世紀藝術品的國立中世紀博物館（Musée de Cluny），另外一間常造訪的，是位於西班牙巴塞隆納的加泰隆尼亞國家藝術美術館（Museu Nacional d'Art de Catalunya），它們在羅馬式繪畫與雕刻的收藏上可說相當豐富與精美，充滿了對基督信仰的敬畏，莊嚴的氣氛帶給我深刻的印象。而此種感受，透過閣林文創公司以大開本印製發行的《羅馬式藝術》，竟然也能感染到相同的氛圍。更難得的是，本書運用有系統的文字介紹和精美的圖片所帶來的豐富內容，能讓讀者擺脫「黑暗時期」的刻板窠臼，重新認識中世紀盛期羅馬式藝術的價值。這是本書難能可貴之處，也期許身在此一資訊如繁星滿載時代的讀者們，能藉由收藏《羅馬式藝術》這本書，重新感受羅馬式藝術創作，體會網路頁面上無法獲得的藝術之美，就讓我們翻開這一本值得推薦的好書，在書本上慢慢欣賞圖片，靜心思考其中文字的涵義。

臺灣師範大學美術研究所名譽教授　陳景容

I 第一章
環境與精神狀態

II 第二章
創世神話的世間願景

III 第三章
信仰與異動

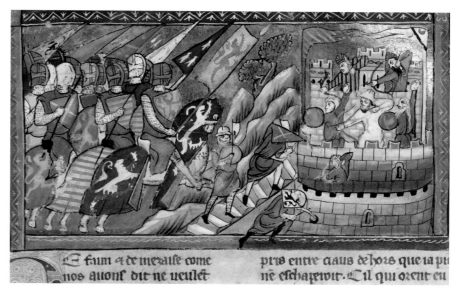

IV 第四章

君王、教宗與其他權貴

V 第五章

祈禱與工作

VI 第六章
上帝的居所

VII 第七章

教化與勸世

VIII 第八章

以此，紀念我

傳統與變革之間
中世紀盛期的羅馬式風格

「黑暗時代」（Dark Ages）的概念源自於文藝復興時期的人文主義者，但此概念早已過時，應超脫出這種長期以來的刻板印象。人文主義者為了平反他們的負面評判，從自身時代的高度往回看，因而將古典時代（classical antiquity）的高雅文化（high culture）重新詮釋為一個中間時期；一如他們所見的，對古典的摒棄導致了文化的衰退。沿用至今的名稱——「中世紀」，可追溯至「司鐸修會和歷史」（Oratory and History）的教授塞拉里烏斯（Christoph Cellarius，1638–1707），他在1688年出版的《中世紀史》（*Historia medii aevi*）中，淵博地創建了這個詞彙。他所定義的時期起始於西元337年君士坦丁大帝（Emperor Constantine）之死到1453年君士坦丁堡（Constantinople）被土耳其人佔領。而如今早已偏離了這個刻板的時間範疇。

今天中世紀被界定始於西元四至六世紀，結束於十五世紀，在此涵蓋數千年的西方歷史中，中世紀的定義於思想史及區域上皆有顯著改變。

中世紀的人自認為身處末世，是救世的神聖歷史中的一段時期。卡拉布里亞（Calabrese）修道院的院長菲奧雷的約阿基姆（Joachim of Fiore，約1130/1135-1202）依照神的計劃將世界分為三個時代：第一是天父時代，以神的典型「化身為人」告終；中間時代（media aevi）即為當時的現代，將持續至審判日耶穌再臨；隨後而至的第三時代是聖靈時代。當代觀點中的中世紀摒除了救贖的角度，產生變化和分歧，一如現今的中世紀研究中所反映的；有兩個不同的觀點相互抗衡，稱為變異和延續（alterity and continuity）。變異的觀點基本上取決於人文學家的態度，產生自中世紀和現代之間一個籠統的斷點。另一方面，延續的立場則受到浪漫主義的影響，在中世紀中看到現代世界概念的起始。當今的中世紀學家意圖將注意力轉移到歷史進程的複雜性上，從而逐步地加強關注具有劃時代意義分期的問題本質，以解決這樣的兩極性觀點。

儘管如此，對於需要仰賴書本知識以熟習理解的讀者而言，分期是必要的，因為能夠為過去提供可具體描述的架構。而一般被史學家稱為中世紀盛期的中世紀，也是薩利安王朝（Salian dynasty）的時間核心，大致上與藝術史中的浪漫主義時期相對應。這個時期的建築活動和雕像創作，突如其來地在十一世紀展開，並涵蓋整個歐洲大陸，在經濟上受到基於不同因素所促成的工業成長的支持。由西班牙北部和法國南部開始，首次在後古典主義時期的藝術史中，發展出一種在建築上和藝術上一致的風格；1820年代左右的法國，對於羅馬式這樣的形容仍帶著貶義。受到浪漫主義（Romanticism）的影響，「羅馬式風格」（Romanesque）這個概念變成藝術史中的一個專有名詞。這個稱謂定調於十一和十二世紀的建築物，因為它們大幅地受到傳統古羅馬藝術的影響。舉例而言（見354-359頁），阿爾勒（Arles，又譯為亞爾）和加爾省聖吉爾（St-Gilles-du-Gard）的普羅旺斯式修道院教堂的建築外觀，就是直接採用凱旋門的古典建築樣式。更直接者，經典的長方形會堂的形構被作為羅馬風格教堂的雛型，好像就是為了早期的基督教所興建。

聖吉爾大修道院教堂，西側建築面的局部
正門的北斜面牆、內牆和北門；斜面牆；獅子上方的聖約翰和聖彼得（Sts. John and Peter）；上方的帶狀裝飾：基督預言彼得三次不認主；洗腳禮。

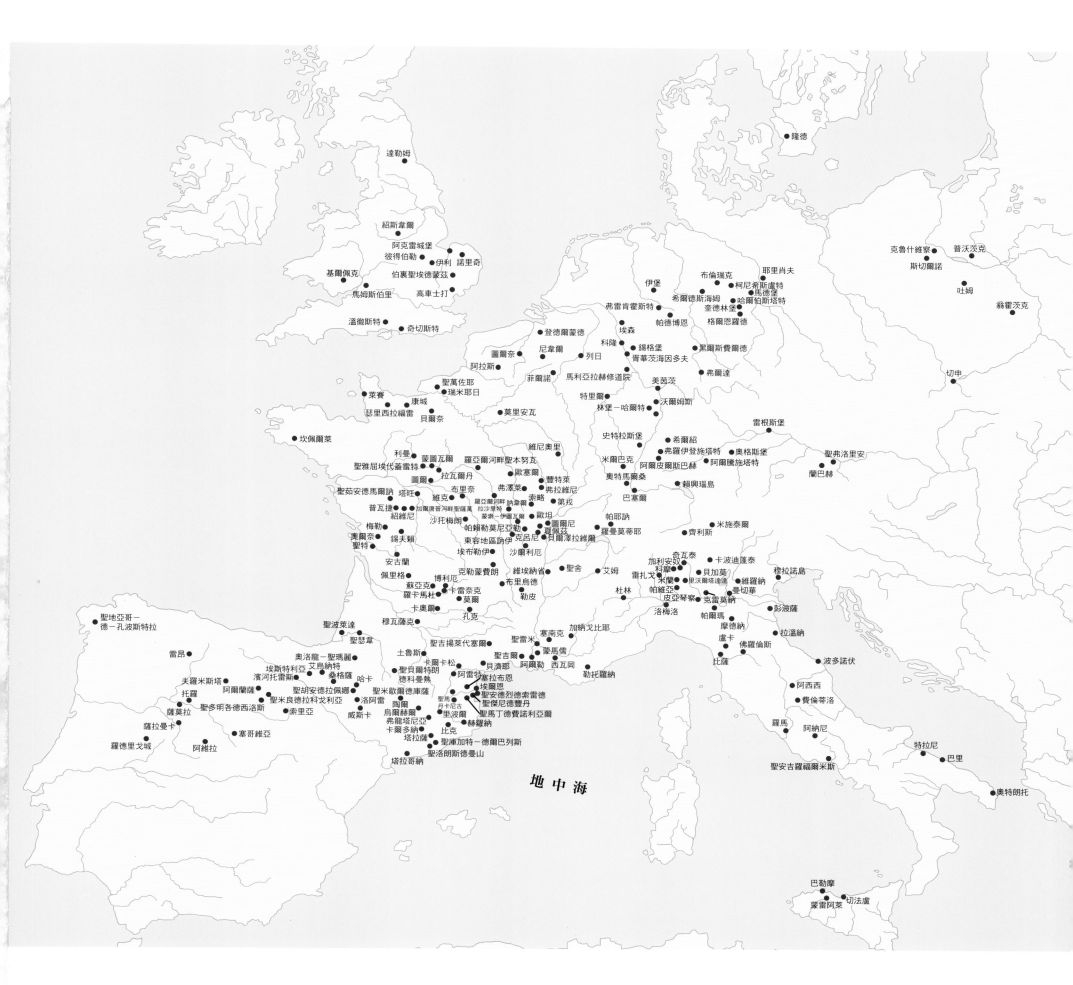

羅馬風格時期重要的建築和藝術中心所在地
當時西班牙一大片腹地仍受伊斯蘭統治。

此外，於勃艮第（Burgundy）發展出的拱楣（tympa-num），為教堂的外觀創造出一種新的表現手法，並且在法國南方的眾多教堂以呈現審判日的畫面為主，表達出當時末世論的世界觀。拱楣伴隨著迴廊，柱頭則佈滿怪獸和（神話學裡的）雜種生物。對雕塑師們而言，這是一個挑戰性及想像力所涉範圍極廣的領域，眾所週知地激怒了熙篤會（Cistercian）克萊爾沃的聖伯爾納鐸（Bernard of Clairvaux，1090-1153）。

17

△ 米埃吉維爾門（**Porte Miègeville**）的拱楣
1118年前，大理石，土魯斯（Toulouse），聖塞寧（Saint-Sernin）修道院教堂。

▷ 地板的鑲嵌工藝
由稱為科斯馬蒂（Cosmati）的藝術家們所做，約十二世紀前半，羅馬，四殉道堂（Santi Quattro Coronati）。

有別於具代表性的文藝復興作者如瓦薩里（Giorgio Vasari）所說的，古典文化已然隨著羅馬帝國的衰亡而毀滅，它事實上從未消失殆盡。中世紀的人在古典時期中看到了不一樣的世界，一段被視為異教徒的過去，卻以各種方式衝擊著中世紀。由於和古典時期的關聯如此直接而無法加以棄之且必須融入其中。全義大利和法國南方皆是如此，不但能在建築中直接看到古典的遺跡，在無數的石棺雕刻上也是。然而，古典時代中羅馬風格的體現並不僅限於藝術方面，在當權者的圖像表現上也是。德國皇帝視自身為經典傳承的一部分，因為他們宣稱為羅馬皇帝的繼承者；這在十一世紀巴巴羅薩（Barbarossa，紅鬍子腓特烈一世）（見142頁）的卡彭博格頭像（Cappenberg Head）上最能看得出來。此外，神祇的傳統形象被重新詮釋為基督教聖徒，也在中世紀的視覺藝術中找到一席之地。最具影響力並受崇拜的中世紀神像之一，是十世紀孔克（Conques）的聖菲斯（St.

Faith）（見106頁）；她從一位已故皇帝的古典頭像所戴的黃金面具，汲取視覺上的魔力，將之轉換成為聖徒的容顏。

受到浪漫主義運動的啟發，且在相關資訊缺乏或無法辨識的情形下，十九世紀開始出現關於不知名中世紀藝術家的傳說。然而，同時間卻被藝術史學家全面地駁斥了。藝術家們在若干碑文上刻錄了自己的名字。然而通常被視為是一位藝術家的簽名的，與藝術家本身無關，也與現代所認知的簽名無關；毋寧說是一種紀念（memoria），中世紀的藝術家希望能為後世所記得，能為其祈禱。有時候作品的創作會直接與贖罪的期望相關聯，如修士拉杜夫（Radulf）一邊想著在天上看顧著他的聖維達（St. Vedast），一邊在其著作中寫下：「然後他傾身靠近我的心血之作說道：終於他為此書獻出如是多字、如是多行、如是多句，我今將赦免你如是多的罪。」

△ **雙柱頭與獻詞浮雕**
約十二世紀後半，蒙雷阿萊（Monreale），主教
座堂的迴廊。

關於作品本身的評論，雖然不排除可能出現在更早的時候，我們僅能從北義大利的富庶地區得知，在摩德納主教座堂（Modena Cathedral）的西側面，有一詳細的碑文頌讚建築師朗法蘭科（Lanfranco）：「以心靈手巧、博學多聞和名副其實的創作總監、長官及名家著稱。」相當的讚美也贈與了執行作品雕刻的威利哲姆斯（Wiligelmus）。這些對藝術家的讚美辭傳達了摩德納主教座堂以這兩位高素質的大師創作為傲。

由於缺乏資料，多數藝術家的作品很有可能僅有少數被鑑別出來。在義大利羅馬風格雕塑家之中，最重要的是安特拉米（Benedetto Antelami，記載於1178-96），在菲登扎（Fidenza）和帕爾瑪（Parma）留下其可圈可點的作品。對他的生平所知不多；帕爾瑪主教座堂內的《卸下聖體》（*Deposition from the Cross*）是其創作最早的證據（見377-

378頁）。然而當時他應該已經是一位經驗老道的大師了，參照縱向和橫向的關係，使群像所形構的畫面均衡協調，這在義大利雕塑中是具指標性意義的創新。我們甚至不知道另一位藝術家的名字，但我們可以從其創作的痕跡識別出他的作品。藝術史學家們採用一種通稱稱呼他為「卡貝斯塔尼的大師」（Master of Cabestany）（見66-7頁）。

藝術家執行創作的問題，與地方行政長官或贊助人息息相關，因為沒有哪位中世紀的藝術家是能自主創作的。藝術作品總是被束縛於複雜的宗教和儀式之間的關聯，要不就是顯露在歷史或政治的脈絡下，因為他們必須描繪出贊助者的立場。以此背景來理解諸如獅子亨利（Henry the Lion）（見144-5頁）所委託製作的作品，便能有較正確的詮釋。在中世紀，贊助藝術創作被視為是「良好的工作」（opus bonum），而贊助人也會因為他們的名字能被提及，從無名

△ **克羅多祭壇（Krodo Altar）**
也稱為「黃金祭壇」，約1100年，青銅，部分貼金，高117公分，戈斯拉爾（Goslar），戈斯拉爾博物館（Goslar Museum）。

▽ **聖墓（Holy Sepulcher）**
聖餐儀式的器具（祭壇十字架和盛聖體的容器），約十二世紀中期（？），青銅，高24公分，紐倫堡（Nuremberg），日耳曼國家博物館（Germanisches Nationalmuseum）。

者的狀態浮上檯面而受到鼓舞，並且他們的後代子孫都會因為他們的得救而永表紀念。他們標示姓名的方法形成一種慣用套語，好比「所作」（me fecit）或「創作此作」（hoc opus fecit）。由於藝術家和贊助人都出現在此套語下，現今幾乎不可能判斷記載的人名與作品的關係。

現今的附圖書籍中，大多數已捨棄依照傳統藝術品之類型來分類的方法。基督教會的藝術品和器具都收錄在此，並非依據它們的材料屬性，而是按照禮拜儀式的背景脈絡。在此範疇下，重點落在文化史的面向，並涵蓋了像是就信仰觀點而言的流動性這樣的主題。相對應的歷史性主題則包括了中世紀盛期的社會，以及世俗與宗教的當權者。

I 第一章

環境與精神狀態

中世紀盛期的社會

　　將中世紀盛期分成三個社會階層的模式，是一種當代的神職概念，這概念同時作用著並貼切地描述出人類的感知。它提供了一種臨時的屬性，讓個體能整合進一個特定的群體中。這個嚴謹的社會階級給每一個人一個規定的位置，唯有極端的奮鬥才可能擺脫。沒有人能靠自己生存；每個人都依賴一個群體。

　　在對審判日的期盼中，唯有對個人罪業的承諾能把個體擺放到一個適當的位置，以確保他對其自我定位充盈著恐懼與希望。對個人情感的覺察，例如愛，也在此找到其定位。在藝術的表現上，地獄的折磨和對天堂的嚮往並存，相較於天國的神權架構，對地獄和其酷刑的描繪則得到了更多的注意。

　　農業的發展促成了心態上的轉變，支配、伴隨甚而開創了中世紀盛世的社會。農作物所帶來的高收入，不僅滿足大幅增長的人口，還能供給軍備中馬匹和草料日漸增長的需求。進一步說，這是奠定十一世紀蓬勃發展的經濟基礎之根源，促成新建的修道院和教堂遍佈西方世界，而新開發的城市也獲得收益。

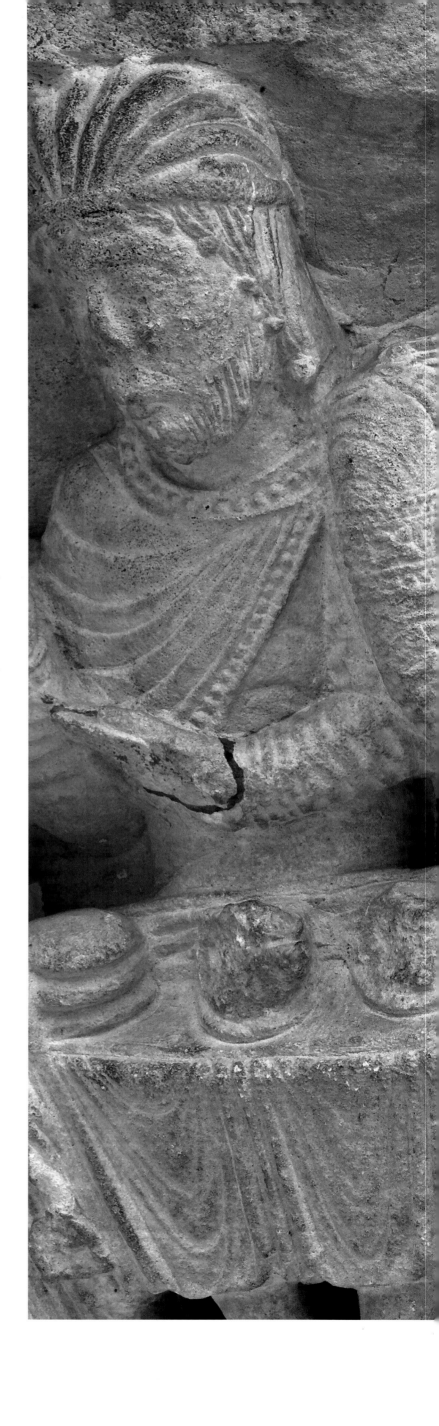

基督教社會階級的結構：宣道者、戰士、勞工

聖經中末日的最後審判的概念，包含了全人類在神前一律平等的期望。這令人聯想到在日常中有關末世的反思，在現實生活中人類間的平等並不存在。此外，所有架構成社會階層的差異皆被視為神的恩賜，並被聖經合法化。在中世紀早期對基督即將再臨的期待中，許多人試圖尋找兼顧物質和苦行生活的權宜之計，這導致了，舉例而言，修道院生活的大幅提升。

在教會歷史中很早便衍生出神職人員和俗人的階級差異，前者獻身於執掌聖事，地位高於後者。此外，神職人員在世俗的追求上享有越來越多的特權。雖然神職人員從主教到修士，肩負的任務相當不同，也來自社會各個階層，但由於他們的宗教任務，而在中世紀社會中形成一個均一的階級。因此，在十世紀的進程中，社會發展出三個階級：宣道者（oratores）、戰士（pugnatores）、勞工（laboratores）。俗人的層級依功能區分為二，天差地別的貴族和農奴、富裕和赤貧，還有在生活方式、使用武器或體能工作上的懸殊，致使一種相對的體系應運而生。

當神職人員出現宣道者這個階級時，那些祈求的人、贖罪者（pugnatores）、好戰的貴族，被號召為教會和人民鞏固軍事防禦。而教會和人民的維繫都是仰賴其他人的工作，仰賴那些勞動者們。對十二世紀的作家而言，這個首重傳達教會利益卻被闡釋為神賜的架構，已經顯得太過僵硬和簡化了。因此修士們，舉例而言，也在許多領域中從事手工藝；平民和農奴原本就有服兵役的義務，而高階教士通常親自擔負軍閥的職責。這三個社會階級的分法最終於十二世紀末瓦解了，主要可能肇因於北義大利和荷蘭的城市轉變為貿易與工業的中心，在那裡的資產階級學會了自詡為一個新的階層；這造成教會極大的擔憂，以致於將城市與罪惡劃上了等號。

◁不同季節的勞動
約1138年，正門前廊的浮雕，尼可勞斯（Nico-laus）和工作坊，維羅納（Verona），聖柴諾（San Zeno）宗座聖殿。

△亨利三世夢想的社會三階級
《佛羅倫斯和伍斯特的約翰的編年史》（Chronicle of Florence and John of Worcester），Ms. 157, fol. 382，約1130年，牛津（Oxford），基督聖體學院（Corpus Christi College）。

宣道者：神職人員與修士的世界

十世紀的社會被分為三個階層，而聖職人員和修士是被分派的迥異角色。神職人員間嚴明的階級制度有低階和高階之分，後者通常是有權勢的主教或修道院院長，具有積極的主導性。低階的聖職人員通常包括教團成員，關注於農民和樸實村民的心靈富足；他們當中有為數甚多的修士，隱居於修道院中，獻身臣服於聖本篤（St. Benedict）和取悅上帝。當部分修士為了修道院的產業和他們的收入，奉院長之命而陸續離開修道院，以處理法律問題和其他事務，從而得以追求積極的生活（vita activa），而靈性沉思主宰著修道院內的多數修士。每日的課程安排按照一個嚴格的時間表，彌撒、祈禱和七時課（canonical hours）都有固定的時程。修士最重要的就是為生者的永恆救贖以及死者的贖罪祈禱。他們擔負著晨禱（Matins）的任務，於起床後的第一個晨間祈禱，即午夜後一小時進行。

當中的祈求和信任，攸關於死亡後是否能改過自新的這個概念。在此可見一種預約性的滌罪，而金援這些祈求也因此被視為必要，例如基金或遺囑。雅克·勒高夫（Jacques Le Goff）提到此為生者與死者的「永恆生命共同體」。不過即使是俗人（非聖職人士），無論生死，也可以捐錢給修道院，好被納入祈禱會中。銘記彼得·丁澤哈巴爾（Peter Dinzelbacher）的陳述，十二世紀前半葉，克呂尼（Cluny）的三百名修士已經必須為三萬名死者祝禱，可以由此估算這種安排對於修道院的生存具備實質性的意義。

△ 在修道院的學校
一位見習修士接受較資深的修士引導；中世紀手稿中的圖飾起首字母。

◁ 修士埃德溫努寫作
也稱為《埃德溫努詩篇》（*Eadwinus Psalter*），約1170，Ms. R.17.1, fol.283v，劍橋（Cambridge），聖三一學院圖書館（Trinity College Library）。

▷ 波恩康姆貝（**Bonnecombe**）修道院群
羅德茲（Rodez）附近的早期熙篤修道院，南部庇里牛斯山區（Midi-Pyrenees region），法國，發現於西元1167年。

大約清晨三點時，夜間的晨禱在讚美聲中結束，隨後接續的是六點的晨禱（Prime），是真正在白日的晨間祈禱。接著是每間隔三小時，在九點的第三禱（Terce）、十二點的第六禱（Sext)，以及約在下午三點的第九禱（None），每回都會唱誦讚美詩和詩篇。晚禱（Vespers）在日落約六點時舉行，然後是皈依者（conversi）一同參與的睡前禱（Compline），一天結束於九點左右。四小時的睡眠和一些短暫的休息便足以恢復精力了。儘管修道院創造並規範了日常安排的時間表，大部分的活動還是在白天居多，文書工作也是如此。

自卡洛林文化革命（Carolingian cultural revolution）以降，一如約翰內斯‧弗萊德（Johannes Fried）描述中的查理曼（Charlemagne），為建立修道院學院所作的付出，教育一直是修道院最重要的任務。雖然在此之前，已有滿足修道院本身需求的學校尚未廢除，因此見習修士得以受指導而學習閱讀和書寫。而今，至少有更廣為人知的修道院學院能作為一般神職人員可以學習的教育機構，藉由他們的寫作持續地推廣知識，即使一開始很緩慢。部分修道學院最終發展成文化和科學中心，達到全國性的規模。因此在十一和十二世紀間，有許多傑出的修士和神職人員，成名於翻譯重要的希臘文、甚至阿拉伯文古經典。修道院的禮拜儀式在讚頌上帝的永恆榮耀，科學則走向尋找上帝。

戰士：騎士與宮廷生活

一種中世紀文化中的典雅本質得以活躍至今，必然有其深度。自十二世紀起，騎士精神中的勇氣、忠誠、名譽和可靠，變成習武的上層階級首要的美德。諸如「有禮」或「紳士」等概念和內涵依然留存於今日的中產階級價值觀中。

源自於卡洛林王朝的封建社會，騎士道依循著戰爭和盡忠報國的古老制度發展。隨著卡洛林王朝的極度擴張所需的戰力，需要高機動性的軍隊以征服步行無法達到的距離。因此，有必要將法蘭克軍隊（Frankish army）從步兵轉變為騎兵，這也導致了社會階級的重大遽變；平民負擔不起昂貴的基本軍備，而可以招兵買馬的貴族和富人又不夠多。結果導致越來越多適合戰鬥、擁有盛產封地和勞動力的人，必須配備武裝，好讓他們的身分不只是提供馬匹、軍備和武器，還能有足夠的時間參與軍事操練和戰役。漸漸的，這些身穿盔甲又騎著馬的戰士脫離了平民的廣泛階層，而逐漸與自由高貴的附庸同一階層，與此同時平民則失去了負擔武器的權力。這尤其反應在三種階級的闡釋上，即宣道者、戰士和勞工，其中戰士，亦稱作勇士（Bellatores），被賦予有效且合法的權力持有武器。

▽ **英格蘭人逃竄**
貝葉壁毯（Bayeux Tapestry）的局部，1082年前，羊毛刺繡於亞麻布上，高50公分，長過70公尺，貝葉，壁毯博物館（Musée de la Tapisserie）。貝葉城特別許可。

△ **聖職人員、騎士和平民（勞工）**
《健康之書》（*Li Livres dou Sante*）中首字母的圖飾，斯隆女士（Ms. Sloane）2435, fol. 85，法國學院（French School），約十三世紀，倫敦，大英圖書館。

▷ **騎士和音樂家**
兩個柱頭的細部，約十二世紀早期（？），聖喬治本篤修道院的聖堂參事會，建於此時，柏舍維爾的聖馬丁修道院（Saint-Martin-de-Boscherville）。

　　中世紀盛期的歐洲，沒有具約束力的憲法，因此也無可依從的法律依據，無法無天、血腥鬥爭和復仇的戰爭遍佈。著眼於此，封建關係中個體憑藉著象徵性的禮儀法律彼此相互連結，產生補償性結構。這個由騎士組織而成的新貴族軍隊結構，在基督教的支持下，透過十字軍聖戰得到其最關鍵的肯定。

　　勇士一般在拉丁文的來源中稱為 miles，來自最多樣化的社會階層。由於封建體系逐漸聚焦在騎兵軍事的勤務，這個稱謂逐漸取代了諸侯或貴族。至於出現於十一世紀中期的騎士徽章，只有高階貴族佩戴，展現武裝騎士的完整裝束。

　　儘管所有這些現象僅是指向騎士道的未來發展，這個階層雜處的族群，終於憑藉一種符合雙方準則的價值觀認同，以及有意識的歸屬，形塑出一個與社會息息相關的特定族群。這個準則成形於，如尤阿欽姆・伊拉斯（Joachim Ehlers）所描述的，一種「古老的、軍事的、封建的和基督教的混合元素：對名望和聲響的渴望、對戰鬥的勇氣和精熟、應變的能力、服務領主的忠誠和意願，還有保護弱小的責任」。行為符合這個規範的人，均被視為可敬且為神所喜悅的。

　　要具有真正的騎士身分，最重要的即為授銜儀式（dubbing ceremony），源自於羅馬的入會儀式，最早可能源於西元1100年的法國，在十二世紀下半傳入英國和德國。擢升為騎士身分的核心價值隨著儀式而形塑，在其中個人行為皆具備象徵的意義，加泰隆尼亞詩人及哲學家拉蒙・柳利（Raymond Lull, 1232-1315）在其《騎兵的秩序》（Libro de la orden de caballeria）中解釋：代表滌罪力量的浸浴洗禮後，獲選授銜騎士的人身穿代表身體淨化的白色短袖束腰外衣；紫色的外袍則象徵為教會流血的義務；金馬刺是服從上帝旨意的激勵；雙刃劍是忠誠和正義。鎧甲、頭盔和矛，可能還有馬匹，都是授銜騎士的領主所贈與。任何符合人品要求的人，從士兵到伯爵和公爵，甚至貴族，都有領受冊封儀式成為騎士的可能性，這導致不同法定階層的橋接。當紅鬍子大帝腓特烈一世（Emperor Frederick Barbarossa）於1184年在美茵茲（Mainz）的五旬節（Pentecost）庭會，冊封他的兒子亨利國王和腓特烈公爵為騎士時，主要依在場的人的位階稱呼，諸如騎士、士兵（milites），而不是伯爵、公爵或王侯。

十二世紀下半葉，當為世俗王侯以及主教設立居所時，宮廷為了騎士階級的設立作出了決定性的捐贈。這些多層權力的王侯中心不只為統治和管理之用；它們也是文化和娛樂中心，而騎士得以在國際化的王室氛圍中接觸拉丁文化和著作。為了在面對對手時能堅定立場，騎士需要光榮而傳奇的功績，此外，培養獨有的典雅禮儀是必要的，一名菁英份子得以藉此與外界區隔。尊重女性的騎士傳統源自於普羅旺斯，並經由大量的宮廷情詩傳達；十二及十三世紀時，宮廷騎士的作品創作臻至頂峰，一種理想的、過於溢美的騎士形象深植人心。

△ **西洋棋上的騎士**
法國學院，約十二世紀，象牙，佛羅倫斯，
巴傑羅美術館（Museo Nazionale del Bargello）。

◁ **騎士授銜**
《梅斯法典》（*Metz Codex*）內的微型畫，1290年，
法國學院，私人收藏。

▷ **愛神**
受困於他的城堡，鏡子背後的象牙雕刻，約十二世紀，
佛羅倫斯，巴傑羅美術館。

勞工：平民的世界

中世紀盛期的農業社會，經濟活動主要是以物易物，最重要的基礎就是土地。莊園的勞動工作由屬於領地主人的農奴進行。工作包括駕牛犁田或是拉車。由十一世紀的史料中得知，這些駕牛的人在牧場勞工中組成特殊的群體，他們可以私下使用領主的犁具作為報酬的一部分。在農業革命期間大幅增加的簡單工具，讓他們跟從事勞力工作的平民之間產生社會差距。

因此，在十一世紀時前額軛被廣泛使用於牛隻，馬軛用於馬匹，兩者都大幅增加牠們的拉力。加上配有鐵犁刃和耙子的輪式犁頭的出現，農穫量顯著地增加。除此之外，受惠於所謂的中世紀暖期（Medieval Climate Optimum）：大約從千禧年之交一直到十四世紀的溫暖氣候，實現了春季和秋季的兩期耕作。春季種大麥和燕麥，以應付馬匹與日俱增的需求，秋季則是小麥與黑麥，以對抗如影隨形的飢荒危機。輪作的另一影響就是收入的進一步提升。如此，農業的進程為成長進步提供了經濟基礎——也使建築活動遍及歐洲，期間馬匹作為拉曳動物，為運輸帶來新的可能，首要供應修道院和教堂的興建。

當農業的手工勞動者、普通的平民沒有機會改變他們的社會階級，駕牛農人則成功地憑藉他們的經濟契機提升社會地位，儘管可能仍舊需要當農奴好一段時間。他們在擁有土地主權的領主和平民之間擔任中間人的角色；結果，管家（vil-licus）或總務這個世襲的職務順應而生，為晉升騎士階級敞開了可能性。

月令勞工
約 1220-1230 年間，安特拉米學院（school of Antela-mi），克雷莫納（Cremona）主教座堂，前廳浮雕。

城市與居民

當古典時期的風格得以在地中海地區的城市部分延續下去，在阿爾卑斯山脈的北麓卻面臨嚴重的毀滅。蠻族入侵加上人口下滑，導致羅馬都市文化的終結。唯有逐漸在已荒廢頹圮的古典都市外圍，新設立小型防禦用集鎮（burgus）。因舊城區的幅員過度廣大，無從抵禦薩拉森人（Saracens）或諾曼人（Normans）；而在沒有權力中心的時代，安全是最基本的需求。

這樣的要塞與城堡或修道院毗連，稱為外堡（foriburgus），即為外城或市郊。始於八世紀，在十世紀時以驚人的速度增建。

在這些集鎮安家的有工匠，也有一般的居民或行旅的商人。這些新城鎮的要素就是防禦工事，城牆讓生命安全相對

有保障。在九和十世紀時，防禦的光榮使命逐漸交到了定居於新城鎮的居民手中，這導致了公民權利的產生，並往往與兵役和對城鎮防禦工事的捐獻義務相關聯。某些歷史學家假設一名中產階級對城鎮防禦的權力，便是賦予公民權利的先決條件。至少，防禦的城鎮成了許多被迫離開農村生活的人群聚的重要中心，故此穩定的居民人口增長也要求同樣穩定擴張的防禦工事。

雖然一開始多半仍由地主或主教掌管城鎮，居民則以強悍的談判優勢和特權從他們的手中奪權，使得牆內的人民獲得並保有他們的自由。經濟上最富顯著意義的特權，即每週舉辦一場小型市集，甚或每年一場大型的，以承諾接受最高程度的防禦工作，以及對行旅至此的商人的法律保障。

△米蘭理性宮（Milan, Palazzo della Ragione）
十三世紀上半葉。

△聖昂托的格羅耶宅邸（Saint-Antonin, mansion of the Granolhet family）
1126-1150，臨街外牆。

▷克呂尼的羅馬式房屋
共和街（rue de la République）25號。

愛與性

　　柱頭側邊有兩道拱廊：在左手邊，女子坐著梳頭，同時頭傾向一側，沉思著凝視遠方，好似在嚮往著相鄰拱廊上的場景：一對愛侶躺在對方的臂彎中。最令人驚訝的是，這個柱頭位於羅馬式修道院迴廊的正中央，在加泰隆尼亞的埃斯塔尼聖母修道院（Catalonia, Santa Maria de l'Estany）內。沒有背景資料提及它，以及在別處可能代表的意思：表徵色慾罪惡的寓意。摒除了任何天國的審判，情愛的渴望與柔情於此呈現。這要如何解釋呢？

　　教會的神父視自己的性慾為全心奉獻上帝的阻礙，這反映在他們的著述中，並在整個中世紀支配了最高權力中心。聖奧古斯丁（St.Augustine）尤其譴責任何的肉體接觸，即便是為了繁衍後代的已婚夫妻；因其根本上仍來自於罪惡的情慾。這項認知的結果，使得中世紀的男性視性慾為負面且滿載罪惡的原罪，加劇了被神懲處的恐懼情況。在與世隔絕的修道院裡，修士得特別對抗性慾的干擾，就像橫阻在他們和神之間的惡魔一樣。朝聖者在惡魔的糾纏之下暴露在更多的誘惑下，然而有保護他的辦法，在新約聖經中也詳述數遍：「他是靠著鬼王別西卜（Beelzebub）趕鬼。」（路加福音11：15）修道院和教堂內，惡魔的性慾形象雕刻在石頭上，好驅趕惡魔且使牠無害。西班牙夫羅米斯塔（Frómista）的陽具雕像，以及在英國基爾佩克（Kilpeck）的希拉納吉（Sheela-Na-Gig）展現其外陰的雕刻，皆是這類避邪塑像有力的範例。

　　由於在天堂的原罪，裸體成了罪惡，成為表現墮落的主題。其中最引人矚目的圖像就是位於歐坦（Autun）教堂北門拱楣的夏娃。她像蛇一般穿過伊甸園，扭轉上半身面對觀眾，突出她的女性裸體。

梳頭的女人，相擁的夫婦
柱頭，約十三世紀，加泰隆尼亞，埃斯塔尼的聖母堂，迴廊。

性慾和愛情之間的關聯，或僅是情感本身，在中世紀早期並無紀錄。它發展於中世紀盛期，緣於個人意識的抬頭，並且在一開始僅限於宮廷圈，爾後首見於十一世紀末南法吟遊詩人的情詩中。埃斯塔尼的柱頭上也呈現了加泰隆尼亞的貴族成員，雖然不知道他們的身份。1112年，巴塞隆納伯爵拉蒙・貝倫貴爾三世（Ramón Berenguer III）和普羅旺斯女伯爵的聯姻，促使深度的文化交流，以致於普羅旺斯的音樂和情詩——乃至於對愛情的情感——找到進入加泰隆尼亞宮廷的大途徑。由於加泰隆尼亞許多修道院的基金都源於當地的伯爵，並且卡爾多納（Cardona）家族也是其中之一，推測這個柱頭可能在描繪情詩影響下的宮廷婚約。

△ **希拉納吉（醜惡如罪）**
女性展示其外陰，托座雕像，約十二世紀中期，基爾佩克，禧福郡（Herefordshire），英國，聖瑪麗（St. Mary）教堂。

▽ **斜倚的夏娃**
聖拉札爾主教座堂（Cathedral of Saint-Lazare）早期北耳堂入口的拱楣，約1130年，歐坦（Autun），羅林博物館（Musée Rolin）。

▷ **母猴子展示牠的外陰**
柱頭，約十二世紀，聖戈當，聖皮埃爾與聖戈當（Saint-Pierre-et-Saint-Gaudens）牧師會教堂。

死亡，善終與死於非命：
恐懼與希望

　　中世紀的生活是在死亡的統治下生存，死亡是生命無所不在的伴侶，然而它的出口，使生命不至於終結。根據中世紀對兩個世界的信條，在過完屬世的生活之後，人類的靈魂會過渡到死後的世界，在此展開新的生活。這個意識被菲利浦‧阿希葉（Philippe Ariès）描述為「延續的希望」，以這個意識面對將死的恐懼，便非關死亡，更多的是與命運相連。如同一些歷史學家所闡釋的，死後人要在哪一個世界：天堂或地獄度過永恆，此不確定性支配了死亡的時刻，亦代表了生命是透過死亡的觀點而活。比起已逝之人，更攸關生命的意識塑造，走完世俗的道路後，前方便是獎賞或贖罪這個令人焦慮的問題。描述死後生活的文學作品於十二世紀時蓬勃發展，以五花八門的方式形容死後靈魂獲得解脫的情境；地獄裡的折磨尤其佔了很大的篇幅，因而對死後生活的希望往往被恐懼大幅超越。

　　教堂正門上對地獄的描繪與這些敘述相應。法國大教堂的羅馬式拱楣，以最後審判的畫面，非常清晰地展現末世論圖像。到了最後，在審判日那天，基督作為世界的審判者將登上寶座，依功過指派靈魂，分配他們天堂的救贖或地獄的懲罰。伴隨此神學概念的，是死去的人將保持在一種睡眠狀態直至審判日再復活。而後這個無法令人滿足的想像，被傳說和民間故事中的「滌罪中轉站」的可能性取代了，那裡是存在於天堂和地獄之間的第三中間站。十二世紀末期首次被神學家形容為煉獄（暫時的苦難）（Purgatory），十三世紀時被納入教義裡。順應當時的適當區分趨勢，使得奧古斯丁概念的「不太壞」和「不頂好」也能經由煉獄中的滌罪，達到救贖。而滌罪的過程是依靠祈禱和彌撒、禮拜儀式紀念（commemoratio），還有透過生者以死者之名而行的佈施來支持。

邊亞的雷蒙（Raymond de Bianya）
主教之墓：臥像，兩位天使圍繞在側，約1201-1225年，聖厄拉利與聖茱利（Sainte-Eulalie-et-Sainte-Julie）教區教堂（前大教堂），迴廊。

△▽ 教宗的可恥之死
西入口的拱楣，約1226-1250年，瑟米爾-昂-布里奧奈（Semur-en-Brionnais），聖伊萊爾小修道院教堂（former priory church of Saint-Hilaire）。

　　儘管如此，對於死亡那一刻的恐懼還是存在，如果還有足夠的時間讓將死之人懺悔和補贖，並接受最後的聖餐，如此才能幸福地告終。如同石棺上臥像所呈現的，據阿希葉（Ariès）所言之「非死亦非生」的狀態，即是受祝福的肖像。然而如果是突然發生、生命中出乎意料的死亡，則是不好的。理所當然的，當不斷傳出持異端者受如此的死亡折磨，這便成為文學中的傳統主題──這是對他們的祈願。如《黃金傳說》（Legenda Aurea），中世紀末最廣為傳閱的書，當中述及羅馬主教及教宗利奧（Leo）的傳說故事。於四世紀時他不僅遭受慘死，還受盡屈辱：「這位教宗在隱蔽處解手；而後被嚴重的痢疾侵襲，以致內臟全部排出體外；他就此在極不體面的地方突然的死去。」瑟米爾-昂-布里奧奈的拱楣，即呈現出教宗離開他的寶座，坐上便器，被惡魔環繞而遭受死亡。

天堂與地獄的審判者

聖耶柔米（St. Jerome）是首位談論天職（ministerium coeleste）的人，一個天上的內閣，裡面包括了天使以及當權者。官僚政治的形態因此被投射到天使身上，使他們與地上的官員相類似。這並非前所未見，對於天上的皇室家族這樣的說法可追溯至古代，而王室的階級制度也同時被用來理解天上的。蘇美人（Sumer）視天使為帶著翅膀的天堂信使，在基督教圖像學中則是天軍的主要成員。天軍與撒旦大軍對抗，如同天使一樣，撒旦大軍的「成員」也是無名官員；他們書記的首要任務便是記下人類的罪惡，與記錄下人類善行的天使相對。

◁ **書記天使和惡魔**
唱詩班座位側邊，約 1210 年，石灰岩，波昂（Bonn），
聖馬丁大教堂（Minster of St. Martin）。

審判日與對地獄的恐懼

作為羅馬式建築的新視覺媒介，拱楣將羅馬風格中最重大的末世論主題：審判日，帶入感官的中心。是拱楣這個位置讓此主題能獲得關注，藉此將它的內容烙印進信徒的心中。並讓每一個走進這些教堂的人都會面對他所能想像最可怕的東西：世界末日以及人生罪惡的後果。

這幅圖像在舊約和新約中受到極多樣化的描述，特別是啟示錄。在畫面的中央，基督在榮光中被立為王，並通常被四福音作者的複合象徵像（tetramorph）和天使所環繞。祂的身邊伴有二十四位目擊審判的長老，或是十二使徒。在祂的右側，上天的指令展開，得救的靈魂面對他們應得的命運。在祂的左側，譬如在歐坦的例子，描繪著靈魂的重量，天使長米迦勒（Archangel Michael）在惡魔面前壓下秤盤好左右靈魂的結果。

▷ **靈魂的重量**
西門拱楣上最後審判的細部，1130 和 1145 年間，
歐坦，聖拉札爾教堂。

地獄的場景：按照人類罪惡所判下的處罰
西門拱楣上最後審判的細部，1120/1130
年，孔克（Conques），聖佛依教堂（Sainte
Foy）。

対地獄和其懲罰的描繪佔去大半空間。在孔克-昂-魯埃格（Conques-en-Rouergue），最高審判者的腳正下方的區域，被分為兩個世界——天上的耶路撒冷在祂的右邊、地獄在左邊，在此天堂的秩序對比地獄的混亂。被懲罰之人的小徑通往地獄的入口，我們可以看到一名騎士連同他的馬一起向前跌落，被兩隻惡魔接住然後折磨。在中央，惡魔坐上審判席，按照每一條靈魂所犯罪惡的嚴重性一一判處來自地獄的懲罰。牠的左手指向一個脖子上掛著錢袋、被吊起來的男人，大家都可以認得出來他是猶大。在沒有贖罪前，沒有人能在祂面前逃過一劫，他必須明瞭他自身的罪惡。

ICI EST ENFERS ELI ANGELS KI ENFERME LES PORTES:

△ 天使鎖上地獄的嘴

《布魯瓦亨利聖詠集（溫徹斯特聖詠集）》（*Psalter of Henry of Blois (Winchester Psalter)*）內的微型畫，科頓尼祿夫人（Cotton Ms. Nero）C.IV, fol. 39，溫徹斯特，約十二世紀中期，倫敦，大英圖書館。

往地獄的大門通常以怪獸的大嘴來描繪，如〈約伯記〉（40：25-41：26）中所形容的力威亞探（Leviathan，又譯利維坦）。雖然仍不清楚牠的長相，特徵則可以形容為鱷魚、蛇或鯨魚，甚或以龍表示。在《布魯瓦亨利聖詠集》的微型畫中，聖經內的文字敘述幾乎被一字不差地傳譯成牠的圖像，文字記述道：「牠的牙齒是可怕的彎路，鱗片是牠的驕傲，像是被封印般緊緊閉合。」（41：14-15）牠的大口隱

蔽著地獄的混亂，並被一位天使鎖住。地獄入口的圖像與因為一生的罪孽而被懲罰吞噬的恐懼相連結。然而所謂的「咽喉焦慮」（pharyngeal anxiety）也有其他頗為不同的緣由，表現在女陰的描繪上，在舊約聖經中與地獄相應。一個廣為人知，對於女性生殖器經常性描述的例子是在英格蘭的基爾佩克，也涉及到性慾的妖魔化，使其在修士和朝聖者禁慾導向的生活中變成令人痛苦的部分。在當時對世界的聯想性認

△ 惡魔般的生物
支配一條靈魂，地獄的描繪，壁畫，約十三世紀早期，布里烏德（Brioude），聖朱里安教堂（Basilique Saint-Julien）。

▷ 動物外型的怪獸
吞沒人類，柱頭，約十二世紀，普蘭皮耶（Plaimpied），聖馬丁修道院教堂（Abbey church of Saint-Martin）。

知中，這樣的焦慮源自於一種原始的恐懼——常見於許多文化中—— vagina dentata，有牙的陰道。

荷斯特・布雷德坎普（Horst Bredekamp）以在夫羅米斯塔的聖馬丁教堂（Frómista, San Martin）作為範例說明，在這種性焦慮的影響下，人類的性器官會變異，而女陰會以更具侵略性的形象吞噬人類，無論是貓、巨鼠，還是各種猛獸。首見於夫羅米斯塔教堂的這些圖像，主要經由朝聖者傳

遍西方至聖地亞哥（Santiago），並出現多種變化，尤其是在教堂及迴廊的柱頭上。相較於地獄的大混亂，這些單一圖像也出現在布里烏德的壁畫上，讓觀者徹底了解怪物和地獄來的生物折磨人類及其靈魂的過程；貪婪怪獸的暴食反映出的正是受苦靈魂的驚駭。

天使聖詩班
壁畫，約十二世紀早期，布里烏德，聖朱里安教堂，西廊道拱頂的東北角。

希望

　　一如恐懼，中世紀人們的「希望」同樣以死後的生命為中心。透過苦行和禁慾、佈施，或以地產和金錢設立基金會，個體對於地獄的恐懼，便可轉變為對天堂的希望。一般而言，生命從出生到死亡都伴隨著儀式，息息相關著希望審判日來臨的那天，自己是屬於被揀選者。

而這樣的希望只能透過真切期盼神的審判來滿足。

與天堂的秩序相比，地獄亂象的詳細描繪就展開在最高審判者右邊的世界審判入口。我們也在壁畫中發現類似的並列構圖，例如位在布里烏德的聖朱里安教堂的西廊道，天使聖詩班出現在地獄景象上方的拱頂。天使以人的形象，在此清晰地呈現出兩性。手持酒杯和卷軸，身著拜占庭式服裝，他們歡慶著想像中與世間相似的天堂禮拜儀式。

II 第二章

創世神話的世間願景

世界的圖景、科學與藝術

直至十一世紀，歐洲文化在宗教的絕對主導之下，於政治、法律和科學等領域形同一體。但這個一體性因觀點的組成及思想體系經常與宗教相悖而開始崩解。其中一個成因在於都市型社群興盛，需要具有理性世俗觀點的法學家使共存條理化，而新的經濟價值體系也與傳統的宗教看法相競爭。另一個因素，是對於世界和人類存在的可能解釋的醒覺，以自然科學的方向延伸了宗教的觀點。

對創造世界的描述，以及諸如赫德嘉‧馮‧賓根（Hildegard von Bingen）等人的洞見，皆指向以神為中心之世界觀的合法性及確實性。《世界地圖》（Mappae Mundi）也是，比起得救的確定性，地理知識反而佔較少篇幅。這不只被與阿拉伯世界文化交流時傳至西方的古典知識所強烈反對，也與十世紀和十一世紀間興盛於中亞，對藝術及科學的新見解相悖。

許多為作品署名的藝術家也正經歷一種轉變；在其創作的作品上列入姓名，在某方面保障了他們的救贖，漸漸地也有利於對他們藝術才能的鑑賞。

六天創造世界

〈創世紀〉構成了基督教宇宙演化論的起源與基礎。古典時期末開始有其論述，並興旺於五世紀，約為聖奧古斯丁的年代，到了十二世紀到達鼎盛。對神聖六天的圖像描述主要出現自十一世紀，並出現對〈創世紀〉不同的解釋。

柏林雕塑美術館（Berlin Sculpture Gallery）內的小象牙浮雕上有十幅畫面，頭六幅展示出〈創世紀〉第一章1到31節中的六天，第七幅則是〈創世紀〉第二章21到22節，描繪從亞當的肋骨創造出了夏娃。最後的三幅則留給人類的墮落和被逐出天堂——那些無法被實際歸類為上帝創造宇宙的場景。相較於納入墮落的故事以延伸上帝創造宇宙的完整性，更為常見的是將場景縮減至亞當和夏娃的創造。在此第一個男人的創造，特別透過從亞當的肋骨作成夏娃來表現。

摩德納主教座堂西側外牆上〈創世紀〉四座浮雕的第一幅，由威利哲姆斯大師繪於十二世紀早期，首見天父上帝出現在由兩位天使捧著的杏核狀的光圈（mandorla）中。接著第二幅是上帝賦予亞當靈魂，而這幅浮雕中央的大部分面積，都被創造夏娃所佔去。上帝皆出現在全部三幅畫面中，故事結束於第一對人類（即亞當和夏娃）的墮落，他們遭上帝棄絕，最終被驅逐而自謀生路。這幅敘述創造宇宙的描繪與其他作品相較，將創造世界的六天按照季節和時間的順序排列。

十二世紀早期凡爾登的佈道收藏品中，上帝創造宇宙的描繪，其四面皆環繞著四角鑲邊。角落上是季節的象徵，左上是夏季而右邊是秋季，這個不尋常的編排由光照（Lux）所聯結，象徵一年中最長的一天。同樣的，冬季和春季在版面下方，由黑暗（Tenebrae）所聯結，代表最長的一夜。輪狀的輻面上，男性寓言人物與創造宇宙的六天相結合，中央則是天父上帝賦予亞當靈魂。

△ **象牙浮雕**
刻有上帝創造宇宙的描繪，義大利，約十一世紀，柏林，國立博物館群中的博德博物館（Bode-Museum）。

◁ **上帝創造宇宙的描繪**
中央圖像，聖瓦訥修道院／佈道書（the abbey of Saint-Vanne/book of sermons）雜集，1114/1124年，法國，凡爾登（Verdun），市政文獻，Ms. 1, fol.1。

△ **威利哲姆斯大師**
創造亞當和夏娃，西側外牆的浮雕，約十二世紀早期，摩德納主教座堂。

赫德嘉‧馮‧賓根的靈視

保存於眾多見證文學或繪本的靈視經驗，被視為中世紀盛期提升女性信仰虔誠的獨特表達方式。赫德嘉‧馮‧賓根（1098-1179）生於西元1098年，之後出任新設立的魯伯斯堡（Rupertsberg）女修道院的院長，是當代傑出的女性。她出身貴族，受過高等教育並留下重要的文獻，其中記載了她的靈視經驗，且由書稿彩飾師畫下。

關於她1163年宇宙的靈視記載於《神之功業書》（*Liber divinorum operum*），她看見人類源於神所創造世界的元素。第二個靈視中，宇宙天體是由象徵元素的圓盤所構成。外圈明亮的紅色太古之火呈現出人類的形象，因為神的愛已經與人子結合。裡面一圈是寬度僅為外圈一半的黑色火焰，代表溫暖且給予生命之火以及燃燒和懲罰之火的雙重性。純淨的蒼穹球體在兩圈火焰中擴張，接著是三層不同的氣體，先是水氣，然後是厚厚一層強大的清澈氣體，在中心的最裡層則是被雲朵遮蔽的薄氣層，形成了人類生命的球體。正中

間盤旋著大地，據赫德嘉所言，是由周圍的世界物質支撐，並且與它們維持一種持續豐盛的交流。

在第四次靈視中，赫德嘉在元素圈中看到地球的生命和人類的生命依年代的先後次序交織在一起。大宇宙和小宇宙組成緊密的內在聯結，在其之內，大自然和人牢不可分地在神聖之愛中熱烈擁抱並相互連接。赫德嘉的靈視說明了中世紀盛期元素理論所扮演的重要角色，這也成為她醫學寫作的基礎。

人的比例大致是宇宙比例的再現，這個論點是世界觀不可或缺的一部分。同樣地，對赫德嘉而言，尺寸和對稱具有相同的重要性。圓圈和球體代表理想的比例，因為任一點到中心點的距離都是相同的。正方形也同樣被視為是一個和諧的符號，加上圓圈，形成一個包含人類的宇宙圖。大宇宙和小宇宙的比例相符，如同維特魯威（Vitruvius）的古典建築理論中所預示的，在中世紀藝術中實現形而上的理想。這是基於對數字四的寓意解釋，由於出現在許多脈絡中，被視為人和宇宙的關聯間的基本變數。

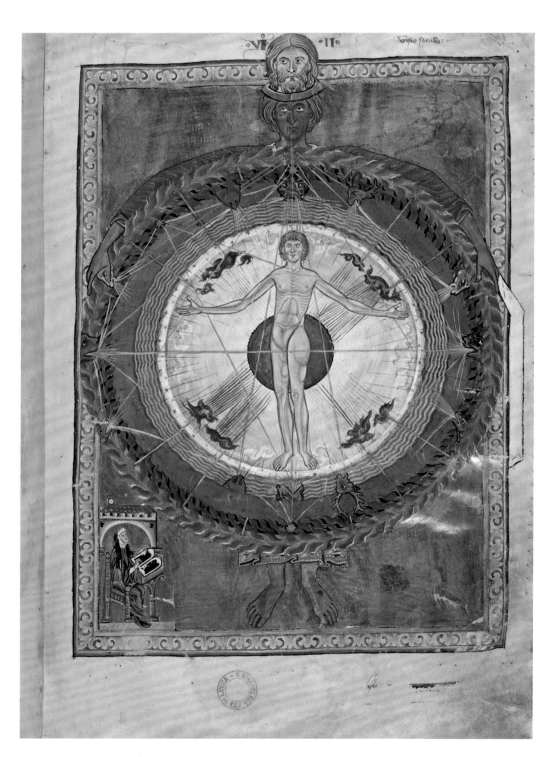

◁ 赫德嘉‧馮‧賓根的《神之功業書》
1163-1170年，第二回靈視，Cod. Lat. 1942之第四幅，盧卡（Lucca），國家圖書館（Biblioteca Statale）。

▷ 赫德嘉‧馮‧賓根的《神之功業書》
1163-1170年，第四回靈視，Cod. Lat. 1942之第六幅，盧卡，國家圖書館。

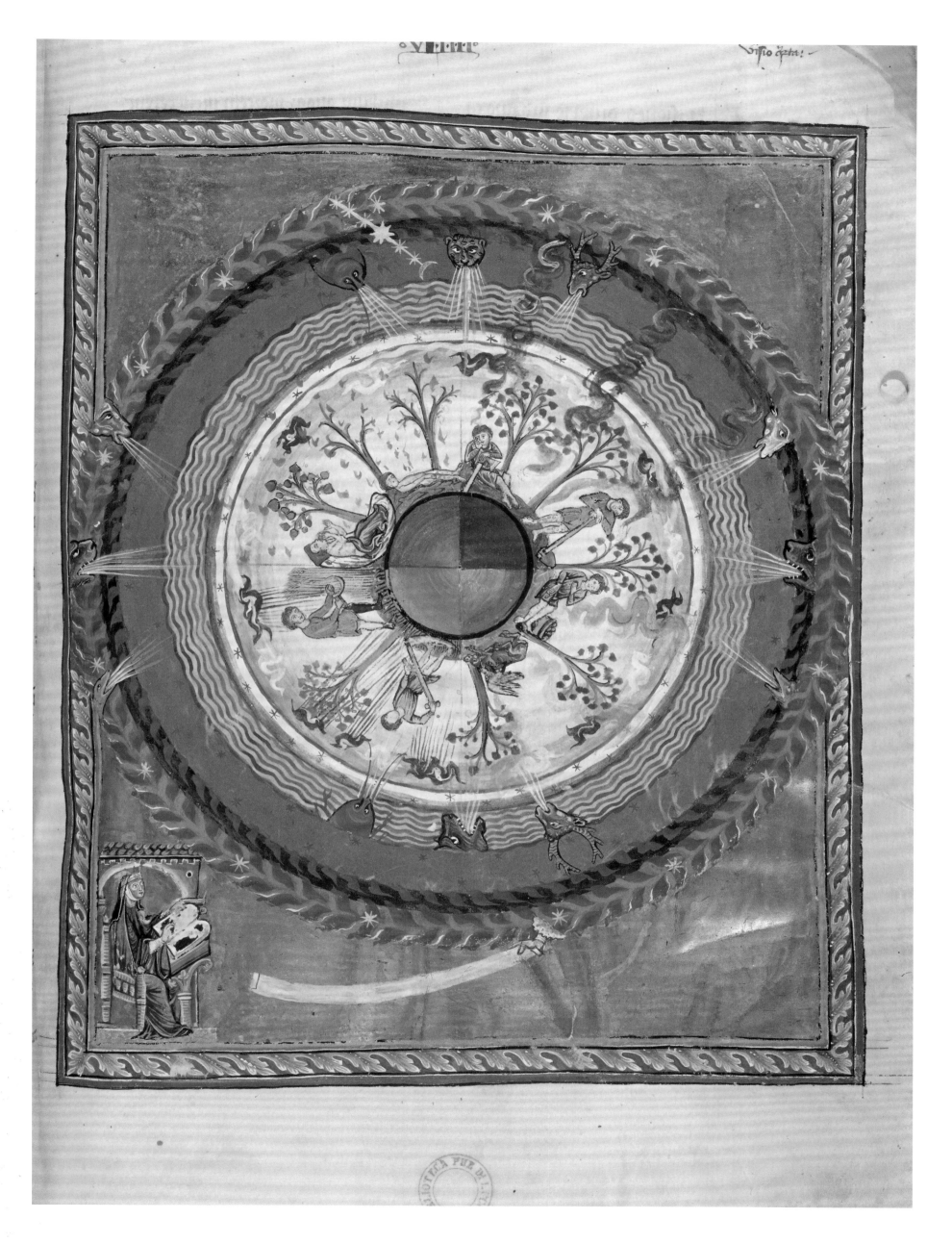

世界地圖──羅馬式地圖中的世界觀

世界地圖（mappae mundi）用於空間及時間的定位。希臘古典時期的地理以地球的科學測量為主導，其球形已獲認知，且圓周也經計算，報告顯示馬魯斯的克拉特斯（Crates of Mallus）於大約西元前150年時曾在帕加馬（Pergamon）首次展示過球體的地球。由於羅馬帝國分裂成東羅馬和西羅馬帝國，希臘在這方面的知識大幅輸給西方。而阿拉伯卻長期遵循亞歷山大港的托勒密（Claudius Ptolemy, 約100 - 170）的教誨。

羅馬的地圖繪製主要由帝國的軍方和政府進行，始於尤利烏斯・凱撒（Julius Caesar, 西元前100-44年）任內，由奧古斯都（Augustus, 西元前63 - 西元14年）完成。維普撒尼烏斯・阿格里帕（Vipsanius Agrippa, 西元前63/64－12年）所完成的地圖在七世紀時公開展覽於羅馬，被認為是中世紀盛期原版的世界地圖，但卻沒有保留下來。在奧古斯都的身上就能觀察到一種特別的關聯，他下令作人口普查，於其任內基督誕生，標示了神的救贖的起始，也是世界最後一個時代的終結。他的百科全書：《盛放之書》（Liber Floridus）創作於1090和1120年間，聖本篤修會的法蘭德斯人（Flemish）聖奧梅爾的蘭伯特（Lambert of Saint-Omer, 1050 -1125）以一幅插畫描繪這層關聯：即位的帝王將圓盤狀的地球展示於左手，印文則依據路加福音（2，1）摘錄聖誕故事的開頭。

及至君士坦丁大帝，非洲出生的基督教辯護者及修辭學家拉克坦提烏斯（Lactantius, 約250 –320）嚴厲地反對異教徒馬魯斯的克拉特斯所教導的球形地球。他抨擊對蹠地（Antipodeans，通過地心的直線會與地球兩側表面相交）的論點，也反對「地球下有天堂」這種顛倒的世界。而聖奧古斯丁即便缺乏證據，且無法想像一個人口增加的反向大陸，但仍沒有拒絕接受球體的地球，此概念亦被教堂神父們證實且接納。此外，聖經中許多章節對中世紀的基督徒表明地球是平的。

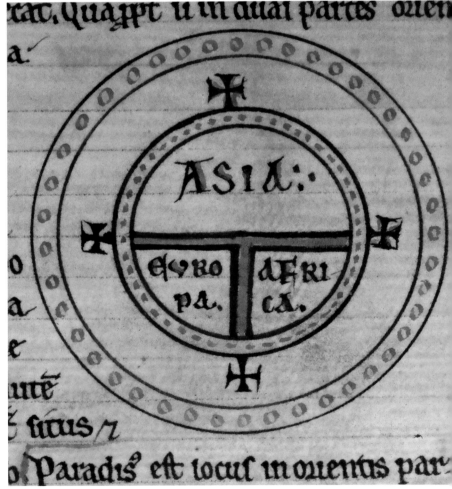

△聖奧梅爾的蘭伯特
《盛放之書》中的奧古斯都大帝和T型地圖，西元1090/1120年，根特（Ghent），UB, Ms. 92, fol. 138 v。

△T型地圖
聖依西多祿（Isidore of Seville）之後，圖解世界地圖，皇家 F.IV, Fol. 135 v, 1175年，羊皮紙，倫敦，大英圖書館。

▷聖瑟弗的貝亞突斯地圖
（**Beatus map of Saint-Sever**）（複製）
1065/1075年，私人收藏。

因此，在許多神學著作上可見平坦的地球圓盤所表現的地圖。已知居住的世界（ecumene）都被詮釋為一片漂浮在海洋上的圓盤，上面的世界被T型的水流分割。T型上方的半圓形是亞洲，是最大的大陸；由於聖經中救贖故事的地點在此，這些所謂的T型地圖幾乎都是東方朝上。圓盤的下半部再左右對分，歐洲在北，非洲在南。文字標明的兩個大陸被地中海分隔，歐洲和亞洲被黑海和頓河（Don）分割，而非洲和亞洲之間則是尼羅河。

這些世界地圖並沒有宣稱代表確實的地理，更確切地說，它們所代表的世界圖像是由教堂神父們依聖經的解釋而設計。他們最傑出的任務便是畫下救贖的歷史，為此這些圖像從未單獨出現，總是伴隨文字紀錄。這種圖（pictura）與文（scripura）的結合，安娜‧桃樂西‧馮‧登‧布林肯（Anna-Dorothee von den Brincken）賦予它們鮮明的名字「歷史繪圖」（history paintings）。

聖依西多祿（Isidore of Seville, 約560-636）的文章是T型水流論點的起源，其後發展出「海洋之外南方內陸國的第四大陸，因為陽光的照射所以我們不知道」的論點，而此處也是對蹠地之人居住的地方。

這個詮釋為許多地圖設計所接受，尤其是修士里厄巴納的貝亞突斯（Beatus of Liébana, 730–800），他以使徒的使命直至地球終結作為主題。許多追隨者以貝亞突斯地圖為名出現，包括創作於1050和1075年間加斯康尼（Gascony）聖瑟弗修道院的世界地圖，可以經由明確又豐富的細節加以辨識。海洋的邊緣擠滿島嶼並充滿魚類，天堂被繪製在已知居住世界的最東方，在那裡有亞當、夏娃和蛇。在南方，地中海被稱為紅海（Mare Rubrum），分隔已知居住世界與第四大陸，即為聖依西多祿的文字出現之地。

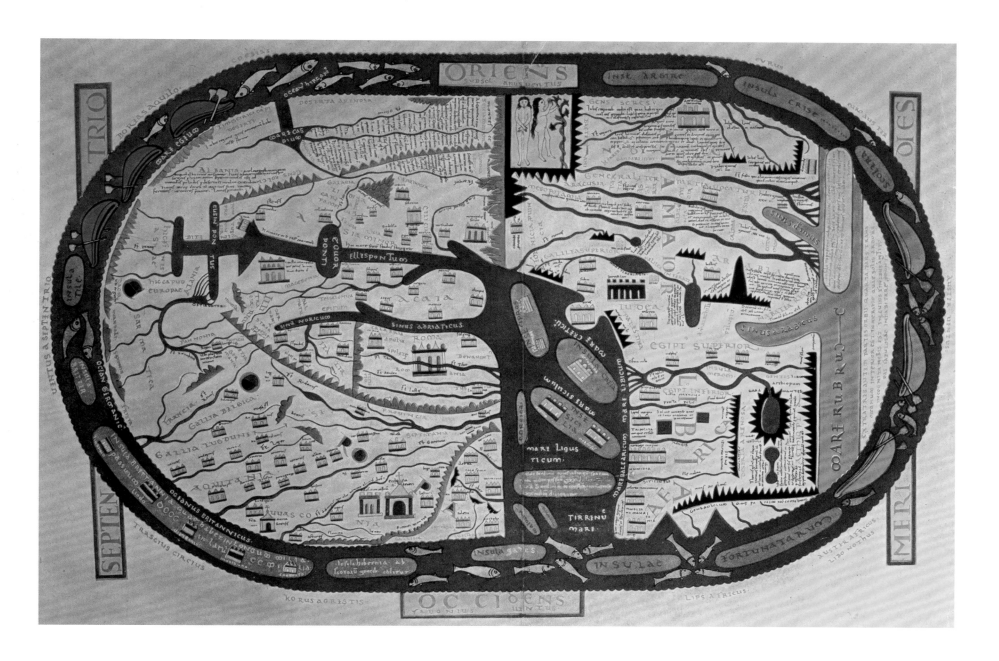

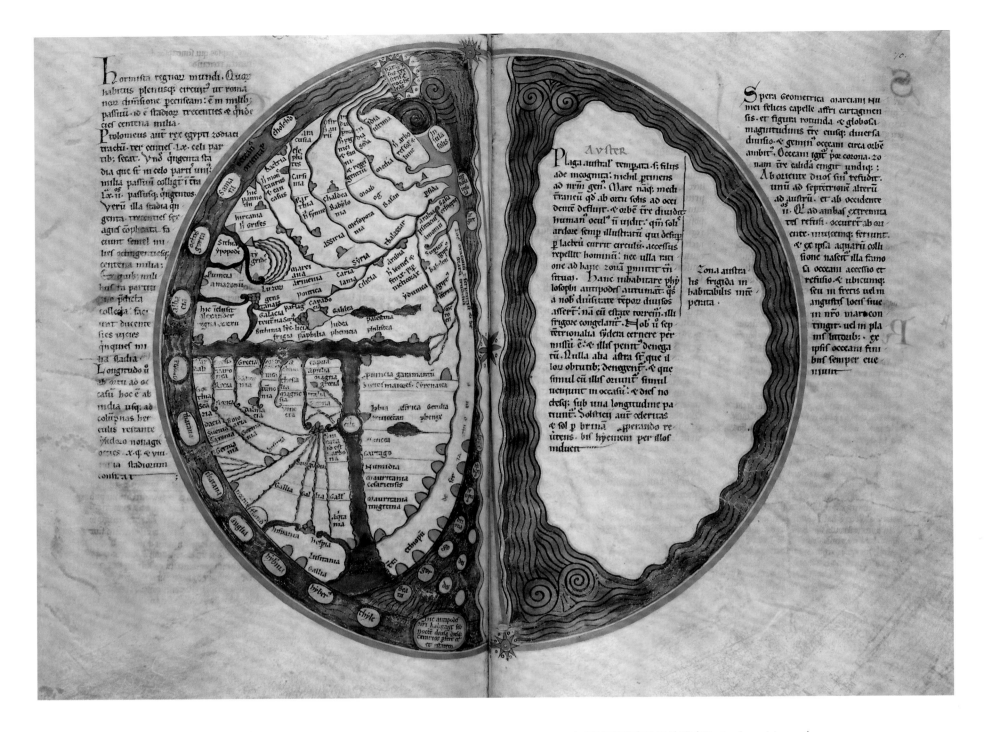

△ 聖奧梅爾的蘭伯特
《盛放之書》內的大型半球形世界地圖，約
1151-1175 年，MS Guelf. 1 Gud.lat., fol. 69v-
70r，沃爾芬比特爾（Wolfenbüttel），奧古斯特
公爵圖書館（Herzog August Library）。

▷ 埃布斯托夫世界地圖（Ebstorf world map）
埃布斯托夫（？），約 1300 年，已遭損毀原版
的複製品，高約 360 公分，庫爾姆巴赫（Kulm-
bach），普拉森伯格的上主景觀博物館（Land-
schaftsmuseum Obermain Plassenberg）。

《盛放之書》中半球形的世界地圖像是直接反應馬魯斯的克拉特斯所表現的世界，他對於地球球體的知識並未遺失在中世紀的西方。它的東方朝上，並於北方適宜居住的區域呈現出 T 型結構的流水和三塊大陸。同樣適宜人居但不可企及的南方區域與之相對且大小一致，它的空曠空間上有一段廣泛的形容：「那裡不同的季節蘊有力量，且能看到不同的星空。」由古典紀錄中的省採用羅馬名稱，而且缺乏中世紀基督教的資料，研究者在此描述中辨識出一種後古典時期、異教徒的樣式。

早期的世界地圖主要是一種世界的象徵，它的表現是被延伸擴大的，舉例而言，受十字軍的影響而增加的知識與他們相連，且沒有在過程中失去其符號特徵。神父耶柔米（Je-rome）舉例，耶路撒冷應該位在世界地圖中央的這個要求，只有在十字軍東征期間被遵守。當神學上的世界地圖在十三世紀到達頂峰時，一種地誌學的地圖也同時在地中海地區發展，以因應海岸航行的實際需求。

享譽盛名且詳細繪製的埃布斯托夫（Ebstorf）世界地圖，其製作日期不幸地於戰時銷毀，目前考訂於西元 1300 年左右；其呈現反映出中世紀盛期世界地圖的顯著之處，以及赫德嘉・馮・賓根的世界觀。彩色線條的外圈代表天堂的穹蒼，介於外圈和內圈之間環繞世界（orbis terrarum）的是海洋，圍繞著地球。在海洋圈，不只有海洋生物和島嶼，還

畫出了風。大宇宙和小宇宙的連結可能反映在基督的肖像上，有別於赫德嘉的版本，這裡是被畫在天堂的穹蒼那一圈。在上方邊緣，嵌入基督帶有光環的頭像以及十字架；祂的腳在下方，兩側的手向前伸開形成環抱世界的姿勢。地圖正中央標示出耶路撒冷的方型塔樓，和基督身體的中間重疊，從基督登基的肖像延展到天堂的耶路撒冷。

這幅地圖共使用了三十張的羊皮紙，在1300年左右製作於德國北部呂訥堡石楠草原（Lüneburg Heath）的埃布斯托夫聖本篤修會（Benedictine monastery of Ebstorf），並於1830年前後在此地被重新發現。經過廣泛的科學研究及保存性的記錄後，於1943年11月毀於漢諾威（Hanover）的轟炸。

中世紀盛期古典知識的傳播

古典時期的希臘人開始了對於自然現象的理論性辯論，一種以處理知識為主的科學性思維油然而生。基督教信仰反對這個自然的觀點，而神的工作以屬靈的真理表現。再者，當時的世界分割為希臘—拜占庭以及拉丁—羅馬，多數的古典知識被西方拋在腦後；雖然經由不斷被複製的片段編寫而流傳下來，中世紀早期的西方仍缺乏以認識論切入自然的思想體系。

古代希臘的知識和學術研究被阿拉伯人很大程度地保留，並傳播到西方。九世紀的威尼斯、那不勒斯（Naples）或阿瑪菲（Amalfi）開始在西西里島（Sicily）或東地中海與阿拉伯人交易，知識逐漸朝向西方匯集。由於西西里島受拜占庭的統治直到西元878年，而後是伊斯蘭人兩百年，諾曼人在1060年征服了這座島，促使希臘文、阿拉伯文和拉丁文本間豐富的交流開始發展。在收復失地運動（Reconquista）* 的進程中，於1085年征服了托雷多（Toledo）之後，將阿拉伯文翻譯成拉丁文的西班牙中心於此發展。至此，亞里斯多德（Aristotle）不知名的邏輯學作品、歐幾里德（Euclid）的數學教學、托勒密（Ptolemy）的重要著作、蓋倫（Galen）和希波克拉底（Hippocrates）的醫學著作以及其他諸多古典作品，成就了當時西方知識極大的提升。

科學中的首位為天文學，其本質上立基於托勒密的發現；連同三角學（trigonometry），透過阿拉伯學者的翻譯傳至西方。它們確切的價值發揚於觀測儀器的進步，以及最重要的航海用儀表的發展。托雷多是發揚中心，其子午線形成計算方法的基礎之一。

醫學在古典時期享有相對高度的威望，在羅馬帝國滅亡後退回民俗醫療的地位。僅有少數中世紀作家和本篤會修道院部分地保留了這個古老的知識。在加洛林王朝沙特爾（Chartres）公爵的初步復興之後，直到十一世紀醫學學問的新世代才真正開始。著名的薩雷諾（Salerno）醫學院尤其貢獻良多。重要古典著作的翻譯受惠於希臘和猶太人，以及和阿拉伯世界良好的貿易關係。希波克拉底（西元前約460–370年）、帕加馬（Pergamon，129-約200年）和蓋倫的科學被保存於阿拉伯的百科全書中，如哈里·阿巴斯（Haly Abbas；Ali Ibn al-Abbas, 西元994年歿）和阿維森納（Avicenna；Ibn Sina, 980–1037）的著作；經過阿拉伯醫師附加上的評論，變得容易為中世紀歐洲所接受和使用。

* 收復失地運動，718至1492年間，位於伊比利半島北部的基督教各國逐漸戰勝南部穆斯林摩爾人政權的運動。

◁ 星盤
托雷多，西班牙，1029/1229年，青銅，雕刻，周長13.5公分，柏林，國家圖書館，普魯士文化遺產基金會（Prussian Cultural Heritage Foundation）。

△ 阿拉伯醫師和天文學家
巴勒摩諾曼第國王威廉二世（Norman King William II in Palermo）臨終的床邊；P. de Ebulo，《榮耀皇帝之書》（Liber ad honorem Augusti），彩繪羊皮紙手稿，巴勒摩（？），1195-1196年，伯恩（Berne），伯格圖書館（Burgerbibliothek）。

△ 持星盤的天文學家
抄寫員和數學家之間，法國，約十三世紀，Ms. 1186，fol. IV，巴黎（Paris），阿瑟納爾圖書館（Bibliothèque de l'Arsenal）。

在數學的領域，希臘人主要投入在幾何學。另一方面，高度發展的算術和代數則是源自印度，重要的數學家諸如阿耶波多（Aryabhata, 生於476年）和婆羅摩笈多（Brahmagupta, 生於598年）研發出一套計算的系統，其中數字的排列代表它們的價值。此外，這個系統還包括了一個零的符號，這是第一次此符號本身被視為一個數字。這個為算數帶來無價益處的系統，也被阿拉伯人傳至西方，並自十一世紀起逐漸取代累贅的羅馬計數系統。貢獻卓越的當屬比薩的李奧納多（Leonardo of Pisa, 約1180-1240），他以費波那契（Fibonacci）之稱聞名，其著作《計算書》（Liber Abaci）出版於1202年，詳細解釋印度阿拉伯數字的用法。

直至十二世紀，科學和魔術及神祕學之間的分際模糊不清。因此，受阿拉伯思想啟發，開始尋找自然的運作之道以及聖經事件的合理解釋，這個尋找混雜著渴望藉由知識的幫助，得以獲取戰勝自然的力量。以煉金術為例，原意圖是將基本金屬轉換為金或銀，逐步演變成尋找魔法石以及創造萬能藥的企圖。在受天體影響的推測性科學中，天文學被視為是煉金術的重要延伸。「然而早在十三世紀，」亞里斯特·卡門隆·克朗比（Alistair Cameron Crombie）論述道，「許多西方自然哲學家便得以將魔法摒除於其工作之外。」另一方面來說，在接下來的階段，魔法和天文學經歷了一段曇花一現的熱潮。

羅馬式風格的藝術家及其專業

在中世紀羅馬式時期，大體上並沒有現代意義上的藝術家。他們屬於所謂的藝術性技師的工作領域，被視為工匠，作品沒有什麼附加價值。藝術性技師的工作中，還包括盔甲（armatura）以及武器的藝術。

這些工藝家主要在貴族的宅邸或修道院工作，有時也住在那裡，或者跟建築工人一樣，從一區旅居到另一區。藝術史學家常藉由風格的比較，以及追溯他們影響力的軌跡來確認中世紀藝術家的身分。由於這些藝術家大多數都不為人知，藝術史學家借助於所謂的方便稱謂，將他們與某件作品或是某一個他們工作過的地方相連，舉例來說著名的卡貝斯塔尼大師（見66-71頁）即是如此。

許多人的名字因為被當代作家提及，或是因為藝術家自己在作品上署名而流傳下來，這個動作是由於冀望他們的罪能獲得赦免並得到永生。通常藝術家的簽名會與自畫像相聯，他們會將象徵工作屬性的標誌展現在手上。一片來自德國阿爾恩斯泰因（Arnstein）的早期普利夢特瑞會（Premonstratensian）的玻璃窗戶，在其下緣的請願辭中可以看到一位玻璃彩繪師自稱為哲勒楚斯（Gerlachus）：「哦，令人敬畏的王中之王，請仁慈對待哲勒楚斯。」在法國圖爾尼的聖菲利貝爾修道院教堂（Abbey church of Saint-Philibert in Tournus）上的兩幅浮雕，一幅蓄著鬍子的男人，另一幅據推測是同一個男人手持鐵鎚；然而沒有任何刻文可以辨識這個人，他可能是建築師哲勒努斯（Gerlanus）於此創作了早期的藝術家自畫像。

「卡貝斯塔尼的大師」──
十二世紀的流浪雕塑家

一套原產於托斯卡尼（Tuscany）經過魯西永（Roussillon）到巴斯克自治區（Basque Country）的十二世紀藝術作品，可以經由一種獨特的雕塑風格得以辨識，作品可以輕易地與某位大師和其工作室連結。由於不知道創作者的姓名，藝術史學家用位於佩皮尼昂（Perpignan）近郊的卡貝斯塔尼（Cabestany）內的聖瑪麗天使（Sainte-Marie-des-Anges）小教堂的拱楣給他取了一個便稱。這位卡貝斯塔尼大師不只是在羅馬式雕塑中具有最迷人的藝術個性，他也與一些大師齊名，例如歐坦的吉勒貝杜斯（Gislebertus of Autun）和土魯斯的吉拉貝杜斯（Gilabertus of Toulouse）；他也是其中最神祕的一位。某方面來說這符合他外型奇特的

作品風格，例如在托斯卡尼的卡斯德爾諾德阿巴特（Castelnuovo dell'Abate）聖安蒂莫（Sant'Antimo）教堂描繪但以理（Daniel）在獅子洞穴的柱頭，或是在佛羅倫斯南部的聖卡斯西諾狄佩薩基宗教美術館（Museo d'Arte Sacra de San Casciano Val di Pesa）內刻有基督誕生的大理石柱。他前所未見的風格結合了非比尋常的圖像，這讓藝術史學家視他為一個流浪藝術家（wandering artist），其創作活躍於十二世紀末季卡瑟（Cathar）的土地上，當時正值異教大浪潮，這也讓人臆想他本身有沒有可能是個異教徒。

卡貝斯塔尼的拱楣刻劃的聖母升天，以三幅場景呈現。從右邊開始其獨特的開場，第一幅是聖母馬利亞從她死亡般的沉睡中甦醒。第二幅是基督立於中央，馬利亞和使徒多馬在兩側；後者是聖母上天堂時唯一一位不在場的基督使徒，因此她將腰封給予他作為證物，現在他正將它握於手中。最左邊，馬利亞正往天堂飛升。

聖安蒂莫的但以理柱頭究竟是卡貝斯塔尼的大師本人在托斯卡尼創作，還是從外引進，這件事未能確定。這件生動又戲劇化的雕塑表現出但以理被鬃毛雄偉又兇猛的獅子圍攻，當但以理舉起雙手臣服於他的命運時，他的目光轉向左側，哈巴谷（Habakkuk）在天使的帶領下朝他而來。與位於爾約米內爾瓦（Rieux-Minervois）的聖母升天教堂（church of L'Assumption）內的柱頭相較，這裡的螺旋形空間較受到限制，而聖母升天教堂內的拱墩空間較利於雕塑，特別是那裡出現了較多的獅子。

△**卡貝斯塔尼的大師**
拱楣：聖母馬利亞升天和祂的禮物腰封，約十二世紀後半，大理石，卡貝斯塔尼，聖母院教區教堂（Parish church of Notre-Dame）。

◁**卡貝斯塔尼的大師**
柱頭，約十二世紀後半，大理石，爾約米內爾瓦（Rieux-Minervois），聖母升天教堂（L'Assomption-de-Notre-Dame）。

後雙摺頁：
卡貝斯塔尼的大師
俘虜（右）和聖薩圖尼努斯殉教（左）的浮雕，約十二世紀中葉，大理石，聖伊萊爾-奧德。

並非每一個簽名都與藝術家相關，往往看見貴族或神職捐贈者的名字放在藝術作品上，與藝術家的目的相同——自身靈魂的救贖。在戈斯拉爾（Goslar）聖西蒙與聖裘德牧師會教堂（collegiate church of Sts. Simon and Jude）稱作哈特曼圓柱（Hartmannus Column）上的刻文寫道：「哈特曼製作基本人物雕像。」（Hartmannus statuam fecit basisque figuram）由於拉丁字「Fecit」經常被使用，就像這裡的情況，因而難以分辨簽名是屬於藝術家還是作品捐贈者的。

在萊茵—馬斯河（Rhine-Meuse）流域和義大利北部，藝術家及其作品的價值迅速拓展於歐洲的工業和政治發展中心。因此，興盛於列日（Liège）教區，也是自加洛林時代起金屬工藝登峰造極的馬斯河山谷的藝術之中，青銅鑄造工于伊的瑞尼（Renier de Huy）在列日的聖巴泰勒米教堂（Saint-Barthélémy）創造了洗禮盆而獲得相當的知名度（見536/537頁）。在摩德納的聖吉米尼亞諾（San Geminiano）教堂外牆上的刻文中，則可看見雕刻大師威利哲姆斯在建築師朗法蘭科的指示下所執行的創作，受到最高的讚賞；這是在表達公民的驕傲，結合了雇用最出色雕刻家的意念表現於牆面上。

△ 哈特曼圓柱的柱頭

面具和龍，約1151-1175年，戈斯拉爾，聖西蒙與聖裘德牧師會教堂，前廳。

◁ 哲勒努斯拱門

如面具般的頭部和持鐵鎚的男人，約1026-1050年，圖爾尼，聖菲利貝爾修道院教堂，聖米迦勒禮拜堂（Chapel of St. Michael）。

◁◁ 郭斐德斯所作（GOFRIDUS ME FECIT）

唱詩班席上形象化的柱頭與藝術家署名，約十二世紀下半葉，紹維尼（Chauvigny），聖皮埃爾（Saint-Pierre）教堂。

△ **卡貝斯塔尼的大師**
但以理在獅子洞穴，柱頭，約十二世紀後半，聖
安蒂莫，早期本篤會修道院教堂（Former Bene-
dictine abbey church）。

在聖伊萊爾-奧德（Saint-Hilaire-de l'Aude）的修道院教堂，有一幅描繪聖薩圖尼努斯（St. Saturnius）殉教和死亡的大理石浮雕，其三面皆為獻給聖人的教堂主祭臺。在這裡也是，故事的敘述從右面開始，聖塞寧（Saint Sernin）以主教之姿在兩位修士的中間，前方那面是聖人被俘和殉教，他被綁在一頭公牛上，拖行至死。左面是描繪他的葬禮，以及天堂迎接他的靈魂。建築和動物——特別是跨坐的人像披掛著扭曲的衣服，構成一幅圖像學的拼圖。現有的類似案例都是

在古典石棺中找到的打獵場景，因此這件作品被認定源自高盧羅馬（Gallo-Roman）。

所有這些作品都是藉由雕塑家的特質而鑑別的，他的人像總是被賦予大頭：平額頭、長而雄偉的鼻子，向斜角傾斜並橫向鑿孔的杏眼是他的獨特標誌，以及過大的手加上修長的手指；衣服採古典風格的垂墜，同時又有別於像普羅旺斯雕塑那樣的新古典主義的傾向。

71

△ 玻璃彩繪
先知但以理（Daniel）（細部），1132年之後，
奧格斯堡（Augsburg），主教座堂，南殿天窗（
Cathedral, south nave clerestory）。

△ 聖髑箱的蓋子
來自黑爾馬斯豪森，細部：馬太福音的符號，
黑爾馬斯豪森的羅傑，約1100年，特里爾（Tri-
er），主教座堂珍寶室。

工藝技術

提奧菲勒斯・普萊斯培特（Theophilus Presbyter）所著的《各種工藝技術》（*De diversis artibus*），以三份抄本流傳下來，被認為是八到十二世紀間關於各種工藝技術最重要的一部專著。對於這第一部工藝書的作者，有諸多揣測；而提奧菲勒斯修士及神父，和藝術家修士黑爾馬斯豪森的羅傑（Roger of Helmarshausen）是同一人的假設，並未獲得藝術史學家一致認同。專著的頭一本是關於繪畫的規則，聚焦於調配顏料的配方及用法。詳實地述明其操作方法，例如：哪

些顏色適合哪些題材，加入「鳶尾花、捲心菜和韭蔥」的汁液可以產生不同濃淡的色彩。第二本描述了玻璃製作、所需的一些工具，以及各種窯爐的施工法。金屬的製造及加工解釋於最重要的第三本中，也有很大一部分篇幅描述工作室的設置和營運。在書籍一開頭，作者即邀請他愛好藝術的「朋友」，為了完善神聖的事功，專注於製作上帝的殿堂中尚缺乏的工具。

聖卡敏（St. Calmin）的聖髑箱
外形（細部），1168-1181年，利摩日（Limoges）的琺瑯作品，81 x 24 x 45 cm，莫札克（Mozac），修道院珍寶室（Abbey treasury）。

這部鉅細靡遺的專著在黑爾馬斯豪森的繕寫室一再被謄寫，並分發給其他修道院工作室，對於中世紀的藝術、文化和技術等歷史，具有極大的價值。有鑑於大量新建的教堂致使鐘的需求增加，提奧菲勒斯以一整個篇章講解鐘的製作；它們的製造不僅需要設有大型窯爐的昂貴工坊以冶煉金屬，還要有廣泛的合金和鑄造流程知識，此外，這個複雜工程的成功還需要一位經驗豐富的師父帶領老練的能手。

鑄銅工程始於泥塑建模，這也是個人或機構委託製作作品的基礎。下一步，作出與青銅作品等尺寸的蠟模，敷上陶土，塑出鑄造管道和排出空氣的出風管道。當陶土外層受熱，融化的蠟會流出，留下背面的模具讓液態金屬倒入。待液態金屬冷卻後，模具即從成品上被移除。這種在中世紀被廣泛應用的鑄造技術，被稱為「脫蠟法」（lost-wax）。其最大的缺點就是萬一鑄造失敗，模具也會損失，必須重新製造。此外，即使是成功的鑄件，還是可能在冷卻的階段破裂。最後一步驟則是稱作「冷加工」的階段，要移除鑄件和排風管道，拋光未經燃燒的表面，最後鏤刻細節。

III 第三章

信仰與異動

十字軍、朝聖與聖物膜拜

　　在中世紀遷移的可能性是相當有限的。舉例而言，村民對於他們四周土地風貌的認知範圍甚小，並且僅限於鄰近的居住區域。在沒有丈量距離標準的時代，距離都是以移動的時間來表達──步行幾小時，或旅行數天──朝聖地諸如耶路撒冷、羅馬或聖地亞哥-德-康波斯特拉（Santiago de Compostela）都是抽象且遙遠的目標，要到達那兒只能靠崇高信仰力量的激勵，特別是一路上還有許多聖人的陵墓可以造訪。

　　相較於農村人民，貴族的視野遼闊多了，而且不只是在地理概念上。在十字軍東征中，宗教的誘因混雜著政治因素，統領著西方貴族。此外，從穆斯林的控制下解放聖地，不僅得以實現進入基督教的發源地，更是以帝國之姿宣稱在中東建立國土；從海外（Outremer）國土的建立及騎士的宗教命令可見相關跡象。

　　遷移帶來藝術和文化的交流。藝術的創新，例如教堂建築裡的那些例子，從朝聖的路線擴散到大陸的偏遠地區。遷徙也與人們自我意識的增長以及對自身環境的認知息息相關，在這個意義上，各式各樣的遷徙動機可以表達不同世界定位的新疆界。

中世紀的旅行

中世紀旅行者往往面臨極大的困難，因為旅行意味著步行。即便一個旅者選對了季節（四月到十月之間），他還是得暴露在嚴酷的氣候之下。如果不是可以在宮廷與宮廷之間往返移動的貴族階級，多數旅行者只能露天過夜。

沒有鋪設好的道路，通常都得穿越黑森林或難以橫越的荒野，渡過洶湧的河流、穿越深谷，或沿著被山崩、碎石掩埋的小徑前進。大自然不只用暴風雨、炎熱或酷寒作為威脅，還有使旅行者恐懼的野生動物。

所以任何一位被困在地域限制中的人，都需要一個很好的理由踏上旅途，可能是逃離犯罪通緝或意識型態的原因，也可能是受到感召，仿效耶穌過著終身朝聖的生活。然而，絕大多數的旅人都受到聖人遺物的吸引；成千上萬的群眾湧進聖人的墳墓，他們希望得到的不只是自己的罪被赦免，還有疾病獲得治癒或是從痛苦的情況中解脫。

在第一個千禧年之後，西方基督教經歷顯著的成長，旅行的條件也改善了。逐步的城市化、跨區域的貿易、建築材料的運送和增加移動性的需求，這些皆導致資源的部署大量挹

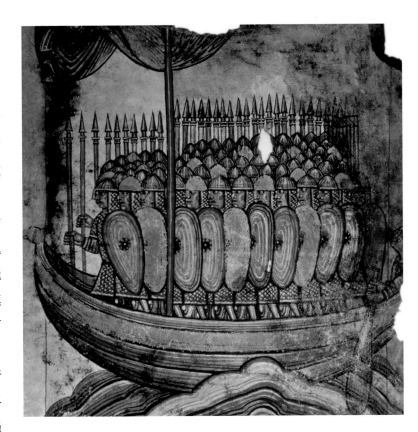

入交通的改善。造橋鋪路以利運輸工具通行，當缺乏可行的道路，則依靠騾子等駝獸。牛套上運貨車，是最被廣泛運用的役畜，同時用於耕種和在鄰近區域運貨。但由於牠們只能緩慢移動，且耐力低，遠距離所需的車伕和草料成本皆過高；因此牠們多為負擔不起長途遠行的窮人所飼養。另一方面，馬匹在中世紀盛期迅速普及，主要是因為牠能用於戰場上。馬軛作為新的駕馭方法，使得馬匹得以前後並轡拴在車上，幫助牠們走向重要的職業役畜生涯。

△ 船上的諾曼士兵
渡過英吉利海峽，《昂熱的聖歐班的一生》（*La Vie de Saint Aubin d'Angers*）中的微型畫，法國學院，約十一世紀，Ms. Lat. 1390, fol.7 r，巴黎，法國國家圖書館（Bibliothèque Nationale de France）。

◁ 前往聖地亞哥的朝聖者基督
前往以馬忤斯（Emmaus）的途中，迴廊的浮雕，約十二世紀中期，西班牙西洛斯（Silos），聖多明各修道院（Abbey of Santo Domingo）。

藉由船隻旅行，無論是經由河流、內陸水道甚或橫渡海洋，不僅更快也更便宜且方便。十字軍經過威尼斯或南義大利的布林迪西（Brindisi）穿越地中海到達聖地，這些所取的路徑並非偶然。

◁**諾曼馬伕**
騎在一匹斑點馬上，巴爾迪紹爾掛毯（Baldishol Tapestry）的細部，挪威學院（Norwegian School），約十二世紀，奧斯陸（Oslo），丹麥藝術與設計博物館（Kunstindustrimuseet）

▽**馬車裡的男人（埃利文上天堂）（Elijah going to Heaven）**
正門右側的浮雕，約1200-1220年，菲登扎，大教堂

聖戰，聖地──以上帝之名動武？
前三場十字軍東征及其影響

西元1095年11月27日，克勒蒙（Clermont）城門前的空地上，教宗烏爾班二世（Urban II，1088-99）下令在黎凡特（Levant，東地中海區）召集一支軍隊，當時他可能還不知道自己展開了什麼樣的運動。於此之前他收到拜占庭皇帝阿萊希奧斯一世（Alexios I，1081-1118）捎來的請求，要求他幫助對抗伊斯蘭對其統治的威脅。十一世紀時，穆斯林塞爾柱（Seljuqs）王朝全面推進到小亞細亞（Anatolia），威脅到君士坦丁堡。本身完全沒有軍隊的烏爾班二世，僅以數千名可以支援東方基督徒的法蘭克騎士作為小型的援軍。我們不能確定當時教宗是否已將他在克勒蒙的召集令與解放聖地耶路撒冷相連，然而後者的重要性卻益發明顯，並以一股狂熱的浪潮襲捲信仰虔誠的人民──特別是因為所有的參與者都得到全面赦免的保證，在此次戰役中陣亡者更是被承諾永生。受愛戴的傳教士們鼓吹起一支「人民十字軍」，在1096年的夏天以宗教的狂熱一路侵襲至東歐，直到十月間在小亞細亞意外地被塞爾柱鎮壓。

有鑑於教會創始者熱愛和平及反對暴力的教誨，使用軍事武力的正當性始終令教會陷入兩難。許多位神父，尤其是聖奧古斯丁（歿於西元430年），視戰爭為原罪，以及從天堂被驅逐所造成的不幸後果。然而究其必然性，可以被分成不

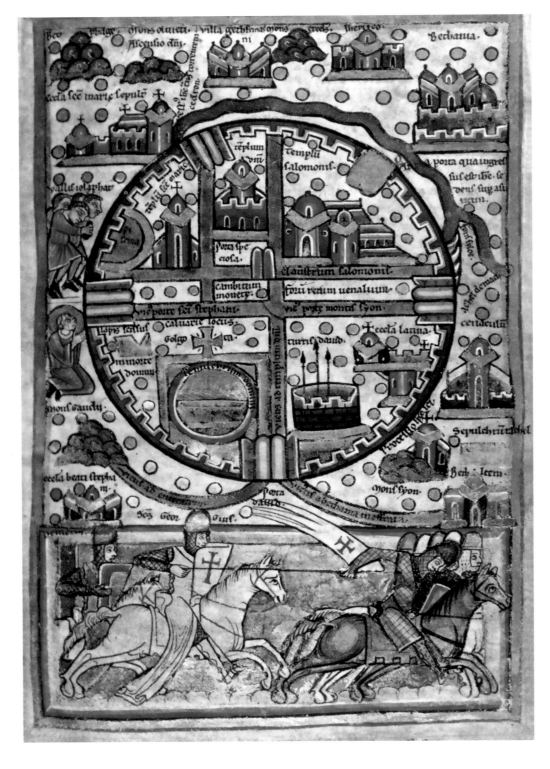

△ 十字軍的步兵
《昂熱的聖歐班的一生》中的微型畫，法國學院，約十一世紀，Ms. Lat. 1390, fol.7 v，巴黎，法國國家圖書館。

◁ 十字軍的耶路撒冷地圖
1170年，羊皮紙，耶路撒冷，希伯來大學（Hebrew University）。

▷ 十字軍出發
微型畫，Fr 4276, fol.6，巴黎，法國國家圖書館。

正當和正當的戰爭；對異教徒的戰爭被視為後者，正義之師（the bellum iustum）最終形成發展出十字軍概念的先決條件。

裝備精良又高貴的騎士軍隊，包含了法國北部和義大利南部的諾曼人，以及來自洛林（Lorraine）和普羅旺斯的人，於1096年的夏季末出發前往君士坦丁堡。一支將近六、七萬人和等數馬匹的龐大軍隊終於結集，其養護需要有效率的後勤支援。這趟越過小亞細亞的路程本身就是非凡的成就，即便十字軍在對抗塞爾柱還有面臨缺水及草料時，都遭受到兵力和馬匹戲劇性的折損。

◁ 五旬節奇蹟
派遣使徒行使遍及世界的使命，拱楣，1125-
1130年，弗澤萊（Vézelay），聖瑪德蓮修道院
（Abbey of Sainte-Madeleine）。

△ 七次十字軍東征路線
前三趟十字軍東征（約十一世紀晚期，十二世紀
中期及晚期）分別以藍、紅和綠線標示。

為了掠奪安提阿（Antioch）具戰略重要性的要塞，十字軍的戰力已消耗殆盡，導致第一次十字軍東征幾乎已到宣告失敗的程度。個別指揮官的特殊利益削弱了整個計畫，且缺乏軍備的供應以跟伊斯蘭勢力對戰。十字軍花了三年才抵達耶路撒冷，他們已經精疲力竭，戰鬥力也嚴重地降低。然而他們消磨殆盡的鬥志，一再被不可思議的宗教體驗提振。

到了西元1099年六月，在他們的需求已達最迫切的時候，六艘船意外地從熱那亞（Genova）抵達，帶來技術支援以期攻克當時最佳的防禦據點。

第一次十字軍東征是如此非凡的事件，使得它的成功讓人只能相信是上帝直接促成的。這反映在1146年，當克萊爾沃的聖伯爾納鐸（Bernard of Clairvaux）於弗澤萊宣布第二次十字軍東征的宴會上，他所激發的熱情不亞於五十年前的烏爾班二世。

1144年末，土耳其暴君贊吉（Zangi）佔領埃澤薩（Edessa），震驚了海外的基督徒以及西方世界。教宗尤金三世（Eugene III）和法王路易七世（Louis VII）立即籌劃新的十字軍，將重要的宣告交託給具影響力的傳教士克萊爾沃的聖伯爾納鐸，並為此選擇了極具象徵性的場景：弗澤萊的聖瑪德蓮教堂。這座教堂位於勃艮第的城鎮，也是「弗澤萊古道」（Via Lemovicensis）的起點，四條通往聖地亞哥-德-康波斯特拉的朝聖道路之一。不僅是因為這裡暗示了朝聖，而且數年前完工的拱楣以此為主題，憑藉雄心勃勃的神學理念，派遣使徒完成一個遍及全世界的使命。在此，於西元1146年的復活節，在廣大的群眾以及眾多參加活動的宗教和世俗權貴面前，伯爾納鐸發表了他著名的十字軍佈道（Crusade sermon），其後於數年間在不同地方被反覆宣揚。關於十字軍東征的動機是偉大的，但是當中涉及的並不僅只限於黎凡特；在伊比利半島（Iberian Peninsula）和波羅的海（Baltic Sea）地區，也爆發了對穆斯林和異教徒溫斯人（Wends）的聖戰，即當地所認知的第二次十字軍東征。

△ **英格蘭軍隊**
攻打一座城堡，取自《提爾的紀堯姆的編年史》
（*Chronique de Guillaume de Tyr*）內的微型畫，約
十二世紀，Fr 9084, fol.53，巴黎，法國國家圖書館。

　　第一次十字軍東征時，僅限高階級的貴族得以指揮部隊，這次的東征則由法王路易七世和日耳曼國王康拉德三世（Conrad III）拿下指揮權。1147年初夏，兩支十字軍的軍隊出發前往聖地。路易從梅斯（Metz）帶領他的軍隊，與康拉德在雷根斯堡（Regensburg）會合，後者早於五月時就已出發。

　　當最令十字軍困擾的拜占庭的曼努埃爾一世（Emperor Manuel I），會師小亞細亞的塞爾柱蘇丹國梅蘇德（Masud）時，最大的問題接踵而至。他的支援沒有像他祖父的時代那樣被期待，十字軍視其為背叛，並陷入了一種大範圍的混亂狀態，加上穆斯林的強烈反擊，最終導致十字軍的失敗。第三次十字軍東征的觸發點，是西元1187年10月2日埃宥比（Ayyubid，又譯為阿尤布）王朝的統治者薩拉丁（Saladin），公然地在通過征服巴勒斯坦（Palestine）的一場血腥爭戰後，於無人反對的情況下佔領了耶路撒冷。

　　期間，在哈丁戰役（Battle of Hattin）中，基督教的真十字架（True Cross）落入了穆斯林之手，這個消息令年邁體衰的教宗烏爾班三世太過震驚以致當場死亡。他的繼任者額我略八世（Gregory VIII）即刻頒布召集令，號召新的第三支十字軍。吟遊詩人們也參與了「奪回十字架」的命令。當時十字誓約（cruce signatus）這個專有名詞首次出現，以十字架作為象徵符號，發起十字軍東征和十字軍的概念。一呼千諾，首先呼應的便是獅心王理查（Richand the Lionheart）和法王腓力二世（Philip II）。與此同時，霍亨斯陶芬王朝（Hohenstaufen）的紅鬍子大帝腓特烈一世（Emperor Frederick I Barbarossa）首率大軍前往小亞細亞。西元1190年7月10日，他於河中溺水意外身故，軍隊解散。1191年四月腓力抵達阿克雷（Acre），七月戰勝後返回家鄉，他自認已經實踐了十字軍東征的誓約。獅心王理查則對戰薩拉丁整整一年，卻仍未達成他贏回耶路撒冷的目標。

聖殿騎士團

中世紀第一次十字軍東征時攻下的領地稱為海外（Outre-mer）：海洋之外的土地。這也包括所謂的十字軍國家、埃澤薩和的黎波里（Tripoli）的郡、安提阿公國以及耶路撒冷拉丁王國。國土建立後就必須維安，以及在政治上和軍事上發展它們，困難因而產生，因為多數的十字軍都在攻克耶路撒冷後返回家鄉了。此時宗教騎士團（religious orders of knighthood）為了擔負此任務因而成立。

1119年前後，法國貴族雨果・德・帕英（Hugues de Payens）召集了一小群騎士，形成一個共同體並計畫要結合理想的騎士道及修道院生活。一開始是謹慎節制的，因為立即的任務包括了保衛雅法（Jaffa）到耶路撒冷的路程，以引導朝聖者安全地到達目的地。他們的軍營位在聖殿山（Temple Mount）上的阿克薩清真寺（Al-Aqsa Mosque），相傳也是以前所羅門聖殿的所在地，於此得到他們的稱謂：所羅門聖殿騎士團（the Order of the Temple of Solomon）、聖殿騎士團（the Order of Knights Templar）或直接稱作聖殿騎士（Templars）。1129年在獲得正式認可後，它被賜予諸多教宗的特權。一年後，騎士團的成員人數到達鼎盛，在克萊爾沃的聖伯爾納鐸其中一篇著作中，形容其成員為「基督的真騎士」（the true knights of Christ）。

△▷ **十字軍從堡壘出發**
一位十字軍保護一名婦女免受龍的攻擊，壁畫，約十三世紀早期，克雷薩克-夏朗德（Cressac-sur-Charente），舊聖殿騎士禮拜堂（Old Templar chapel）。

△▷ 托瑪爾聖殿騎士教堂（Templar church in Tomar）
葡萄牙，亦稱為夏洛拉（Charola），十六邊形主建築的
外觀，和八角形室內小教堂的一景，約十二世紀後期建
成，約十六世紀整修。

聖殿騎士不只是在海外提供他們的兵力對抗穆斯林，他們
也參與了伊比利半島的收復失地運動。在葡萄牙因此取得了
飛速的進展，並早在十二世紀末就被視為全面完成。1158
年，因為他們卓絕的效力，聖殿騎士被贈予一塊土地，靠近
今天的葡萄牙托瑪爾市（Tomar），作為這個新王國的第一
位統治者的封地。他們在那裡蓋了一座帶有圓教堂的十字軍
城堡，其取材自耶路撒冷的聖誕教堂（Church of the Na-
tivity），作為一座主要的羅馬式建築，其重要性在聖戰後廣
為人知並且得到進一步的保存。有別於一般早期關於此時期
的圓形教堂都與聖殿騎士有關的假定，托瑪爾的圓形建築教
堂在今天被視為最偉大的、唯一的，也是保存得特別完好的
西方聖殿騎士教堂。

聖約翰騎士團

早在十一世紀末，耶路撒冷的基督教區就有數間醫院，由阿瑪菲（Amalfi）來的義大利商人所設立。有一間是紀念施洗者聖約翰（St. John the Baptist），不僅致力於照顧病患，還為朝聖者提供住宿。有鑑於第一次東征起湧入的十字軍，這項任務的範圍和重要性都急遽地增長，同時也與影響力和權力的增長息息相關。西元1112年教宗對於醫院騎士團的認可，也反應在對許多歐洲國家的實質支持上。在一個軍事化的漸進過程中，儘管有部分要素的抗拒，醫院騎士團或稱聖約翰騎士團，發展成為一個結合醫院和騎士的兵團，此演進約於十二世紀中期完成。

對騎士團的捐獻累積了大量財富和資產，最初是在地中海西部的地區，同時也為其軍事活動和作為聖地上的任務打下基礎。騎士團接管了當地封建領主無法再維護或守衛的城堡，例如耶路撒冷王國的貝爾蒙特（Belmont）。危險區域的城堡諸如的黎波里郡的騎士堡（Crac des Chevaliers）被擴建，而1168年約旦河谷的貝爾瓦（Belvoir）則造成了相當大的財務困難。1158至1160年間，在第二任總團長，著名的雷蒙迪普依（Raymond du Puy）過世後，吉貝爾達薩伊（Gilbert d'Assailly）發動了對埃及的戰爭，於1167年戰敗，導致騎士團陷入經濟上的災難。這個接踵而至的危機直到約西元1200年才獲得解除。

騎士堡
敘利亞，約十一世紀擴建，城堡建於1144年後。這座著名的聖約翰騎士的十字軍城堡是最重要的中世紀複合式堡壘之一。

條頓騎士團

第三支偉大的宗教騎士團，同樣是醫療團體，成立於第三次十字軍東征（1189-1192）期間的阿克雷港口要塞。受到聖約翰騎士的啟發，位於阿克雷的德國之家（German House）的醫院同業會，在醫療團轉型為騎士團的過程中看到具發展性的未來。然而，這次的轉型比起聖約翰騎士團更加快速，而且也未遭遇內部的抗拒。早在1193年，德國醫院就接管了維持防禦設施的責任，例如城牆、城門及阿克雷的護城河。

西元1199年二月，其醫院獻予聖母馬利亞的條頓騎士團（Teutonic Order），由英諾森三世（Innocent III）劃歸教宗翼下保護，並遵守列屬騎士和教士的聖殿騎士規章，以及聖約翰騎士照顧窮人和病患的約定。在三個騎士團中，修道誓約中的貞潔、貧窮和服從都必須遵守，同時對異教徒的戰爭也列入規劃之中。騎士兄弟們遵循修道誓約，居住在自己的房子裡，並受訓練隨時上戰場對抗基督的敵人。

於是一個極具說服力的範式確立了，許多騎士兄弟，特別是來自貴族階級的，不僅加入了騎士團，還藉由無數的基金會和捐獻，獲得全歐洲的聲望和權力。聖殿騎士穿著有紅色十字架的白外袍、聖約翰騎士偏好黑底色外袍和白色十字架，而條頓騎士則是白袍配黑色十字架。

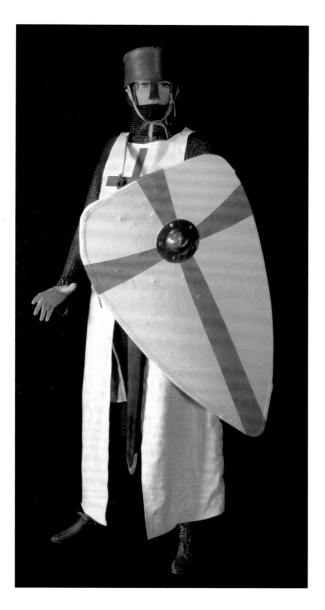

古裝的十字軍
聖殿騎士（左），1150年，聖約翰騎士（中間），1200年，條頓騎士（右），約1280年，美茵茲（Mainz），主教座堂和教區博物館（Episcopal Cathedral and Diocesan Museum）。

關於十字軍與朝聖的作品

中世紀人們的遷徙和羅馬式藝術顯著的影響息息相關。因此，當大量的朝聖者往聖地湧入，一棟棟宗教性的建築便出現在前往聖地亞哥 - 德 - 康波斯特拉的路上。在十一世紀初期，有史以來第一次，圖爾（Tours）聖馬丁教堂（Saint-Martin）的唱詩班席被半圓形走道和小禮拜堂環繞。自此，帶有半圓形走道的唱詩班席成為所有附近法國羅馬式教堂的建築設計之一。教堂的雕塑和陳設題材同樣源自於朝聖者之路。西元 1019/1020 年，在法國南部聖傑尼德豐丹（Saint-Genis-des-Fontaines）的聖傑尼修道院教堂第一次出現帶有浮雕的門楣。約半世紀後，在夫羅米斯塔，雕像開始充斥在建築外觀——兩者都是從此大幅定調羅馬式建築的藝術性創新。

十字軍國家之中，主要由法國貴族建造了數百座騎士城堡，其防禦工事的技術受東方建築要塞的影響，並且反過來影響了西方防禦性城堡的建造。耶路撒冷的聖墓教堂（Holy Sepulcher），毀壞後重建於 1009 年，並於 1149 年聖化，對西方宗教建築而言舉足輕重而且不僅限於中世紀盛期。西方的教堂常以聖墓教堂為典模，將其結構揉合或進行多樣化的變化。特別是在德國艾希斯特的聖十字嘉布遣教堂（Capuchin church of the Holy Cross in Eichstätt），建於 1182/1188 年前，可以被視為耶路撒冷聖墓教堂的分身。

△ 聖殿聖匣
英國學院，約 1140-1150 年，銅合金鍍金，9.2 x 7.3 公分，格拉斯哥（Glasgow），蘇格蘭，巴勒珍藏館（Burrell Collection）。

△ 聖墓
1182/1188 年前，耶路撒冷聖墓教堂的「引證」，艾希斯特，德國，聖十字嘉布遣教堂。

西元1087年五月，來自巴里（Bari）的商賈帶著聖尼古拉（St. Nicholas）——東正教最重要的聖人之一的聖髑，從呂基亞（Lycia）的米拉（Myra），即現今的土耳其到阿普里亞（Apulia）。這使得巴里本身成為一個朝聖地，促使1088年即位的總主教耶利亞斯（Archbishop Elias）建造一座朝聖教堂。在教堂內，大理石製主教寶座的底部上有位人像，從其帽子和牧杖可判斷為朝聖者。從其出色的品質可以看出，伊利亞斯的寶座是義大利羅馬式風格雕塑中最重要的作品之一。寶座的裝飾源自拜占庭和東方，而兩尊支撐的人像則是受到古典樣式的影響：半裸、僅著腰布、承擔著座位全部的重量還有即位的主教——如同他們的表情所揭露的，這是艱苦的任務，相較於同樣撐著座椅但貢獻較小的朝聖者而言。

獨特的是，在承擔寶座的人中，他們的外型呈現古裝的奴隸或是被奴役的異教徒，可能也即將被寶座背後的母獅吞噬。

征服異教徒的象徵也出現在法國南方的奧洛龍（Oloron）的聖瑪麗主教座堂（Cathedral of Sainte-Marie），其正門的設計致獻於基督教國家對抗伊斯蘭佔領的戰爭。在門口中心支柱的底座下方，是兩個摩爾人以肩膀撐托，他們背靠背地被拴在一起，在極大的肉體痛苦中承擔著重量。

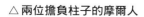
△ **兩位擔負柱子的摩爾人**
正門入口的中心支柱底座，約十二世紀，奧洛龍，庇里牛斯-大西洋省（Oloron, Pyrénées-At-lantique），聖瑪麗教堂。

△▷ **大主教耶利亞斯的寶座**
約西元1100-05年，大理石，寶座正面和支撐人像的細部，巴里，聖尼古拉教堂（Basilica of Saint Nicholas）。

通往聖地亞哥-德-康波斯特拉之路——中世紀最重要的朝聖之路之一

「噴水池的後方是前庭……，有一條石子路，他們在此將貝殼賣給朝聖者，作為聖雅各的標誌。」這些文字記載於《聖雅各之書》（*Liber Sancti Jacobi*）形容城市的段落，為現今留存最古老的，給朝聖者前往聖地亞哥-德-康波斯特拉的指南。這本聖雅各的書，也稱為《加里斯都抄本》（*Codex Calixtinus*），保存於大教堂的資料室，1140年由一名法國的神職書記從幾個文本中合併；當中除了給朝聖者的指南，還有一本教宗加里斯都二世（Pope Calixtus II）的訓示。這是最早記錄朝聖者貝殼的參考文獻，作為造訪過聖雅各之墓的證明。直至十四世紀，它們都是綁在朝聖者的行囊上，在此之前則是別在其帽子或斗篷上。除了作為某種證明之外，它們也給戴著它們的朝聖者提供法律保障，並享有

教規及世俗上法律的益處。這當然很重要，因為對朝聖者而言，不得不考慮可能面臨的危險，特別是他們當中的多數人必須橫越半個歐洲。

在西班牙北部，納瓦拉（Navarre）的蓬特拉雷納鎮（Puente la Reina），四條穿越法國抵達聖地亞哥的主要道路在此會合。「圖爾古道」（Via Turonensis）位於西部，取名自圖爾（Tours），是五大朝聖教堂之一的聖馬丁教堂的所在地；此路始於鄰近巴黎的聖但尼（Saint-Denis），選取此古道的大多為來自荷蘭的朝聖者。「弗澤萊古道」（Via Lemovizensis）始於弗澤萊，穿越利摩日的聖馬爾蒂阿修道院（Abbey of Saint Martial），特別為來自北歐和德國北方的朝聖者取道去聖地亞哥。來自東歐和德國南方的朝聖者取道「勒皮古道」（Via Podiensi），經過奧弗涅（Auvergne）的勒皮（Le Puy），也是孔克的所在地，在此造訪聖佛依（Sainte Foy）教堂。這條路與另外兩條會合於庇里牛斯的北緣，繞過奇薩山隘（Cisa Pass）到達西班牙。來自義大利的朝聖者採取第四條路，從阿爾勒和加爾者的聖吉爾經過土魯斯，以聖塞寧聖殿作為他們的中轉站。「圖爾古道」和庇里牛斯山交錯於松坡特（Somport）山坳，在哈卡（Jaca）轉入西部。西班牙路線則稱為「法蘭奇納古道」（Via Francigena），穿越內陸。

這些路線都詳載於那本朝聖者指南，其內容還描繪地貌和物種；一方面令朝聖者注意到可能面臨的困難，譬如在奧斯塔巴（Ostabat）愛欺詐的海關官員；另一方面指點他們特殊的補給站，例如在加斯科尼（Gascony）：「那裡有許多白麵包」及「紅酒」。裡面提及「好的和壞的河川」，必須避開或是「要用木筏才能渡過」。對朝聖者的領袖而言，提及聖雅各之路（Camino de Santiago）的修路人和修建橋樑的工人姓名同等重要，好讓他們可以在朝聖者的祈禱中被記念。而朝聖者受到召喚所造訪的墓地，所葬聖人和其殉教事蹟被反覆提及。指南的結尾完整描述了聖地亞哥-德-康波斯特拉的城市以及大教堂、祭壇和所包含的禮拜儀式器具。

◁ 聖雅各
米耶吉維爾門（Porte Miégeville）的拱楣左上方的浮雕，西元1118年前，土魯斯，聖塞寧朝聖教堂。

◁ **朝聖路線**
往聖地亞哥-德-康波斯特拉，四條通過法國的
主要路徑。

◁ **朝聖隊伍**
審判日入口門楣上人像系列的細部，1130-1145
年，歐坦，聖拉札爾教堂。

西洛斯的聖多明各修道院

西洛斯的聖多明各（Santo Domingo de Silos）修道院位於布哥斯（Burgos）南方，卡斯蒂利亞（Castile）東面的邊界上，起源可追溯至約西元590年的一個西方歌德基金會。修道院的名稱來自1047至1073年間的院長多明各，後封為聖人。在他的領導下，修道院不僅經歷了大幅的進步，更於1088年開始投入興建教堂，然而並未留存至今。修道院極高的藝術歷史地位，來自建於1085到1100年間樓高兩層的迴廊，當時正值教堂擴建，最後的部分完成於1558年。

迴廊的拱頂由六十四對圓柱支撐，柱頭雕塑被視為兩位大師的傑出創作。第一位大師在東翼和北翼的作品被認為更加突出：滿佈植物的柱頭營造出封閉、遮蔽的印象，奇妙的鳥兒、鳥身女妖或其他糾纏於藤蔓中的生物，卻讓它們顯得輕鬆自然。另一方面，第二位大師在南翼的柱頭則製造出較為戲劇化和邪惡的效果。

這些作品皆相形失色於六大幅基督的生平及受難的浮雕，位於迴廊角柱的內側。西北角的柱子呈現基督和他在以馬忤斯的門徒，基督本身被描繪為前往聖雅各的朝聖者，攜帶著朝聖背包和貝殼；還有懷疑者多馬（Thomas）的畫面，多馬場景中的自然主義強化了此處洞察力之新特質——信仰的純粹本質必須透過感官經驗傳達，方能影響新興都市環境的居民。東北角的柱子呈現的是《卸下聖體》（*Deposition from the Cross*），這是羅馬式藝術中常用來描繪耶穌受難的主題，因為它傳達了征服死亡和救贖的意涵；埋葬基督的場景與耶穌復活融合在一幅複雜的構圖中。關於描繪耶穌升天和五旬節奇蹟的浮雕則是在東南角柱。

◁△▷ **雙柱頭和圓柱浮雕**
西洛斯的聖多明各修道院的迴廊，約西元1100年及十二世紀中期，圓柱浮雕的描繪：埋葬耶穌和懷疑者多馬。

夫羅米斯塔的聖馬丁教堂
西班牙，1060-1085/1095年，朝聖教堂的外
觀，向東內景（右頁），托座上的貓頭鷹雕像。

夫羅米斯塔的聖馬丁教堂

　　夫羅米斯塔的聖馬丁修道院教堂，由納瓦拉國王的妻子，
寡居於此的卡斯蒂亞・多納・馬約爾（Castilla Dona May-
or）伯爵夫人建於西元1060年至1985/1095年間。此地位於
庇里牛斯山以南，在前往聖地亞哥-德-康波斯特拉朝聖之
路的第七站，因此別具意義。與建築本體相較，焦點主要放
在豐富的雕刻裝飾，特別是在建築外觀上。所有的托座都採
用某種帶有惡魔性格的怪物外型，用以震懾邪魔。為了驅除
朝聖者深以為苦的恐懼，它們被用於牽制蜂擁而至的惡魔，
以形象嚇退惡魔。儘管在神學統治下反對其功能，但在新的
群眾朝聖過程中立體的塑像依然堅守它的崗位。

△▷ 雷昂的聖伊西多羅教堂，羔羊之門
（Colegiata de San Isidoro, Puerta del Cordero）
西班牙，十二世紀早期；國王萬神殿的柱頭和壁畫。

雷昂的聖伊西多羅教堂

前往聖地亞哥 - 德 - 康波斯特拉的途中，朝聖者在抵達目的地前，到達位於雷昂（León）的最後一間大教堂。就像朝聖途中許多的宗教建築一樣，聖伊西多羅是由皇室捐建。此羅馬式教堂於1149年啟用，聳立於數座先前建築的所在地上。其中最後的一座建築啟用於1063年，由雷昂和卡斯蒂利亞的第一任國王費爾南多一世（Fernando I）為了被帶到此地的塞維利亞的聖伊西多祿（St. Isidore of Seville）的聖骨所建立。在他辭世後，教會的祝聖儀式一完成，他的遺孀多娜桑查（Doña Sancha），雷昂國王阿方索五世（Alfonso V）之女，便將「國王的萬神殿」（Panteón de los Reyes）建於其西側。這座現存最古老的複合建築，被考究的壁面及拱頂結構分隔成三個狹長的空間，精良的柱頭雕刻以及華麗的壁畫，使之成為十一和十二世紀最頂尖的西班牙羅馬式之作。

◁ 馬提歐大師（Master Mateo）
榮耀的門廊（Pórtico de la Gloria），1168-1188
年，中央正門和中殿入口，聖地亞哥-德-康波
斯特拉，主教座堂。

△△ 埃斯特班大師（Master Esteban）
羅馬式正門的浮雕：
因通姦被拘捕的女人和音樂家大衛，約十二世紀
前三分之一。

聖地亞哥-德-康波斯特拉

　　朝聖者的目的地，聖地亞哥-德-康波斯特拉，渴望已久的聖殿在此等待著他們。西元813年，追隨著一顆星辰神奇的亮光，隱士佩拉約（Pelayo）在加利西亞（Galicia）的原野找到使徒雅各的墓。康波斯特拉這個名字因此取自「星之野」（campus stellae）。根據《聖雅各之書》（Liber Sancti Jacobi）所描述，主教堂的興建在老伯納鐸斯（Bernardus the Elder）的帶領下始於1178年，他是位備受敬愛的大師，其他還有羅伯特斯（Robertus）以及五十多位辛勤的石匠共同參與。在暫時的興建中斷後，於1100年左右復工，並於1122或1124年完工，但不包括中殿，因為率先動工的建築是迴廊。直至十二世紀末，教堂的興建工作才得以繼續，由著名的馬提歐大師接下此任務。在中殿的隔間後，他蓋了西門，並於西元1188年安上門楣；他的名字也因此與精細的榮耀門廊相連。

　　雕刻華麗的入口處包括了三座門框，且中間那座由入口中柱一分為二。在它前方的圓柱上是偉大的教會守護者聖雅各的坐像。拱楣上是坐在寶座上的基督展示聖痕，身邊環繞著受難的刑具。側門上有二十四名長老展示最後的審判，由中門上得救的肖像主導，在此神之子從審判者成為救主此一轉變被指明出來。

救贖的傳播：往天堂之路──尊崇聖人與聖物

在中世紀的信仰想像中，窮盡一生作為基督門徒的人，甚或為了祂犧牲性性命的人，被視為聖人或殉道者。他們免受最後的審判，並且在死後靈魂可得到救贖直升天堂，且由於他們和神的王座最親近，他們可以將祂的恩典傳遞給有求於他們的人。這個信仰引發了出乎意料的比例上的崇敬膜拜，自中世紀早期開始就有大量的西方藝術品為此產生。每一個祭壇或教堂的祝聖儀式，都要有守護聖者的聖物作為祂自身臨在的憑證。而宗教建築的日益增加，導致對聖物的龐大需求，並因為修道院和王公貴族對重要聖者的聖物佔有慾而更加嚴重。對聖物的所有權使得對權力本身的需索無度具有宗教合法性，這讓聖物們成了極具價值的珍寶。此外，珍貴的聖物盒的產生，除了展示聖物本身的力量外，更是在展示擁有者的權力和財富。

孔克的聖佛依教堂

在孔克-昂-魯埃格（Conques-en-Rouergue）的聖佛依修道院珍寶室內，有座聖菲斯或聖佛依（St. Faith, or Sainte-Foy）的塑像，被譽為中世紀最靈驗的膜拜物。四世紀時在法國的阿讓（Agen），這位聖人在馬克西米利安一世（Emperor Maximilian）任內殉教。她的頭骨於西元883年時被偷並帶到孔克，保存於一個木質半身像的聖髑盒內。西元1000年左右，以克勒蒙（Clermont）的聖母馬利亞坐像為模型，被擴展成為登上寶座的全身像。此塑像全身被金子和寶石所包覆，頭部依循一位已故的古代統治者的黃金面具設計。上半身的僵硬姿勢被過大、向後傾的頭強化，其上戴著鑲有古典浮雕寶石和奧托式（Ottonian）琺瑯的皇冠。碩大的琺瑯雙眼，其黑色的眼珠對觀者產生有力的影響，著實令人著迷。貝亞特・弗里克（Beate Fricke）歸納出令人印象深刻的結論：塑像描繪的不是聖人的世間形體，而是代表她在天堂的身體。凝望這尊金塑像，依照傳統古典風格的定義勢必被解讀為焦點的轉移，信徒開始注意到聖人在天堂的形象。自此同時解決了偶像崇拜之嫌，並首次在西方的後古典時期出現紀念性雕塑的可能性，聖佛依塑像應是留存下來最早的範例。

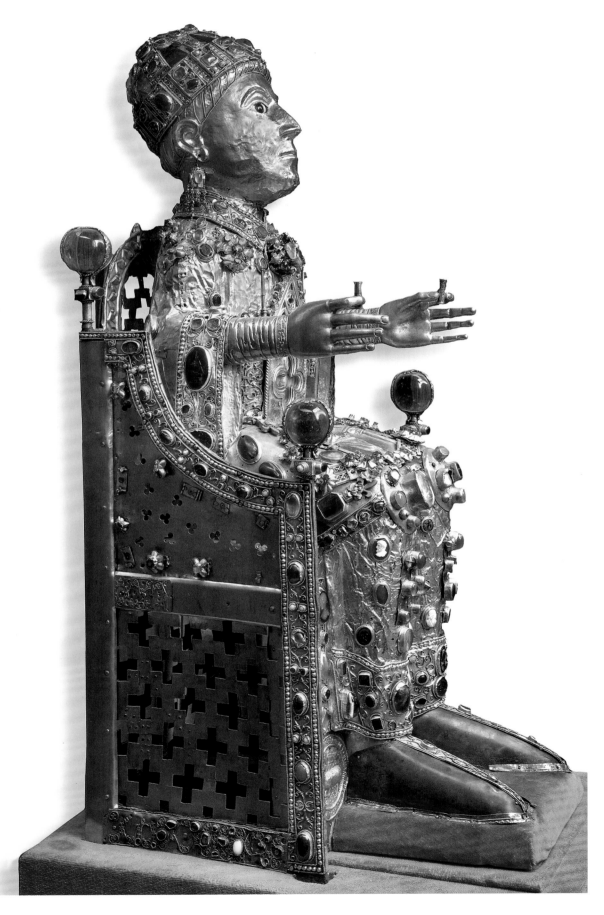

孔克聖佛依的塑像
約九世紀下半葉後，高85公分，臉部重新使用一個古典時期的黃金面具，孔克，聖佛依教堂。

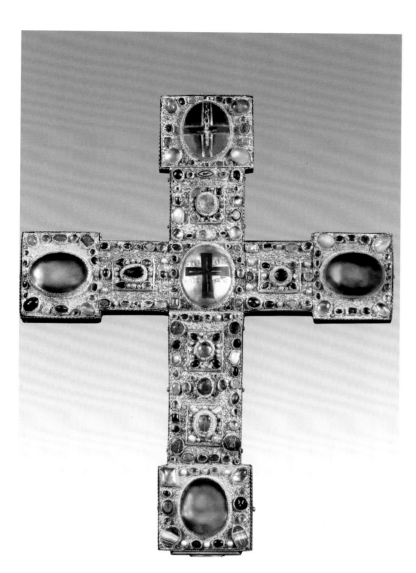

希爾德斯海姆教堂的珍寶

　　即使聖物盒內裝有部分遺體也不能被視為遺體的替代，「其依照聖人頭、手的原貌做出外在形體」，如果是手或手臂的聖骨盒則僅與內容物相關聯。此外，在祭壇上的一只手臂聖髑則代表了聖人本人，在神恩中伸展的手生動地表達聖人賜福的權力。希爾德斯海姆主教座堂（Hildesheim Cathedral）珍寶室內的十字架聖骨盒由木頭做成，其上佈滿金子和銅鍍金，以及珍珠和寶石的華麗裝飾，在十字的中心還埋有一十字形狀的水晶。它的外型不只代表了基督受難的刑具，十字還代表宇宙的軸，一切都會從其四個指針回到中心點。

△▷ **十字架聖物**
約1150年，手臂聖髑，敬獻聖貝恩瓦德（St. Bernwrad）的作品，希爾德斯海姆主教座堂珍寶室。

茨維法爾滕修道院的鑲板聖物箱

有著巴洛克式的底座和皇冠，來自茨維法爾滕（Zwiefalten）的修道院工作室的聖物箱，多樣化的聖物環繞著中心的拜占庭十字架。十字架原本包覆在水晶之下，現今由玻璃取代，雙十字架旁鑲嵌著一圈寶石。以下聖物被列入西元1135年的聖物目錄中：上方是施洗者約翰的聖物，下方是使徒聖雅各的，十字架右側是使徒聖安德烈（St. Andrew）的，而左側是聖馬可的聖物，如此聖者們就聚集在基督的十字架周圍。存放處的中間被類似棕櫚葉和藤蔓的裝飾環繞，框外是成套的寶石和金銀細絲。角落的凹口使得鑲板本身也像是十字架。四邊的中間鑲著景泰藍圓章，這些景泰藍在下方呈現出基督的腳、側邊是祂的手而上方是祂映著光圈的頭；如此表現出基督是生成宇宙的世界主宰。

當拜占庭雙十字的周圍所呈現的聖物，形成了茨維法爾滕在宗教歷史上的當代聖地形象，傳統錢櫃的形狀以及明登主教座堂（Minden Cathedral）珍寶室中聖彼得聖物匣的奧托轉用材（Ottonian spolia），同樣也喚起明登主教區古老的歷史地位和傳統尊嚴。

明登教堂內的聖彼得聖物箱

這個橡木製聖髑匣的正面包覆以金子和金工紋飾，以及一個凹陷的琺瑯圓片，其中心鑲嵌一枚祖母綠，外圈有四個女性半身像排列成十字架的形狀，並環繞著飛鳥。兩只中世紀早期的衣扣，源自於貴族的珠寶，被置於兩側。上方頂蓋的表面飾有寶石，背面是聖彼得在兩名軍人中間被釘死於十字架上，蓋子的斜面則是聖靈以鴿子的形體降臨並盤旋於十二使徒上方。

△ 茨維法爾滕的鑲板聖物箱
基督的肖像，1138年前，底座及尖頭飾，1620年，橡木，打孔鍍金，寶石鑲嵌、景泰藍、金銀細絲、鍍銀，25.5 x 2.5 x 18.5 公分，茨維法爾滕修道院辦公室。

▷ 明登的聖彼得聖物箱
約 1051-1075 年，橡木主體，鍍金及金工紋飾，銀，凹陷琺瑯，寶石，22.8 x 21 x 8.7 公分，明登主教座堂珍寶室。

列日的三聯作

在列日的聖十字教堂（Sainte-Croix）珍寶室內的三聯作，是仿照十二世紀時馬斯河（Meuse）地區廣為流傳的一種十字架聖物盒。中心位置有雙拱，其下方的兩位天使，轉四分之三的角度面對彼此，托住有珍珠裝飾的真十字架聖物（Staurotheca）。由銘文上記載的「真相」（Veritas）和「判決」（Judicium）所識別。在他們的身旁雕刻了耶穌受難時的器具，器具之間圓形的部分鑲著水晶，裡面封印的是神聖殉教士聖文森特（holy martyr Vincent）和施洗者約翰的聖物。下方半圓型內刻著銘文「復活的聖人」（RESUR-RECTIO SANCTORUM），以及五名聖人的胸像。相應於此，在如拱楣的頂端，基督身為世界的審判者和救世主，伸出雙臂展示出祂的聖痕。在真十字架聖物上方的小琺瑯鑲嵌版，其上有著「憐憫」（Misericordia）的字眼及擬人化肖像，以此揭示人類在審判日那天將得到永生。因此圖像的設計是照最後審判而描繪，列位的使徒依序成對排列在側翼上。受拜占庭的樣式影響，三聯作可以和于伊的瑞尼（Renier de Huy）的花朵雕塑風格相連。

三聯作形式的真十字架聖物
1160-1170年，木質主體、鍍銀的紋飾、雕刻、鑲嵌琺瑯、寶石，52 x 55公分，列日（Liège），聖十字教堂珍寶室。

威夫珍寶室的圓頂聖物箱

　　著名的威夫（Welf）珍寶室的半球形聖物箱，依據一座拜占庭正十字型教堂設計。中心結構立在由四隻橫臥的獅身鷹首獸所馱負的底座上。正面鑲嵌的貝殼浮雕場景共四幅，從耶穌誕生開始、東方三賢士騎在馬上追隨著星辰，到耶穌受難的主場景出現。水平分割的最後一幕，則是女人在空的墓穴中遇見天使，可以看到睡著的守衛在上方。側邊的拱廊則雕刻了十六位先知，依照各方面救贖的故事手持書卷。

威夫珍寶室的圓頂聖物箱
科隆，1180-1200年，橡木主體、青銅、鍍銅和銀、金屬紋飾、褐色漆、琺瑯、貝雕，45.3 x 41 x 41公分，柏林國家博物館群（Staatliche Museen zu Berlin），工藝品博物館（Kunstgewerbe museum）。

聖安德烈的骨灰盒

建築被冠以一座帶鼓型柱的壯觀傘型頂蓋，基督和使徒則坐在其十三座壁龕內。頂蓋、圓柱和壁龕皆以琺瑯裝飾，暗示此作品約於1180到1200年製作於科隆。根據西元1482年的一份聖物目錄，這個圓頂聖物盒內含有微量的基督真十字架、微量的聖凱瑟琳（St. Catherine）骨骸，還有獅子亨利在1172/1173年間赴耶路撒冷的朝聖之旅中所帶回的額我略‧納齊安（Gregory of Nazianzus）的頭骨，當時他也捐助了布倫瑞克（Brunswick，德文Braunschweig又譯為布藍茲維）新建的聖布拉修斯（St. Blasius）牧師會教堂。

這副小的骨灰盒，象徵了一個攜帶式的祭壇，用於存放聖髑。它原先的用途和被設計為聖安德烈棺木的緣由已不可考。木製的主體部份包覆以雕刻及琺瑯所繁複設計的鍍銅。盒蓋的基督圖像設計為榮耀基督（Majestas Domini），環繞著福音會（Evangelists）標誌，主要描述基督誕生及基督被釘於十字架。側邊上是新約聖經中的場景，例如：最後的晚餐、聖彼得及聖保羅（Sts. Peter and Paul，義大利文為San Pietro & San Paolo，譯為聖保祿與聖伯多祿）之間的聖母馬利亞和聖嬰，還有最後審判。

號稱聖安德烈的骨灰盒
約十三世紀上半葉，木質主體、銅、鍍金、琺瑯、褐色漆，
25.2 x 15.7 x 9/5公分，錫格堡（Siegburg），聖瑟法斯天
主教教區教堂（Catholic parish church of St. Servatius）。

聖瓦蕾麗雅的聖物箱

這個來自利摩日的骨灰盒正面，琺瑯工藝的中央，被設計成一個聖物箱的樣式，描繪出聖瓦蕾麗雅（St. Valeria）的傳說故事。異教徒大公爵史蒂芬（Duke Stephen）的妻子受洗於傳教士馬爾蒂阿（Martial），因而退婚以守貞，並且最終殉教。端坐在寶座上的史蒂芬，下令斬首瓦蕾麗雅，其身後跟著高舉寶劍的劊子手。畫面中央，瓦蕾麗雅，已然身首異處，跪著，被一位天使扶著，並將她的首級作為自我奉獻呈給身處祭壇的聖馬爾蒂阿。斜面的頂蓋上，是馬爾蒂阿在聖人們的協同下將她下葬。

聖瓦蕾麗雅的聖物箱
1200-1220年，木質主實、鍍銅、琺瑯、嵌飾、部份鍍金，19 x 21 x 9 公分，明登主教座堂珍寶室。

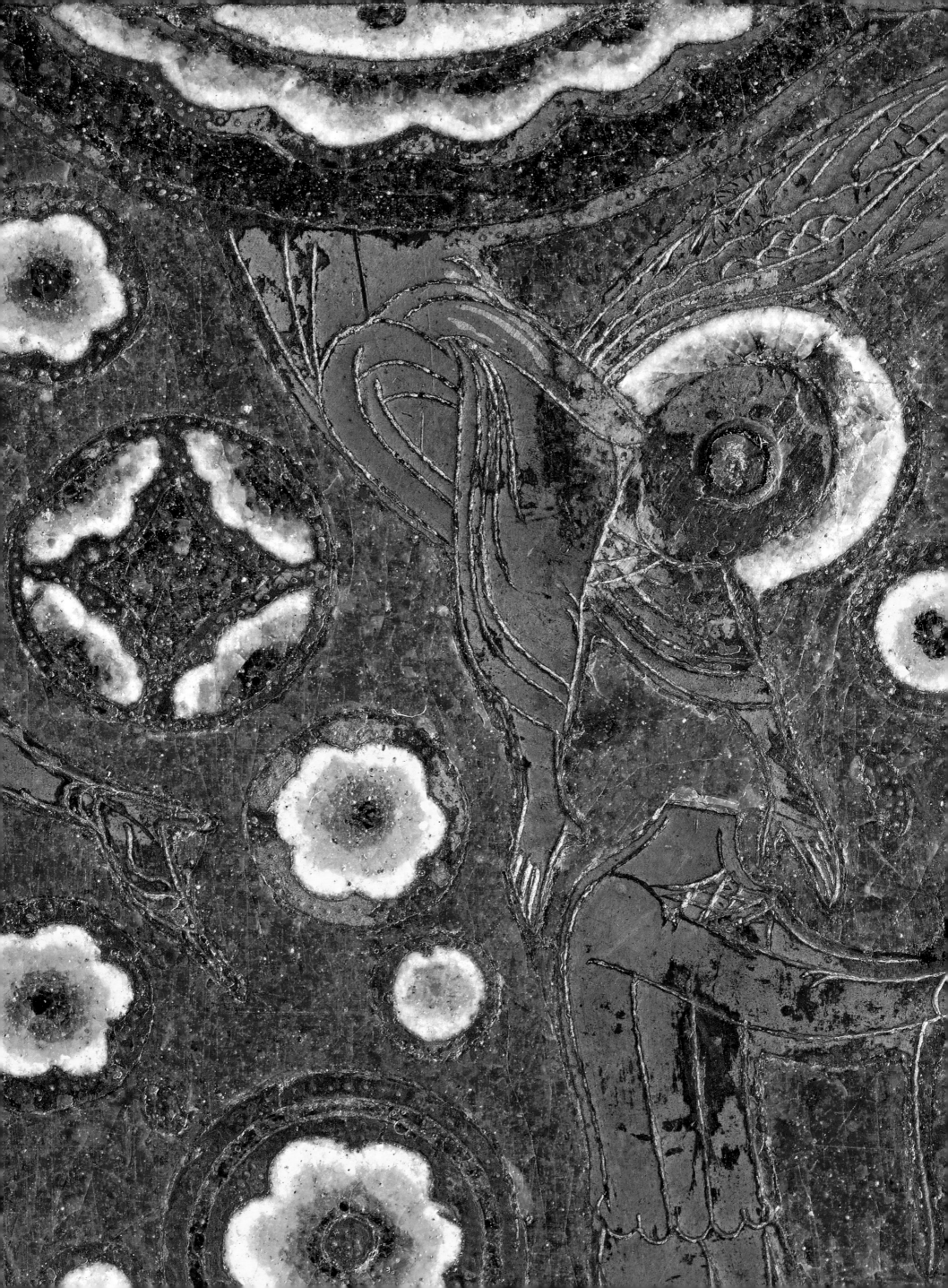

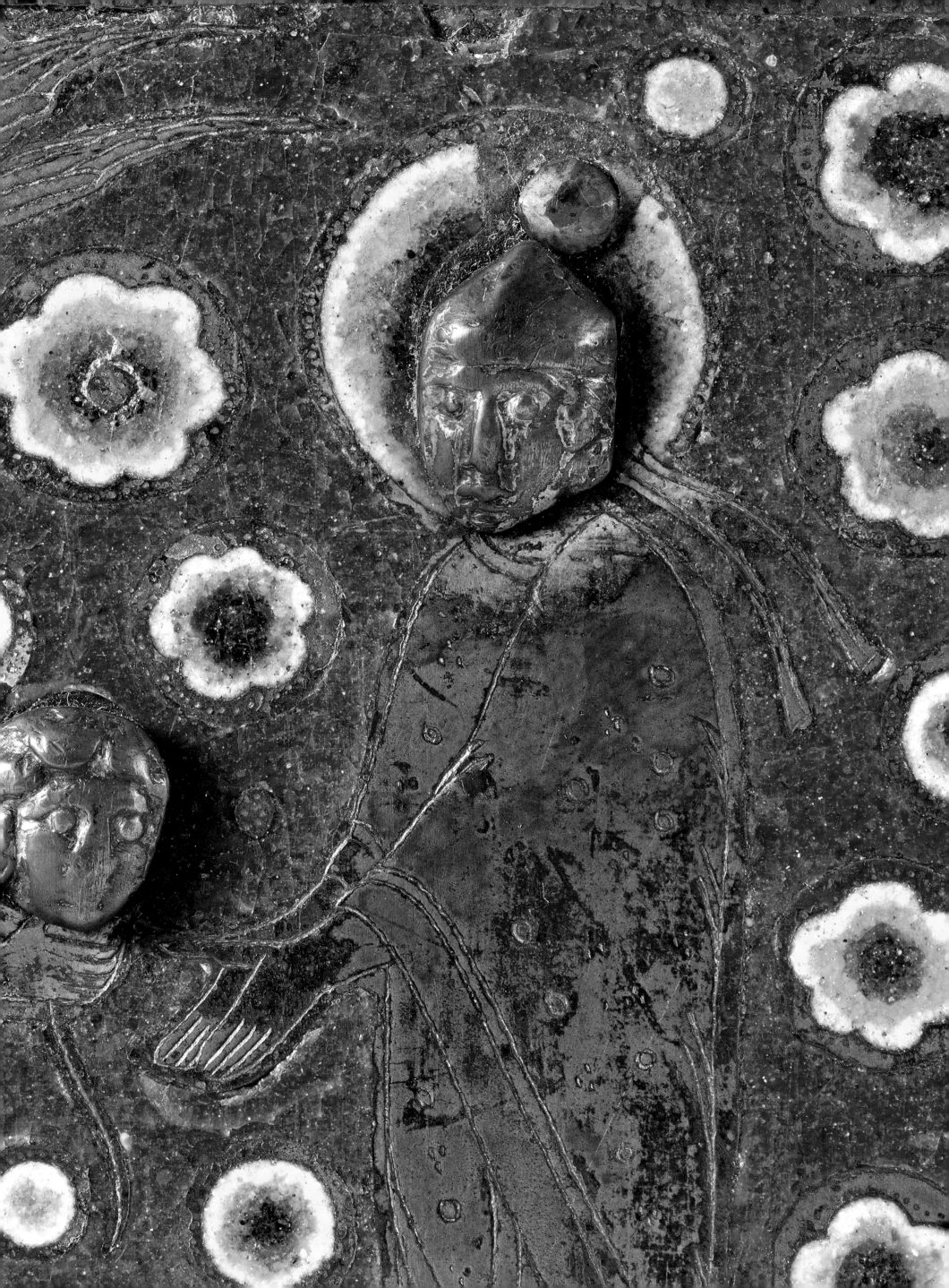

科隆，東方三賢士的聖物盒

東方三賢士或三王不僅是首任基督教國王，也被視為基督教世界的首批朝聖者。當科隆（Cologne）的樞機主教，達瑟爾的萊奈德（Rainald of Dassel），在1164年將他們的聖物從米蘭帶到科隆，便為教堂帶來極大的聲望，成為中世紀最重要的朝聖者教堂。如此重要性必須表現在聖物盒的設計上，因此金匠凡爾登的尼古拉斯（Nicholas of Verdun）被召喚。據信，他於1181年左右動工，不過他並不是唯一一位參與創作的金匠。它聖殿狀般的結構產生自三個聖物盒的結合。正面呈現的主題是聖母與子在中間的拱門，而三賢士從她的右邊靠近；伴隨著對面的基督受洗場景。

東方三賢士的聖物盒
約1181年，橡木芯材、金、銀、銅、鍍金、琺瑯、景泰藍、寶石及半寶石、古典寶石和雕刻寶石，高153 x 寬110 x 長220公分，三角牆以聖母與子（Virgin and Child）和三賢士朝拜（Adoration of the Magi）收尾，全貌（上）及細部（122/123頁），縱視圖（右），科隆大主教座堂（High Cathedral）。

IV 第四章

君王、教宗與其他權貴

彰顯世俗權勢

在薩利安王朝神聖羅馬帝國皇帝亨利三世（Henry III，1039-1056）的統治下，王權（imperium）與教權（sacerdotium）—— 即世俗權勢與神聖權力 —— 以皇帝為首共同形成一個實體。但自教宗額我略七世（Gregory VII）1073 年就位以來，便主張其具有凌駕於一切世俗事務的權力，引發了十一世紀後半葉以來的質疑聲浪。此質疑尤其引爆在教宗授銜的權力上，因其拒絕對神職人員以外的俗人開放。而卡諾薩（Canossa）地區可以說是經歷這些過程的象徵，挑戰並削弱了皇帝統治的權力和神聖性，最終改變了世界。

貝葉壁毯（Bayeux Tapestry）作為一個獨特的圖像歷史遺物，見證了諾曼威廉公爵（Norman Duke William）征服英格蘭的豐功偉業。同時，這幅壁毯也可視為文化和歷史的特殊文獻，其中圖案呈現了早期的城堡建築形式。隨著貴族的家系日益發展，許多貴族世家都宣稱自己擁有王權，得以興建城堡作為宅邸。由此產生的建築計畫與受限於地域的莊園體系相關。與之對比的則是宮廷的城堡領地，也就是王室和皇權出巡時行使權力的所在。

韋爾夫（Welfs 或 Guelphs）及霍亨斯陶芬（Hohenstaufens 或 Staufer）家族間的對抗，使貴族世系的紛爭日益加劇；這種現象也反映在新編制的家系世譜、建築工程的銘刻以及彩繪書的統治者圖像中。

權力集團的衝突──薩利安王朝與羅馬教廷

自十一世紀中葉起，薩利安王朝和羅馬教廷軍經歷劇烈變動，當時受人民愛戴的皇帝亨利三世潛心修身，遵奉苦行，致力於和平統治。對此，德國歷史學家史帝夫・溫佛特（Stefan Weinfurter）指出，世人對於亨利三世的定位較偏向於「世界上的神聖皇帝」，而非一位在世俗政治體制中節節高升的統治者。教會的秩序連同上帝的秩序，為亨利三世所嚮往的神聖世界秩序奠定了基礎。如此的皇帝神聖化（最早源自西元十世紀）最終促成了極權帝王的絕對權力，而此種形式的君主政治也隨著後代子嗣繼位成為一種神聖權力的接續。

西元 1046 年，亨利三世為了德國萊茵河畔施派爾主教座堂（Speyer Cathedral）（見 252–253 頁）舉行的祝聖典禮，特別下令製作一本福音書（evangeliary）。該書包含了兩幅最初薩利安統治者們及其妻子的肖像。其中，薩利安王朝的創始者──日耳曼國王康拉德二世（Conrad II）與妻子吉賽拉（Gisela）跪拜在榮耀裡的基督（Christ in Glory）前方。在令人印象深刻的視覺語彙中，屬天和屬世的身分在薩利安君權（據銘文記載，此君權由上帝所賦予）神聖的合法化中合而為一。

1056 年，亨利三世去世並葬於施派爾主教座堂，隨後，其年僅六歲的兒子在亞琛（Aachen）正式登基，加冕為亨利四世（Henry IV）。其在位期間持續了半世紀，歷經劇烈的社會和政治動亂。當代歷史記載中對於亨利四世的評價兩極，有人將他視為惡魔的化身，有人則認為他不但智力過人，還是個「卓越的統治者」。在他的支持下，教堂實行了所費不貲的擴建工程。而無庸置疑的，他也極具野心地建立起一個理想中的政教合一帝國，挑戰教宗的至高權力。然而，此王朝同時也面臨了要求分權的帝國王子們的反抗。

亨利四世最主要的敵對者為教宗額我略七世。額我略七世於 1019 至 1030 年間出生於托斯卡尼南部，本名為希爾德布蘭（Hildebrand），從小在羅馬的拉特蘭教堂（Lateran church）鄰近地區長大。自教宗利奧九世（Leo IX）時期開始，他便投入教會事務，備受提拔，之後更擔任教會副執事。到了 1059 年，他被教宗亞歷山大二世（Alexander II）指任為總執事（Archdeacon，又譯為會吏長），因而成為教宗的副手。在這個高階的角色上，希德布蘭特持續致力於鞏固教宗的地位，不只針對羅馬主教統領其他主教的絕對優勢，更包含整個基督教世界的最高地位。西元 1073 年 4 月，教宗亞歷山大二世驟逝，在激烈的選舉中希德布蘭特成為繼位者，於聖伯多祿鎖鏈堂（San Pietro in Vincoli）就職為教宗額我略七世。

◁ **亨利四世將王國勳章授予亨利五世**
奧拉修道院的埃克哈德（Ekkehard of Aura），編年史，哈弗爾貝格（Havelberg），約 1130 年（？），羊皮紙墨水。Ms. Lat., fol. 99 r，柏林國家圖書館，普魯士文化遺產基金會（Foundation for Prussian Cultural Heritage）。

對於主教們和薩利安君主來說，教宗額我略七世的行事風格傲慢且強硬。他在 1075 年初頒佈了著名《教宗訓令》（Dictatus Papae），當中的 27 條宗旨明述了改革計畫，一方面聲明了舊有的權力，另一方面則制定了史無前例的教義：教宗在世時即為聖人、他是萬能的，可不依靠宗教會議而任意罷黜或指任主教，這樣的權力在無限的延伸下已超越正當規範。在這之上更有一狂妄的聲明，宣稱教宗被允許廢黜皇帝。有鑑於此，他還可視罪人是否宣誓效忠於教宗來決定是否免除其罪。此訓令宣稱整個羅馬帝國，亦即整個西方世界及亨利四世所統治之疆域以外的地區，都應遵循其改革計畫。

如此發展造成教宗和神聖羅馬帝國皇帝兩個對立的權力之間產生激烈衝突，而主教、薩利安王朝諸王子甚至是亨利四世的家族皆率進此政治互動中，衝突越演越烈，最終促成了卡諾薩（Canossa）的會議。

△ **神聖羅馬皇帝之寶珠**，約十二世紀晚期，合成樹脂，以金箔包裹並飾有珍珠，21 公分高，維也納，霍夫堡珍寶室（Hofburg Treasury）。

◁《**埃希特納赫金福音書**》（Codex Aureus Epternacensis），薩利安王朝亨利三世之福音書中的彩圖，埃希特納赫，1043-1046 年，Cod. Vitr. 17, fol. 2 v，埃爾埃斯科里爾（El Escorial），聖羅倫索圖書館（Biblioteca de San Lorenzo）。

當世界被撼動──授銜之爭

額我略七世憑藉《教宗訓令》大幅干預了當時整個社會體制，其目的是削弱世俗權力，並全權掌握教會事務。過去，亨利三世仍有權罷黜教宗，而現在教宗額我略七世則禁止君王資助主教。1075 年秋天，亨利四世提拔所屬教會的某一成員為米蘭的樞機主教，兩方的衝突一觸即發。之後，神聖羅馬帝國皇帝指任費爾莫（Fermo）和斯波萊托（Spoleto）地區的主教，教宗得知後威脅皇帝撤回命令。由於德國大多數的主教對教宗額我略七世不滿，促使皇帝與之達成協議，甚至連同北義大利（Upper Italy）的主教們共同對抗教宗。西元 1076 年 1 月 24 日於沃爾姆斯的主教會議（Synod of Worms）中，神聖羅馬帝國皇帝表示不再承認教宗額我略七世的地位，指稱他是名「偽教徒」，並要求他交出教宗的職權，退下聖彼得寶座（Cathedra Petri）。

對此，額我略七世的態度一貫強硬，採取了前所未有的動作。西元 1076 年 2 月 22 日，他剝奪皇帝對德國和義大利的統治權，並赦免了宣誓效忠於教宗的子民，這使得皇帝無法行使其權力；此外，額我略七世更將他逐出教會。這不僅

造成皇帝與多數主教間不和的關係，也使得神聖羅馬帝國的諸王子在同年秋天於特雷布爾（Trebur）聯合反抗，要求亨利四世應解決爭端。不久後教宗與亨利四世達成協議，除非亨利四世能在一年之內獲得重回教會的許可，否則不會承認他的皇帝地位。

起初授銜之爭看似只聚焦在前述事件上，使得帝國更進一步的發展，相較於卡諾薩的事件都顯得無關緊要。事實上，這樣的衝突不僅在德國與義大利可見，更發生在法國，在那裡教會禁止非教會人士（包含皇帝）授銜。而德意志帝國的爭端要直到 1122 年 9 月，在教宗加里斯都二世（Calixtus II）主持的沃爾姆斯宗教協定（Concordat of Worms）下，方獲得解決，然而帝國治權的神聖性已備受擾亂。

卡諾薩

神聖羅馬帝國諸王子於特雷布爾的會議上更約定在西元 1077 年 2 月 2 日，於奧格斯堡（Augsburg）開庭審判亨利四世，旨在罷黜他並選出新皇帝，額我略七世也將到場。這個決定帶給亨利四世龐大的壓力，迫使他只能加緊腳步。亨利四世在施派爾拉攏了一些效忠者，並聽從他們的建議，計畫在教宗前往奧格斯堡的途中，於義大利展開攔截，以重回教會。在西元 1076 年聖誕節前夕，亨利四世帶著妻子貝爾莎（Bertha）及不到三歲的兒子康拉德（Conrad）出發。沿途旅程艱辛，當時正值酷寒，高山通道甚至被某些德意志南部的公爵關閉，使得他們只能冒著生命危險橫跨瑟尼山（Mont Cenis）的高峰。西元 1077 年 1 月 20 日，亨利四世抵達卡諾薩鄰近地區，即教宗曾經尋求庇護之處。起初，他與托斯卡尼的瑪蒂爾達（Matilda of Tuscany）會面，懇求她和他的教父，權威的克呂尼修道院院長雨果（Abbot Hugh of Cluny）替他向教宗求情。與會者還包括亨利四世

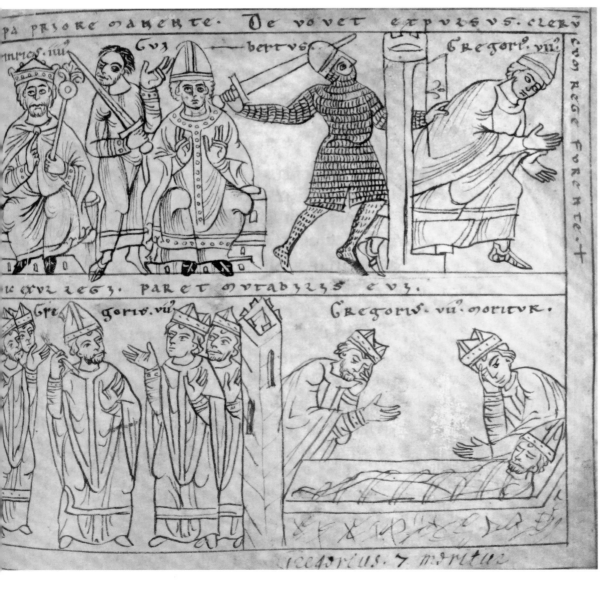

◁ 教宗額我略七世之死
《弗雷辛的奧托主教之世界編年史》（*World Chronicle of Bishop Otto of Freising*）中的連環圖畫，約十二世紀，Cod. Bose q.6 微型畫，德國耶拿（Jena）大學圖書館。

△ 授銜儀式
科隆，約 1160/1170 或 1185/1190 年，銅，10.2
x 7.7 公分，漢堡（Hamburg）工藝美術博物館
（Museum of Arts and Crafts）。

的岳母杜林的阿得萊德（Adelaide of Turin）、敵對者巴伐
利亞公爵韋爾夫四世（Duke Welf IV of Bavaria）之父埃斯
特侯爵阿佐二世（Margrave Azzo II d'Este）及其他義大利
地區的王子們。然而，教宗額我略七世仍不願與亨利四世妥
協，執意前往奧格斯堡的會議。1077 年 1 月 25 日，在幾近
絕望之下，亨利四世徒步前往卡諾薩，並在城門前跪地苦
行。據教宗額我略七世所記述，亨利四世赤著腳淚流滿面地
哀求教會憐憫，身上只著一件羊毛衫，且未配戴任何皇權佩
飾，就這樣等了整整三天。對此，現代的中世紀研究多將亨
利四世的舉動解讀為「投降」（deditio）儀式或公開歸順
（submission），而非公開的苦行。同時，這也是一種向教
宗施加壓力的方式，迫使其開恩允許亨利四世重回教會，以
利他宣稱自己已獲得教宗的原諒。這樣一來，亨利四世便得
以壓制帝國內的王子勢力，保有統治權。

◁ 君主亨利四世
由克呂尼修道院院長雨果隨同，懇求托斯卡尼的
瑪蒂爾達替他向教宗額我略七世求情，約 1115
年，Ms. Vat. Lat. 4922, fol. 49 r，梵蒂岡宗座圖
書館（Biblioteca Apostolica Vaticana）。

△ 卡諾薩城堡遺址
托斯卡尼的瑪蒂爾達故居，（瑪蒂爾達於西
元 1077 年 1 月調解亨利四世與教宗額我略七
世之間的紛爭）。

貝葉壁毯中描繪的英格蘭王位繼承權之爭

著名的貝葉壁毯為中世紀繪畫工藝品的卓越典範，由八條以亞麻線編織的繩帶組成 68.4 公尺長和 0.5 公尺寬的彩色刺繡畫布，生動描繪了 1066 年的黑斯廷斯戰役（Battle of Hastings）。那一年，盎格魯薩克遜國王懺悔者愛德華（Anglo-Saxon King Edward the Confessor）逝世，身後無子女。在三個準繼承人之中，包含挪威國王哈拉爾・哈德拉達（Harald Hardrade, King of Norway）、諾曼第威廉公爵（William, Duke of Normandy）和威塞克斯伯爵哈洛德（Harold, Earl of Wessex），愛德華國王臨終前指定哈洛德為王位繼承人。然而，威廉公爵不服，宣稱自己已繼承王權。根據多個諾曼王朝的史料記載，愛德華於 1064 年便曾指派哈洛德前往諾曼第，向威廉保證其繼承人的地位。當時哈洛德曾宣誓效忠威廉，但之後又辯稱當時是在受脅迫的情況下宣誓，因此不具有約束力；這與某英格蘭史料所述的雷同，意指哈洛德前往諾曼第的目的純粹是為了釋放兩名淪為人質的家族成員。之後，哈洛德受到哈德拉達的北方勢力所迫，難以順利登基，但在 1066 年 9 月 25 日，哈洛德於約克（York）附近的史丹佛橋之戰（Battle of Stamford Bridge）中成功擊敗挪威軍隊。三天後，威廉公爵率領大批軍隊登陸於薩塞克斯（Sussex）的佩文西（Pevensey）地區，此地距黑斯廷斯不遠。同年 10 月 14 日，因兵力削弱而往南撤退的哈洛德不敵威廉的攻勢，在戰敗中自縊，至此，諾曼第的威廉公爵正式征服英格蘭。

貝葉壁毯依時序描繪上述事件，從哈洛德的諾曼第之行到黑斯廷斯戰役，但省略了史丹佛橋之戰。壁毯中央為大幅圖畫，上下綴以相互對稱的細長帶狀圖。其中，下半部的帶狀圖畫也同時描繪了些許風俗場景。藝術歷史學者認為貝葉壁毯是由威廉公爵同父異母的兄弟孔特維爾的征服者歐多（Conqueror, Odo de Conteville）——貝葉主教和肯特（Kent）公爵——所委託製作。在壁毯圖畫中也可見多處關於歐多形象的醒目描繪。無論如何，可以確定的是貝葉壁毯約在 1070 年由諾曼人製作於英格蘭，可能的製作地點為聖奧古斯丁所建之坎特伯里主教座堂（Canterbury Cathedral）。由壁毯的描繪明顯忽略某一方的觀點看來，可知這項藝術品的政治開放性頗為偏限。此外，其未引用關於救贖的歷史，因此可推論為世俗導向。由於最後的場景被遺漏，貝葉壁毯並不算完成品，然其開頭篇幅的精細描繪原長約 100 公尺，頗有呼應諾曼第威廉公爵征戰勝利的意味。

貝葉壁毯具有格外重大的歷史意義，原因不僅在於戰役的敘事描繪（壁毯僅在事件發生幾年後即創作出來，部分內容偏離史書記載），更因其豐富的細節描繪——部分出現於下半部的帶狀圖畫——展現了人民的日常生活，例如煮飯、打獵、耕農、造船和出海，讓這件紡織品成為獨樹一幟的文化史料。

貝葉壁毯

描繪黑斯廷斯戰役（西元 1066 年 10 月 14 日）及之後的歷史事件，坎特伯里（？），1082 年之前，亞麻布羊毛刺繡，約 50 公分寬，68.4 公尺長，貝葉壁毯博物館（Musée de la Tapisserie），受貝葉市特許展出。

△△ **哈洛德向威廉發誓**
允諾將幫助他獲得英格蘭王位——在 1066 年 1 月愛德華國王死後即悔約。

△ **諾曼人的艦隊**
駛往英格蘭，由威廉率領攻打哈洛德國王以征服英格蘭。

▽ **黑斯廷斯戰役**
諾曼人騎兵隊左右夾攻站立的英格蘭士兵，在這天的戰役中，哈洛德自縊。

從土壘到山丘上的城堡──羅馬式的防禦性建築

　　中世紀盛期世俗建築工程的目的之一與莊園制度的發展有關。低層的貴族階級（來自較有權勢的農奴或服役騎士）透過興建防禦式莊園──即城堡（Burgen）以彰顯自身的地位。這些城堡的前身為土壘（motte），意即天然或人工的土堆，在此基底之上再以木材、泥土或石塊建造生活空間。這些土壘外圍會被壁壘或溝渠環繞，或是一開始就蓋在凸出的岩石上，只需從一邊防禦。如貝葉壁毯所示，在黑斯廷斯、貝葉、迪南提斯（Dinantes）、多爾（Dol）和雷恩（Rennes）多處的土壘建築，在很早以前就被視為權勢的象徵。十九世紀，圖斯克（la Tusque）土壘經由維奧萊勒杜克（Viollet-le-Duc）重建，其中的擴建細節可由描繪重建的製圖見得：上層房間由壕溝和柵欄圍繞，完全獨立；下層則提供進一步的住宅、行政空間及馬廄，以維繫貴族家庭的生活。

　　建造城堡原為國王的特權，因此，在亨利三世於 1056 年逝世而君權衰弱的英格蘭地區，越來越多的貴族開始興建城堡，這樣的情況一點也不令人意外。此外，隨著十一世紀封建制度的發展，個人對於世代繁衍的家族之身分認同也取代了自身對於個別親族的忠誠，因而開始出現繼承權專屬於長子的觀念（後衍生出家譜），而長子的任務就是保衛家族財

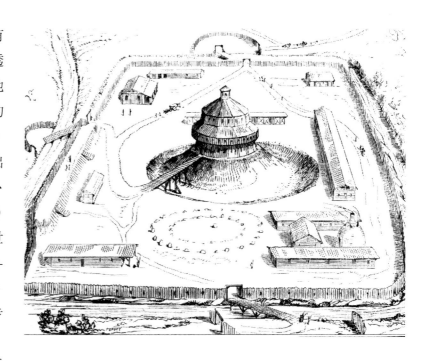

產。憑藉以家族王朝之名所興建的城堡，貴族得以統領地域並保衛勢力範圍。

△ 在土壘周圍的戰爭場景
兩名攻掠者試圖燒毀敵人的住所，貝葉壁毯描繪部分之一，1082 年之前，貝葉壁毯博物館，受貝葉市特許展出。

△△ 圖斯克土壘
鄰近聖 - 厄拉利 - 多恩伯黑（Sainte-Eulalie d'Ambarès），由維奧萊勒杜克重建。防衛構造包含住所和馬廄，以柵欄圍護。

△ 倫敦白塔（White Tower）
約 1078 年，征服者威廉一世（William the Conqueror，西元 1066 至 1087 年在位之英王）之堡壘、宮殿和政治中心。

紀初的巨大八角城堡——由四座圓塔環繞，形成複雜的防禦系統。同樣高聳壯觀的還有英格蘭的科尼斯伯勒堡（Conisborough），其圓形要塞外圍不只有環形堡壘，還建有六座矩形塔樓。

倫敦的白塔（White Tower）約建於 1078 年，旨在作為征服者威廉一世的宮殿和政治中心。矩形塔樓的建築形式如同城堡要塞，不過少了拱型禮拜堂。此堡壘座落於泰晤士（Thames）河岸，具有防衛城市抵抗越水而來的侵入者的基本功能，同時也作為征服者威廉一世統治英格蘭的權力象徵。白塔除了作為堡壘之外，還具備皇室宮殿、寶庫甚至是監獄的功用，充分展現了要塞的多樣用途。

城堡的構造受到保衛家族的觀念影響，進而發展成貴族捍衛權勢的據點。土壘的核心構造演變為主樓或要塞，自十一世紀末期開始便由圍牆防護，即所謂的環形堡壘（shell-keep），如保存良好的吉索爾堡壘（Gisors）便屬此類。普羅萬的凱撒塔（Tour de César in Provins）——建於十二世

當亨利四世開始在哈茨（Harz）山區興建防禦城堡時，薩克遜人才意會到保衛家園和彰顯權勢之間的矛盾。約於 1082 年，馬德堡（Magdeburg）的修士布魯諾（Bruno）寫道：「起初這些城堡 [...] 對人民而言如同兒戲，他們並未看出亨利四世的邪惡意圖；[...] 他們甚至出錢出力支持他的建築工程，因他們視此堡壘為抵抗外來侵略者的標誌。然而，當城堡內部開始部署軍隊駐防並四處掠奪時，[...] 他們才了解這些城堡背後的用意。」

△△ 普羅萬「凱撒塔」
八角形堡壘，約十二世紀下半葉，城堡不含基底為 25 公尺高。

△ 科尼斯伯勒堡
環形堡壘，由塔樓圍繞以加強防禦功能，約十二世紀。

△ 吉索爾堡壘
城堡和環形堡壘，約十二世紀初期起成為要塞，環形堡壘約建於 1170 年。

△ 洛阿雷（Loarre）城堡
建於十世紀、以羅馬基牆為底的邊塞堡壘，
十一至十三世紀間擴建為重要的山頂城堡。

卡瑟城堡

　　卡瑟（Cathar）的顯著特色是山頂上綿延不絕的城堡，這些城堡彼此不是交戰的敵對勢力，而是形成共同防禦結構以環繞幅員廣大的領地。例如，克里比（Quéribus）城堡和佩赫佩圖斯（Peyrepertuse）城堡便在彼此視線內共同座落於法國科爾比埃山脈（Corbières）南部的山區。阿吉拉爾（Aguilar）城堡、特爾姆斯（Termes）城堡和佩勞朗斯（Puylaurans）城堡也具有類似性質。這幾座城堡作為「卡爾卡松五堡」（Five Sons of Carcassonne），擔負起保衛邊界的角色以抵禦南方的亞拉岡（Aragon）王國。

　　其中部分的城堡建於十一世紀，一直到十三世紀才擴建至現在的規模。先前，法國國王曾派兵鎮壓國內西南部地區和宣稱獨立的城鎮，血流成河；在這場戰爭中，有鑑於卡瑟派（Catharism，又譯為卡特里派或純潔派）在此區域已造成嚴重威脅，教會選擇與國王站在同一陣線。然而，異教的卡瑟運動不斷壯大，浪潮甚至席捲半個基督教歐洲世界，某段時間更在歐西坦尼亞（Occitania）地區迅速成長，迫使當地伯爵共組聯盟應戰。教宗英諾森三世（Pope Innocent III）以聖戰（Holy War）之名鼓吹人民組成十字軍，以對抗挑戰政治和宗教的卡瑟派。十字軍於 1209 年 8 月攻佔卡爾卡松後，擴大戰爭的目的，從原本對抗卡瑟派的行動轉變為摧毀區域性自治的法國殖民手段，意圖導向以國王為首的法國民族國家。戰亂直到 1229 年土魯斯伯爵雷蒙七世（Raymond VII of Toulouse）宣告投降才結束，也讓當時卡瑟人賴以流亡避難的城堡群蒙上悲傷之名。這些城堡之中，最晚興建的蒙特塞居（Montségur）城堡於 1244 年在許多卡瑟人遇難之時遭毀。

　　鄰近西班牙威斯卡（Huesca）的洛阿雷城堡（Castillo de Loarre），曾被當成防禦佔據波萊亞（Bolea）城堡的摩爾人（Moors）的前哨基地。其上層令人印象深刻的房間外圍，由數個塔樓所形成的圍牆環繞，塔樓形成了寬廣的下層房間，為早期行政管理的空間。1071 年，奧古斯丁會（Augustinians）遷徙至此地，在此城堡上層興建了蓋有地道的教堂，並藏有聖德米特里（St. Demetrius）的聖物。然而，這座城堡的防禦功用並不大。

◁ 格里比斯城堡
約十一至十三世紀，建於十三世紀的多邊形巨型堡壘之城牆達約三至四公尺厚。

▷ 佩赫佩圖斯城堡
約十二世紀上半葉至十三/十四世紀期間。在較低處的瘦長建築群，由兩層組成，是較古老的部分。

△ 里博維列（Ribeauvillé）
聖烏利奇城堡（Château de Saint-Ulrich），約十二世紀
初至十三世紀期間，為數個座落於亞爾薩斯（Alsace）高
地區的霍亨斯陶芬城堡之一。

▷ 蘭茨貝格堡（Landsberg）城堡遺跡
約十二世紀中期，為蘭茨貝格女修道院院長赫拉
德（Hortus）故居。

居住用城堡

　　城市規模和防禦的擴大逐步取代城堡原本核心意義的軍
事功能。隨著建築的設計越來越注重美觀，甚至凌駕防衛的
考量，城堡慢慢轉變為象徵貴族名望的宅邸。例如，位於亞
爾薩斯的霍亨斯陶芬之聖烏利奇城堡，其大廳內的騎士廳
（Knights' Hall）通過一條帶有七個羅馬式兩檔窗的長廊朝
外開放；此外在城堡內還有多處裝飾。而德國黑森州（Hes-
se）韋特勞（Wetterau）的明岑貝爾格城堡（Münzenberg）
的大廳外牆也有類似的設計，大廳之上原建有三層樓，其較
高樓層透過一精美雕飾的拱型長廊，通往庭院和面向山谷的
那側。如同聖烏利奇城堡，明岑貝爾格城堡的第二層樓在面
向山谷的一側建有八個拱型長廊，從遠處即可觀賞，意在彰

顯其規模。後期羅馬式城堡蘭茨貝格堡自十二世紀末期開始
興建，為蘭茨貝格女修道院院長赫拉德——著名的《享樂花
園》（Hortus Deliciarum）之作者——故居。而位於鄰近安
韋勒（Annweiler）帕拉提內特森林（Palatinate Forest）的
泰費斯（Trifels）城堡遺跡，其半圓狀禮拜堂之凸出形貌，
穿出石牆保存至今。其他別具特色的鄉村石造建築也大多和
這些城堡一樣，目的是為了顯耀權勢而非抵禦侵略。然而，
儘管城堡建築具有多樣化的裝飾和面貌，其軍事重要性仍未
完全消逝。

▷ 泰費斯城堡遺蹟（Trifels castle ruined）
鄰近安韋勒，約1113年至十四世紀早期，為重要的
君主城堡，牆壁有禮拜堂的凸出形貌。

▷▷ 明岑貝爾格城堡
約1162年前至十三世紀晚期，1174年第一棟建築完
工時建有環形圍牆、大廳、東側堡壘和城門。

無定所的政府——流動的皇權與皇宮

中世紀的王權必須持續擴展才能確保權勢。而王國若不對外擴張領土並致力交通建設，可能導致日後首都的孤立。當時的政府一般均由君王出巡或征戰時隨同指揮，所行路線會依行程調整變動，因此，像是查理曼大帝（Charlemagne）出征的路線距離便十分可觀，相當於地球總周長的數倍。通常，君王身旁會有隨行王臣與士兵，有時可能多達四千人。這樣的陣隊促成大規模駐所的需求，譬如迪倫（Düren）和貢比涅（Compiègne）等加洛林式的莊園。同樣地，許多主教或修道院長也必須接待君王及其隨從，即使遇到宗教節日也不例外；尤其是在教會的聖潔日時更要高調款待君王，以彰顯神聖的權威，這種情況在諾曼第統治下的英格蘭王國頗為普遍。然而，君王本身的形象好壞也會影響此慣例的遵行。

帕拉提內特城堡的特殊構造與君王的巡遊密切相關。據萊納・札克（Rainer Zuch）解釋，帕拉提內特城堡為配合此種常規的特殊角色而成為暫時性的建築，導致工程規模於查理曼大帝登基之時（768 年）至最後一個霍亨斯陶芬皇帝腓特烈二世（Frederick II）（1250 年）期間內遭到縮減。位於德國哈茲（Harz）山區北緣戈斯拉爾（Goslar）的帕拉提內特城堡建於奧托王朝亨利二世（Henry II）在位期間，而他也曾於 1009 年首度造訪該座城堡。西元 1017 年，亨利二世將此地做為主要的皇室宅邸，而後於 1024 年逝世於此。城堡所處的戈斯拉爾地域廣大，具有大片森林與農地，更因富饒的銀礦資源發展為該地區的工業中心。亨利三世繼位後，此城堡擴建為薩利安王朝的主要據點，他下令拆毀部分的老舊建築，興建起居用之大廳堂。到了 1047 年，亨利三世更特別興建聖西蒙與聖裘德教堂（Sts. Simon and Jude）。這座亨利三世宮殿於 1049 年受到教宗的庇護，更因亨利三世死後埋葬於此更凸顯其重要性。其宮殿建有兩層樓大廳，為當時最雄偉的世俗建築，後於十九世紀重建。兩層樓的大廳均蓋有雙隔間，貫穿整座宮殿。宮殿的正面格局一直到紅鬍子大帝腓特烈一世（Frederick I Barbarossa）掌權後才開始興建，左右對稱，氣勢磅礴，也是丹克瓦特羅德（Dankwarderode）古堡和格爾恩豪森（Gelnhausen）皇

△ **格爾恩豪森**
早期帕拉提內特式皇宮，約十二世紀下半葉，富含雕飾的大廳遺跡。

△▷ **王座遺物的兩側及後背**
約 1060-1080 年，銅鑄鑿刻，後背為 89.3 公分高，存於戈斯拉爾的帕拉提內特皇宮。

▷ 威廉一世（William I）的侍僕準備宴會之場景
出自貝葉壁毯，1082 年之前，藏於貝葉壁毯博
物館，受貝葉市特許展出。

宮建築師法的對象。除了保存於亞琛的帕拉丁禮拜堂（Pal-atine Chapel of Aachen）的查理曼大帝之王座外，戈斯拉爾城堡中的華麗王座也被視為現今僅存的中世紀德意志王國之君主王座。

據推測，西元 1170 年建城格爾恩豪森之際，也開始興建廣為人知的霍亨斯陶芬宮殿。其多角形的複雜結構中，大廳和君王住所緊鄰西北邊的環形圍牆，而雙隔間與三重弧型的大廳及禮拜堂則緊依西側圍牆。以一座帕拉提內特式城堡而言，此宮殿的裝飾異常奢華，可見當時工程所費不貲，這點也可從留存至今的宮殿遺跡中窺知一二。宮殿於十七世紀遭外來者侵略掠奪，後直至十九世紀均被當成採石聖地，內部結構已嚴重受損。

▷ 戈斯拉爾
早期帕拉提內特式皇宮，約十一至十三世紀，於
1868 至 1879 年間重建，現稱為君王之座。

從肖像畫看紅鬍子大帝腓特烈一世及其帝權的正當性

西元 1152 年，基於帝國諸王子之間已達成政治協商，加上日耳曼國王康拉德三世（Conrad III）的提議，腓特烈（Frederick）——霍亨斯陶芬家族的施瓦本（Swabia）公爵——在無異議的情況下被選為德意志國王，並於 1155 年加冕為神聖帝國皇帝。紅鬍子大帝腓特烈一世之所以成為皇帝的候選人，不只是因為他的政治家風範和軍事才能，還在於其身為茱迪絲（Judith）之子——韋爾夫（Welf）王朝成員之一，可能有辦法解決兩個最有權勢的德意志家族之間存在已久的衝突。

《韋爾夫家族史》（Historia Welforum）中的宗譜——現存最古老的中世紀家譜——以由低至高的樹狀圖和彩色雙肖像記載主要家系，並在頁面的最外圍以枝線標明家系的延伸；左上角處特地留白，以便之後加入皇帝的肖像，確保其位於最顯眼的位置且為最大的尺寸。這同時也暗示了韋爾夫家族的家系仰賴腓特烈之母才得以繼續開枝散葉。另一張圖與此宗譜來自同一本編年史，與此權勢家系關係的鮮明描繪相呼應。圖中包含紅鬍子大帝腓特烈一世，左右兩人為其子，右邊是亨利克斯（Henricus rex），左邊是腓特烈克斯（Fridericus dux）。腓特烈一世面向亨利克斯（之後的亨利六世）的描繪彰顯了他將皇位傳給血親的合法權力。

左頁光亮的銅製卡彭博格頭像（Cappenberg Head），根據佈道者聖約翰的聖物盒之銘文記載，屬於古典的羅馬式肖像藝術。它具有風格化的特性以及顯著的肖像功能，讓藝術歷史學家將其視為腓特烈一世作為現代羅馬人的形象表徵。至於頭像底座複雜的雕塑，則顯示了皇帝的權威性是基於其與地上和天上之間的直接聯繫。

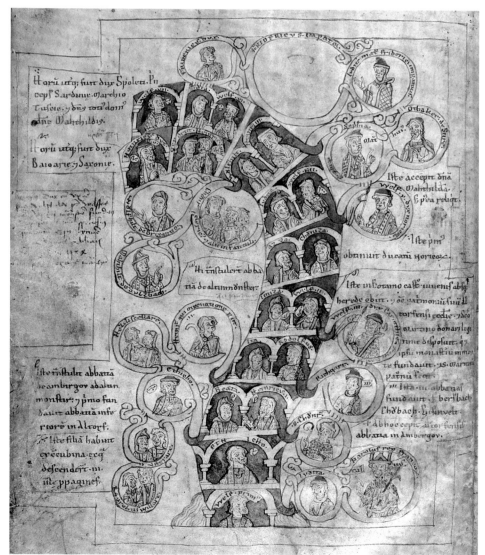

 卡彭博格頭像
1150-1160 年，紅鬍子大帝腓特烈一世之像（？），銅鑄雕刻，德國卡彭博格的聖約翰教堂（Church of St. John）。

△△ 韋爾夫家族家譜（左）和腓特烈一世及其子
韋因加爾騰修道院（Monastery of Weingarten）之《韋爾夫家族史》，德國，1185-1191 年，Cod. D11, fol. 13v-14r，弗爾達（Fulda），黑森州立蘭德斯圖書館（Hessische Landesbibliothek）。

布藍茲維城堡的獅子雕像
1166年，銅鑄，尺寸大於真實獅子。
這座於十九世紀中期所作之巨大雕塑品，其創作
靈感源於十六世紀的圖像史料。根據西元十二及
十三世紀的文獻紀載，可推論原本的實物體積應
較為纖瘦。

身為創立者與管理者的獅子
亨利

　　亨利公爵（Henry the Lion，約 1130-1195）的獅子銅像
位於布藍茲維（Brunswick），高聳於聖布拉修斯和施洗者
聖約翰大聖堂（Former collegiate church of Sts. Blasius and
John the Baptist）與丹克瓦特羅德古堡之間的寬闊廣場。這
隻體積龐大的獅子毅然地站立在巨大的石基上，威風凜凜，
牠昂首傲視，嘴巴略開；其一絡一絡的濃密鬃毛，在尾端逐

漸呈尖細，甚至錯綜環繞頸部。平穩下垂於後腿間的尾巴凸顯了獅子的冷靜、尊貴與神聖。

　　由於母狼育嬰銅像（Capitoline She-Wolf）的可能創作年代重新溯源至九至十三世紀之間，因此無法斷定此獅像是否為第一座中世紀構思與製作的圓雕作品。儘管如此，對創作這座獅像的無名藝術家而言，這必定是個挑戰，因為必須顛

覆小型銅像設計的慣常原則——那些他從儀式用之動物造型注水容器（Aquamanile）已然知曉的部分。雖然獅像的尺寸大於真實獅子，它仍具備小型雕像的特色。獅子亨利公爵於 1166 年出資委託藝術家，創作出一個可象徵其與韋爾夫家族關係的獅子雕像；原因在於獅子本身就是紋章上常出現的動物，且可彰顯亨利公爵的權勢。當時，原本擁有小型雕像的修道院教堂（於 1173 年毀壞）也支持打造這個極具代表意義的新雕像。

　　出身霍亨斯陶芬家族的紅鬍子大帝腓特烈一世，於 1152 年當選德意志皇帝之後，霍亨斯陶芬家族和韋爾夫家族便相依相存了四分之一個世紀，而獅子亨利公爵於 1156 年受封巴伐利亞（Bavaria）與薩克森（Saxony）公爵，正是其中的最大受益者。1176 年於基亞文納（Chiavenna）科莫湖（Lake Como）發生的事件中，腓特烈一世向韋爾夫家族尋求軍事援助未果，還受到羞辱，憤而結束了兩個家族的友好關係。做為此事件的回報，亨利公爵因戈斯拉爾的哈茨山富產銀礦，在早先已要求該地的管轄權，但被腓特烈一世拒絕了。最終韋爾夫家族的勢力於 1180 年的秋天式微。

　　在獅子亨利公爵的權勢達到巔峰時，他致力於城市建設，尤其是其轄區薩克森；據札克所撰述，布藍茲維已被獅子亨利公爵改造成「一個帶有皇座特色的權力中心」。他特別以戈斯拉爾附近的君主城堡為模範，專注於興建丹克瓦特羅德城堡；拜亨利公爵對於權力的野心所賜，丹克瓦特羅德城堡得以在奢華程度和建築規模上超越其他君主城堡。

　　至於他依據傳統長方形大會堂（帶有耳堂、地下室和架高的唱詩班席）所新建的教堂，看起來較偏向大教堂而非牧師會教堂。1188 年第一期工程完工，公爵和其夫人捐贈出唱詩班席的聖母祭壇（見 512 – 513 頁）。鑲嵌在某一中央圓柱上的聖物盒明述了此祭壇由「鼎鼎大名的亨利公爵」及其妻瑪蒂爾達（Matilda）所捐獻，銘文還刻意強調兩人的貴族出身，刻著「洛泰爾（Lothair）皇帝之外孫」和「羅馬皇后瑪蒂爾達之子、英格蘭國王亨利二世之女」。除此之外，亨利公爵還捐獻了銅製的七燭臺（見 532 – 533 頁）和存疑的依莫瓦德十字架（Imerward Cross）（見 460 頁）。這座教堂由亨利公爵指定為韋爾夫家族墓地，其妻瑪蒂爾達於 1189 年長眠此地，亨利則於 1195 年入土於此。

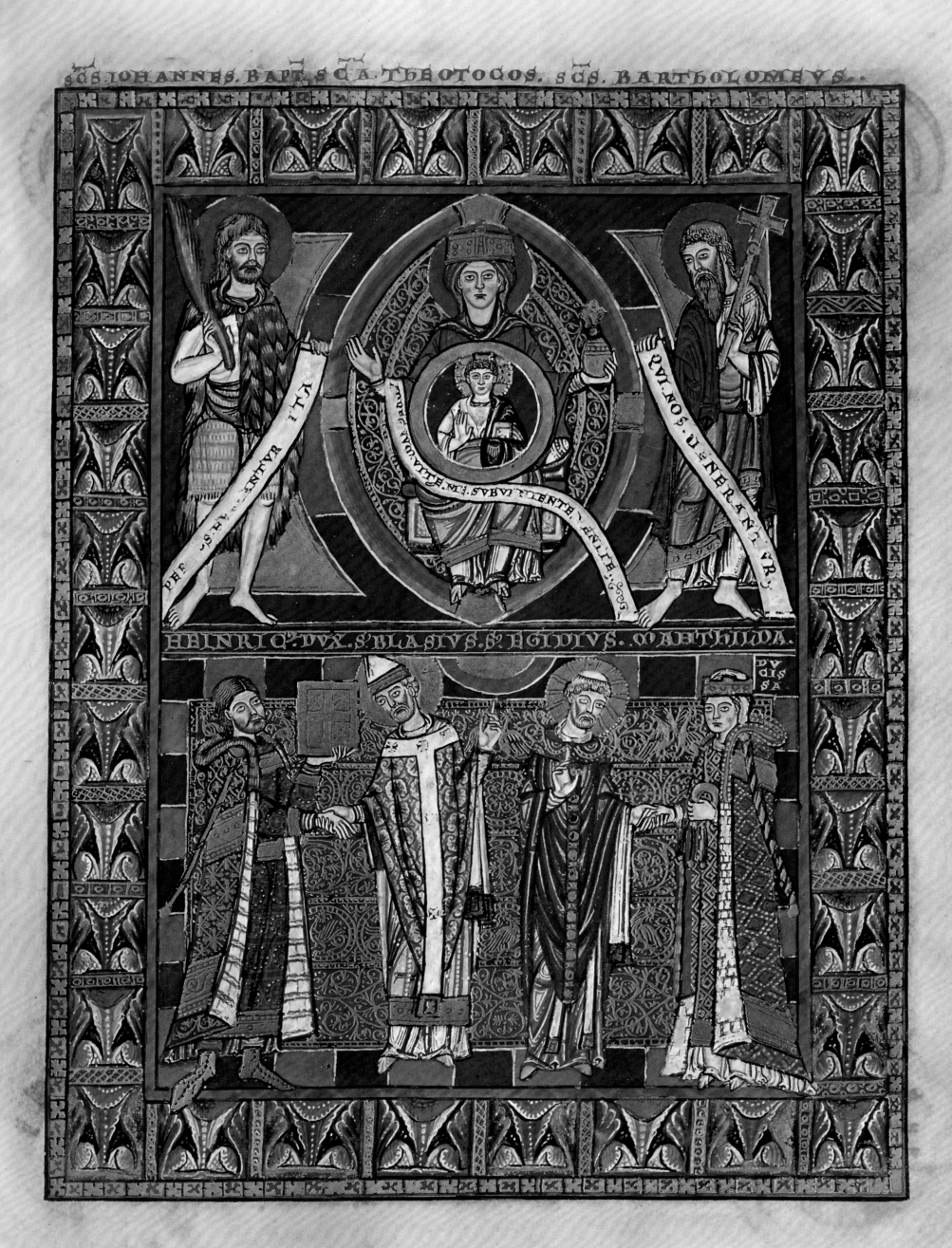

HEINRIC⁹ DVX. S̅ BLASIVS. S̅ EGIDIVS. MAHTHILDA.

◁《獅子亨利福音書》
Fol. 19 r：奉獻的圖像，黑爾馬斯豪森，1173-
1188/1189 年，34 x 25.5 公分，沃爾芬比特爾
（Wolfenbüttel），奧斯特公爵博物館（Herzog-Au-
gust-Bibliothek）Cod. Guelf.105 Noviss. 2°。

△△《獅子亨利福音書》
Fol. 171 v-172 r：獅子亨利公爵與瑪蒂爾達之加冕
典禮（左圖）；造物主六日創世（右圖）。

　　著名的《獅子亨利福音書》（*Evangeliary of Henry the Lion*）也許與聖母祭壇有淵源。據其上的獻詩所揭示，《獅子亨利福音書》是修士賀里曼（Heriman）於黑爾馬斯豪森修道院的繕寫室所作，獻詩內亦可得知此福音書由亨利公爵與妻子瑪蒂爾達捐出。可以這麼說，獻詩透過奉獻的圖像形象化。在「奉獻的圖像」中，於寬框架內上下並置兩幅相等的圖畫，上方圖中佔主要位置的，是帶著杏核狀光圈的尊榮聖母馬利亞。聖母前方懸置一個圓盾肖像（imago clipea-ta），內繪耶穌，相伴在她兩側的則是施洗者約翰和聖巴多羅買（St. Bartholomew）。發自聖母的卷軸上寫著：「以我之助來到生的國度。」卷軸直接投向位於下方圖中的捐贈者亨利公爵夫婦，由聖伯拉修（St. Blasius）和聖埃吉迪烏斯（St. Egidius）伴隨。亨利公爵高舉金色福音書，而公爵夫人瑪蒂爾達則手持其他物件，或可被視之為捐獻物；憑藉這次的奉獻行動，將兩名虔誠者提交並歸向聖母的懷抱。

　　如果這些描繪奉獻的圖畫並非出自於聖經的福音書，則《獅子亨利福音書》當中的最後兩幅圖畫亦然，即著名的加冕場景以及榮耀基督聖像（Majestas Domini）和六日創世。加冕場景同樣分割為神聖和世俗兩個世界，在上方為基督，旁邊圍繞著與公爵夫婦具有特殊關係的聖徒。亨利和瑪蒂爾達身處世俗的世界，雙膝跪地接受賜予永生的神聖加冕儀式；他們各自的皇室祖先均陪同在側，其名號均記載於福音書的獻詩和祭壇聖物盒上的銘文中。韋爾夫家族與霍亨斯陶芬家族之間衝突可解釋如此引人注目的貴族世系壓力，出身於霍亨斯陶芬家族的紅鬍子大帝腓特烈一世必定被其家臣：韋爾夫的君王眼中視為傲慢自負。最後一幅圖像不尋常地結合了基督復臨（Return of Christ）和創世（Creation），凸顯自身即為天主所造之物的亨利公爵夫婦，將自身的救贖交由天主裁決。

V 第五章

祈禱與工作

中世紀盛期的修道院生活

選擇苦行生活的動機與修道院的末世論息息相關。世人相信只要在世時全身心的投入並盡可能貼近基督的永生國度，死後便能獲得救贖進入永生世界。這是一種神聖的使命，修道者在有如兄弟般的共同體裡力行沉思生活（vita contemplativa），持續地奉獻自我為人類的罪過補贖（penance）。而為在世和已逝之人的永恆救贖祈禱，則形塑了此補贖機制的核心。

依據中世紀時修道院一天的分工，苦行僧在修道院中最主要的工作是讚頌天主，此外還有奉行時刻的禮拜儀式、午夜時的守夜（Vigils）、黎明時的晨禱（Matins）和讚美（Lauds）。

中世紀盛期時，在修道院裡生活極度風行，特別是在貴族和富裕階層，他們宣誓斷絕世俗生活的享樂，恪行苦修。補贖被視為是一種值得嘉許，為他人犧牲的代償行為，導致許多小孩被送到修道院，希望他們能奉行苦修，幫助家庭獲得救贖。

修道院生活於西元九至十一世紀間迅速多樣化發展並達到巔峰。若沒有修道院生活的出現，西方歐洲的基督教世界也許就不會存在。根據沃夫岡・布隆費斯（Wolfgang Braunfels）估計，五至十八世紀期間全歐洲約有四萬所修道院，其中僅有五千所為道地的修道院建築結構。

隱修制度的開始──聖本篤與聖本篤修會

西元四世紀時，在「君士坦丁式轉移」（Constantinian Shift）之後，基督教日漸風行於世俗社會，也隨著羅馬帝國晚期的衰落而日益壯大。這樣的發展帶動了個體思維的反覆出現，其中大多是主張重拾早期基督教精神的羅馬貴族，如諾里庫姆（Noricum）王國的聖瑟威立努（St. Severinus，約 410-482）與努西亞的聖本篤（St. Benedict of Nursia，約 480-547）。他們均受東方早期的隱修思想所啟蒙。

自基督教存在以來，投身隱修生活已成為逃避現實世界的一種方式，而目的在於透過禁慾苦行和對天主的無限默想達到個人的神聖化。著名的修士如埃及的聖安東尼（St. Anthony，約 250-356）或聖本篤皆曾發起精神上的修道運動。

這種風潮之下，多所修道院被設立，從現實中隱遁並與志同者一同禁慾苦修，修道士奉身於自我選擇的生活，追尋「上帝之城」（City of God）的願景。

自五世紀末期起，愛爾蘭的凱爾特族（Celtic）修士便將非洲修士遵奉的嚴格苦修制度視為特殊的修行典範。他們建造的修道院通常為簡陋的小屋，而且小屋內幾乎空無一物。許多愛爾蘭修道士背負強烈的宣教使命感環遊歐洲，也因此成功地將法國和德國的許多地區皈依基督教。

努西亞的聖本篤及其清規

聖本篤為西方世界最具影響力的修道士之一，然其生平事蹟卻鮮為人知。第一本關於他的傳記由教宗額我略一世（Pope Gregory I the Great，590-604）所撰，實為經典之作。根據此書記載，聖本篤約於西元 480 年出生在斯波萊托（Spoleto）東部的努西亞。出身於羅馬末代的貴族世家，年輕時前往羅馬求學，但與首都的放縱生活格格不入。到了二十歲左右，聖本篤決定隱居於薩賓山（Sabine Hills），在洞穴中度過了好幾年平靜的生活。而後人們口耳相傳關於他的神蹟，許多人慕名成為他的追隨者。起初，聖本篤和信徒們試圖組成群居生活，十二名修道士分別住在十二座修道院，中間建有一座大修道院，但未能成功。約至 529 年，聖本篤和信徒遷徙至卡西諾山（Monte Cassino），在一所古教堂的遺址興建了一座修道院。

《聖本篤會規》（*Regula Benedicti*）包含七十三個章節，以拉丁方言寫成，記載修道院院長和其他修士必須遵守的苦行規範。聖本篤參考了數個文本資料，彙整並制定了適當且易懂的教條。他將修道院視為「侍奉天主的學院」。「我們在這裡的目的，」他接著說道，「為提倡世上沒有困難的事。」

當時，這本著作受到廣泛關注，程度僅次於福音書，短時間內便累積相當的重要性。自從查理曼大帝大量複製《聖本篤會規》並分發至各個修道院之後，此書便成為大部分修道士奉行的清規典範，為他們的共修生活奠定基礎，威望甚至延續至近代初期。

◁ 努西亞的聖本篤（St. Benedict of Nursia）
蘇比亞科（Subiaco），聖本篤修道院天主教蘇比亞科自治會院區（Sacro Speco），教堂較高處的壁畫。

△ 聖本篤接受羅瑪努斯（Romanus）供奉的修士服
並退隱居於蘇比亞科的洞穴。
由大師孔蘇魯斯（Master Conxulus）作於十三世紀，蘇比亞
科，天主教蘇比亞科自治會院區，為教堂較低處的壁畫。

西方的聖本篤修道院

聖本篤於 547 年後辭世，當時有一百五十名修道士住在卡西諾山的修道院，附近也有十二棟房舍。存在甚久的聖本篤修會歷經多次摧毀與重建。根據《聖本篤會規》——中世紀最具影響力且歷久彌新的著作之一，奉行聖本篤修道主義的修道院於歐洲各地設立。加洛林和奧托王朝時期（九至十一世紀），聖本篤修道主義佔有壟斷性的地位，超越宗教束縛，影響廣及文化發展、社會體制甚至農業經濟。

有鑑於法蘭克王國（Kingdom of the Franks）境內許多修道院遵循的清規分歧不一，查理曼大帝急欲將聖本篤會規施行於領土內所有修道院，意圖統一修道生活的實踐，以盡可能積累讚頌天主的成效。然而儘管推行了聖本篤會規，各修道院仍各行其道。

直到來自法國南部阿尼亞納的本篤（Benedict of Aniane，750-821）的推行，修道規範才真正地統一。虔誠者路易（Louis the Pious，814-840）召見阿尼亞納的本篤，特任他為法蘭克王國的修道院總院長，職責為依據聖本篤教條對法蘭克王國所有修道院進行改革。最終，阿尼亞納的本篤成功地使得《聖本篤會規》成為舉世修道實行的原則依歸。

修道院的典範：聖加侖修道院

聖加侖（St. Gallen）修道院的圖書館藏有可能是現存歷史最悠久的建築畫作，描繪了查理曼大帝在位期間所發展的複合式聖本篤修道院之建築模型。繪製於賴興瑙島（Reichenau），原平面圖現已不復存，修道院所藏的為其副本。根據羊皮紙上留存的獻詞，收件者為聖加侖的本篤會修道院院長郭茲貝（Gozbert，816-836），而寄件者應為賴興瑙修道院院長海托（Haito，806-823）——查理曼大帝的主要顧問之一。

畫中的五十棟房舍分為四個獨立的區域，中央由教堂的南側圍牆所形成，將修道院完全隔絕於外，修道院內應有盡有：迴廊、毗鄰的建築物、溫暖的房間和宿舍，較高樓層為食堂和衣物室，另外還有兩層樓的倉庫。修道院教堂本體設計為帶有三條廊道的長方形會堂，西側建有半圓形後殿，由同心圓的前廊所環繞，兩側各有一座獨立塔樓。教堂中殿由九個隔間所組成，東側有一座耳堂，接著為唱詩班席位，同樣由前廊所環繞。唱詩班席位的階梯下方為設有聖壇的地窖。席

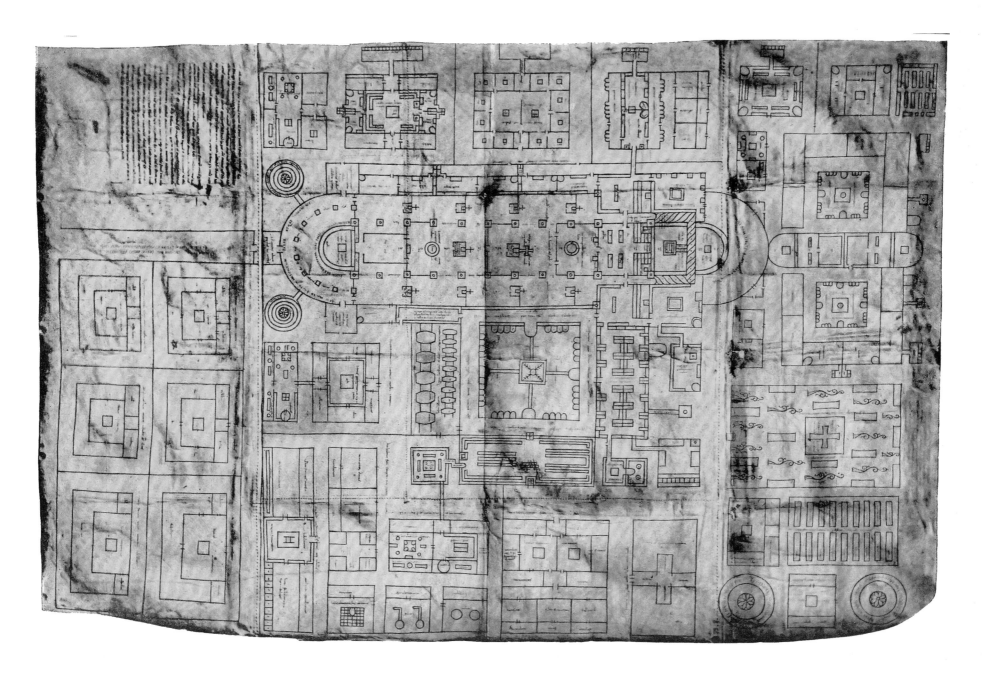

◁ **聖加侖修道院平面圖**
賴興瑙島，約830年，為中世紀早期複合式修道院的模型，現存於聖加侖基金會圖書館（St. Gallen, foundation library）。

▷ **聖加侖修道院重現示意圖**
標示建築和植被區域。

位兩旁則是兩棟附屬建築，北側為繕寫室和圖書室，南側為聖器收藏室及禮罩室。主祭壇所在的教堂前方為修士唱詩班的席位，以及修士實行禮拜儀式的獨立場所，以聖壇屏與教堂其他區域相隔。在這幅平面圖中，修士唱詩班的席位位於中央廊道的東半部，位居交叉點。

教堂的北邊為公共通行區域，建有一棟貴賓專用的建築，另外設有廚房、釀造廠、烘焙室和傳道學校，此外還有修道院長的住所及專屬的廚房和浴室。

西側和南側為行政大樓，不僅設有存放手工藝必備品的空間，還建有畜養動物的棚舍及照養人員的住所。動物棚舍和圍牆中間為暫時庇護所，收留朝聖者和窮人，旁邊也建有一棟房舍供其所需。

教堂東邊為醫療設施、醫院、醫生宿舍、藥局和墓地，此外還有種植藥草、果樹和作物的花園與農地。由於一般均由見習修士照顧病人，因此見習修士的住所就設在旁邊。

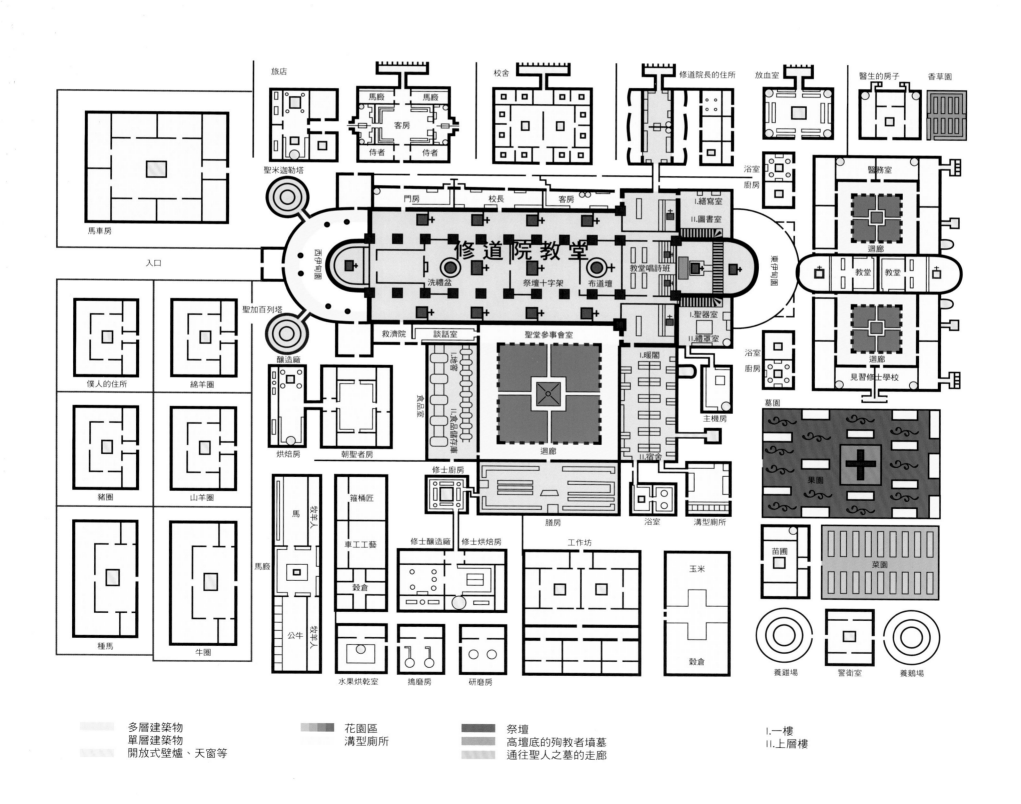

克呂尼修道院的改革

　　無論對修士或修道院長而言，日復一日遵循嚴謹的修道清規並不是一件容易的事。有時候他們會視情況妥協，或是忽略一些精神上的本分。因此總會有些修道院根據不同的動機和目標，在各處不斷推行清規的改革。然而到了十世紀，不再有任何一個修道院發起改革，取而代之的是各個修道院爭相比較誰能一字不差地力行清規。同時，每個修道院也各自制定準則，作為另一種改革的方式。

　　西元 910 年，修道院長博姆的貝爾諾（Berno of Baume）及院中十二個修道士於法國葛羅斯谷（Grose Valley）建造了克呂尼（Cluny）第一座教堂。當時誰也沒料到不及一百年後，這座教堂會成為歐洲教會的精神指標。起初，亞奎丹的敬虔者威廉（William the Pious of Aquitaine，歿於 918年）為了興建修道院，特地建造了一座莊園。後來，威廉宣布放棄莊園的所有權，修道院因此得以自由選舉修道院院長。他也將新建的修道院交由當時的教宗掌管，使其免受其他公爵和主教的爭奪。

　　克呂尼為十世紀修道會改革的起點和中心。當時，以聖本篤教條為基礎，修道院生活的重點均須依從於主業會（Opus Dei）莊嚴神聖的服務，其他如研讀、家務勞動等活動以及苦修實踐則為其次。至於修道院所需的手工藝品由信徒製作奉獻，而農耕工作則由佃戶負責。因此，克呂尼修道院的改革是在一種特別重構的計畫之下，於多方面開展。這些改革在藝術史上分別標記為 1043 年的克呂尼二世（Cluny II）和 1150 年的克呂尼三世（Cluny III）。

△ **克呂尼**
聖皮埃爾和聖保祿修道會教堂（Saint-Pierre-et-Saint-Paul）的南側耳堂，1088-1115 年前，上方建有八角形塔樓，設有兩個開放的拱型樓層。

克呂尼修道院群

　　克呂尼修道院能夠快速成長，主要受惠於其地理位置。該地區自查理曼帝國簽屬凡爾登協定（Treaty of Verdun，843年）而分裂後，地位便從政權中心變為無政府管制的邊陲之地。此外，修道院總會由八位富影響力的修道院長所主導，其中四位修道院長分別掌權達半世紀之久。克呂尼修道院院長歐多（Odo，927-942）——修道院創始人之繼承人——也享有掌管其他修道院的特權。這些修道院並無專屬的院長，但都形成各自的分院，受克呂尼修道總會管轄。即使這樣的制度有違《聖本篤會規》，但卻可以確保附屬的修道院快速成長。歐迪洛（Odilo，994-1047/1048）接下克呂尼修道院院長的位置後，修道院的數量更持續攀升，之後更在雨果（Hugo，1049-1109）院長的帶領下迅速增加。到了十二世紀，克呂尼修道會群（Ecclesia Cluniacensis）儼然已成為一個修道聯盟，在全歐洲共有一千五百個修道院和分院，同時修道會總會的修士人數也穩定成長。

　　各個修道院不須爭取法律地位，只要遵循克呂尼修道院的規範（Ordo Cluniacensis），就能成為其下的附屬修道院。到了十一世紀，主教們經常四處遊歷，導致外界批評他們濫用修士和隨行人力，奢華鋪張，此外還過度干預世俗事務，顯露對權力的貪婪。也由於修道院群享有極大的權勢，許多君王和神職人員都爭相依附奉獻。

△▷ **克呂尼**

建築模型和平面圖，約於1150年由K‧J‧科南（Conant, K. J.）重建。

1　克呂尼三世教堂
2　尊者彼得的安特教堂（Ante church of Peter the Venerable）
3　聖器收藏室
4　修道院院長的禮拜堂
5　克呂尼二世教堂東側
6　中庭
7　迴廊
8　噴水池/盥洗池
9　食堂
10　參事會室
11　會議室
12　暖房
13　密室
14　見習修道士住所
15　見習修道士修道院
16　公共廁所
17　倉庫
18　廚房
19　麵包儲藏室
20　烘焙房
21　小型迴廊
22　修道院院長彼得的大型病房
23　醫院
24　聖馬利教堂（Church of Ste-Marie）
25　修士的基地
26　聖母教堂禮拜堂墓地
27　馬廄
28　小屋
29　修道院院長彼得的安養院
30　修道院院長雨果的安養院
31　大門
32　前庭
33　內庭

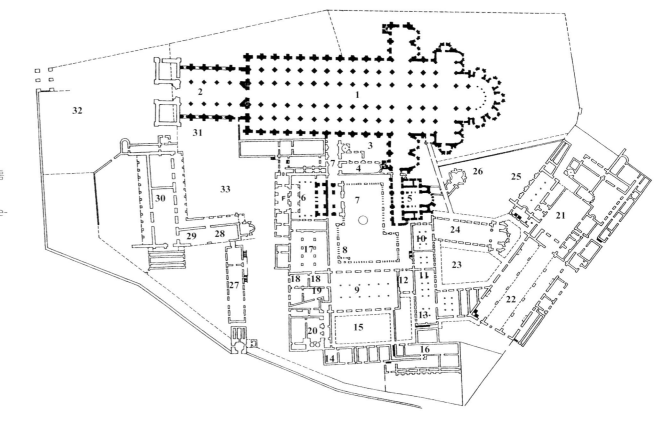

克呂尼三世

　　克呂尼三世教堂為整個羅馬式中世紀階段中最具紀念性的建築。據沃夫岡‧布隆費斯所述，克呂尼三世教堂成立的目的是成為「集權式修道王國」。這點由其內外華麗的裝飾壁畫清楚可見。對於這座教堂的建築目的和奢華浪費，克萊

克呂尼

原為修道院糧倉，現為博物館。約十三世紀後半葉。展示了羅馬式祭壇和八個樑柱（柱頭約 80 公分高）組成的半圓形走道。

爾沃的聖伯爾納鐸（Bernard of Clairvaux，1090-1153）和熙篤會（Cistercians）等當代勢力均極力反對。法國大革命期間，教堂的堡壘遭到毀損，以致目前只有少數遺跡留存。

這可歸因於藝術史的巧合——根據倖存下來的所有東西——半圓形走道的唱詩班梁柱柱頭上，雕刻了可譜出格里高

里（Gregorian）單旋律聖詠的前四個和諧音調。每一個刻在橢圓形狀石框中的人像均彈奏著樂器，各自象徵一種音調。然而，他們的樂器和演奏方式與傳統的音樂手法大相逕庭，可見這裡描繪的第一個音調表現了虛幻的樂器。據藝術史學家考究人像的姿態和手勢，其身分為雜技藝人。以羅馬式時期的柱頭雕刻而言，這樣的主題頗為獨特。依其位於教堂的聖殿位置判斷，石柱雕刻的音樂體系見證了克呂尼修道院對於禮拜儀式的重視。

克呂尼的久遠反思：
啟發自克呂尼修道院的空間創意

帕賴勒莫尼亞勒教堂

帕賴勒莫尼亞勒教堂（Paray-le-Monial）位於克呂尼修道院西邊五十公里處，與修道會總會關係密切。帕賴教堂建於克呂尼三世在位期間，因此，藝術歷史學家推測這兩座建築是由同一批建築家和工人所興建。而這座教堂雖然規模較小，卻可識別出克呂尼教堂的重要建築風格。其內部蓋有三條廊道，中殿只有三個隔間，緊鄰唱詩班的隔間以及相較之下較寬敞的耳堂。教堂中殿顯著地挑高，圓拱楣端收尖，如此才能承受結構的壓力。通向拱廊區的牆壁上建有三拱式拱廊和高窗，其結構富有多樣性變化。環繞拱楣的裝飾檐條構成了教堂的水平面視覺元素，與直角處的檐柱相連。除了幾個柱頭之外，教堂內部極少雕刻裝飾，但具有豐富的結構性裝飾。

△ 唱詩班後殿的壁畫
耶穌像由呈現些微尖角狀的光暈所環繞，外圍則圍繞著傳福音者的象徵。

▷ 帕賴勒莫尼亞勒教堂
早期修道院教堂，以克呂尼三世的建築模型為基礎，約十二世紀早期。教堂內部的東面。

◁ **帕賴勒莫尼亞勒教堂**
西北側外觀。
其較小的西側建築建於十一世紀末期,為早期教
堂的遺跡,以克呂尼二世的建築為模型。

△ **帕賴勒莫尼亞勒教堂**
建築結構特色強烈,由低至高分別為:最下層的禮拜
堂、唱詩班半圓形走道、唱詩班席側廊、唱詩班席前
半部、長唱詩班席、耳堂,最頂端為中央尖塔。

貝爾澤拉維爾教堂

即使克呂尼修道院的壁畫（於十二世紀時備受推崇）已不復存，還是可以從現存於貝爾澤拉維爾（Berzé-la-Ville）的小型修士禮拜堂中欣賞類似的風格。此教堂約於克呂尼修道院院長雨果（Abbot Hugo of Cluny，1049-1109）在位期間，因此內部的壁畫至少有部分是出自雨果的設計。據推測教堂於雨果逝世後不久完工，其中的圖像構思很可能出自於雨果繼承人龐斯・迪・米奎爾（Pons de Megueil，1109-1122）或尊者佩特羅斯（Petrus Venerabilis，1122-1156）。

壁畫的內容顯示了克呂尼修道院對於權勢的野心。半圓形後殿（apse）的小圓頂中央繪有身處杏核狀光暈之中的耶穌像，於左邊的弧線處，耶穌的手將一幅卷軸遞給聖伯多祿。這幅壁畫象徵了耶穌指示聖伯多祿來支持教堂的成立，其中意涵更由羅列於光暈兩側的聖保祿和十二位使徒所彰顯，同時也凸顯了此教團是獻給聖伯多祿和聖保祿。教團的創始人聖伯諾（St. Berno，910-927）及興建教堂者聖雨果（St. Hugo）也出現在壁畫中。至於克呂尼修道會與羅馬教宗的密切關係，則可由唱詩班席壁畫中的羅馬殉道聖人文森

（Vincent）和布拉修斯（Blasius）的畫像窺知一二。圓頂下的穹隅（pendentive）處和半圓形後殿的底部則繪有數名聖徒，包含幾位東方基督教的聖徒。此外，壁畫也反常地出現拜占庭式的藝術元素，據推測應是奧托二世（Otto II）於972年迎娶拜占庭皇帝之女狄奧凡諾（Theophanu）之後引入拜占庭藝術風格之故，此拜占庭式影響也有可能是由義大利傳入。

這些壁畫直到1887年才被發現，由於其與克呂尼修道院失落的繪畫關係密切，因而成為法蘭克王國羅馬式壁畫藝術中最重要的作品。

貝爾澤拉維爾教堂
修士的城堡（Château des Moines），禮拜堂，約十二世紀早期。半圓形後殿之概觀，中央為身處杏核狀光圈之中的耶穌，由使徒和聖徒圍繞；上圖為修道院院長之肖像；左圖為南側的封閉形後殿上的細節描繪。

△ **聖勞倫斯的殉道（Martyrdom of St. Laurence）**
位於教堂半圓形後殿的南側封閉形後殿。

△▷ **受囚禁的聖布拉修斯及描繪他的殉道**
位於教堂半圓形後殿的北側封閉形後殿。

△▷ **羅亞爾河畔沙里特（La Charité-sur-Loire）教堂**
聖十字聖母（Sainte-Croix-Notre-Dame）的早期小修道院教堂，1056-1107年，唱詩班席（僅下半部為原中世紀建築）外觀及中世紀的耳堂；右圖為唱詩班席內部。

▷▷ **穆瓦薩克（Moissac）**
修道院迴廊概觀，1100年完工。

羅亞爾河畔沙里特教堂

聖十字聖母小修道院教堂由克呂尼修道院院長雨果創於西元1059年，屬於羅亞爾河畔沙里特教堂的一部分，於1107年祝聖。此教堂以第二座克呂尼教堂為建築基礎，據推測首先動工的是七部分組成的分層的唱詩班席，其與狹長的耳堂相連，耳堂高處的桶型拱楣處設有窗戶。有五條廊道的中殿向西延伸了十個開間，同時指涉了克呂尼三世的建築尺寸。

藝術史學家認為，當雨果院長興建這座教堂及其他同期小型建築時，用意在於替之後打造基督教世界中最雄偉輝煌的教堂──即克呂尼修道院第三座教堂做準備。於十六世紀時，這座位於勃艮第（Burgundy）的第二大教堂遭到胡格諾派信徒（Huguenots）破壞，只有部分正面建築和東側建築倖存。

穆瓦薩克的聖皮埃爾修道院

位於穆瓦薩克（Moissac）的早期聖本篤修道院教堂之聖皮埃爾（Saint-Pierre 為 Saint Peter 的法文）修道院，除了具有宏偉的大門外，還建有羅馬式藝術風格史上重要的迴廊。根據相關銘文記載，此迴廊於 1100 年完工，包含多達八十六個雕刻柱頭和梁柱，為最古老，也是圖像最豐富的羅馬式雕刻作品之一。

迴廊的轉角和中央均建有樑柱，上頭的浮雕刻有八名使徒。其中有兩個中央樑柱上沒有任何的圖像浮雕，一個刻有

銘文記載迴廊完工，另一個刻有獻給修道院院長杜宏（Durand）的獻詞。克呂尼修道院於 1047 年將穆瓦薩克修道院列入管轄，並指派布里登的杜宏（Durand de Bredon）擔任修道院院長，而修道院也在杜宏的帶領下贏得極大的名望和繁榮。修道院當中寬幅最大的浮雕作品即是獻給這位院長。這些平面浮雕的構造各不相同，圖像的比例差距懸殊，以致頭像的大小不一。人像動作相對靜止，使得服裝更顯得具觀賞效果，而聖伯多祿手握的鑰匙更襯托了服飾上中心對稱的縐褶排列。

一系列的雕飾柱頭呈現了聖經主題的廣泛多樣性，雖可看出其凝聚力，但卻很難輕易識別，這可能與迴廊遭遇祝融之後於十三世紀重建有關。藝術史學家推測這些雕刻至少出自六名不同藝術家之手，且與土魯斯的聖塞寧聖殿的工作坊關係密切。

穆瓦薩克
迴廊，柱頭的雕刻細節包含人像和藤蔓裝飾，以及刻有聖伯多祿（手握鑰匙）和聖保祿（手持書本）人像的角柱浮雕。

至聖之靜：庇里牛斯山的聖本篤修道院

庫薩的聖米歇爾修道院

庫薩的聖米歇爾修道院（Saint-Michel-de-Cuxa）所在地的前身建築約於西元 880 年遭洪水沖毀，流入泰特（Têt）河谷。倖存的修道士們在卡尼古山（Canigou Mountain）山腳處名為庫薩（Cuxa）的地方落腳，並在塞爾達涅伯爵（Count de Cerdagne）賜予的土地上重建家園。到了 950年，修道院獲得赦免，意即其不再受主教和伯爵的管轄，而直接由教宗庇護。這樣的特權極為少見，不只引入了各方對修道院的資助，更憑藉其神聖啟蒙的修道氛圍深深影響了許多信徒，像是威尼斯總督（Doge of Venice）彼得‧奧爾賽奧洛一世（Pietro Orseolo I）和吉伯特‧多黎亞克（Gerbert d'Aurillac）——即之後的教宗西爾維斯特二世（Pope Sylvester II）。因此，庫薩的聖米歇爾修道院迅速發展，成為聖本篤修會於魯西永地區最重要的據點。其建築結構雄偉繁複，具早期羅馬式風格，並建有兩座巨型塔樓，然而現今只有部分遺跡留存。

庫薩的聖米歇爾修道院
約於 1040 年完工，右圖為修道院教堂和鐘樓東南側之景觀。左圖為羅馬式迴廊近觀，現僅存少部分遺跡。

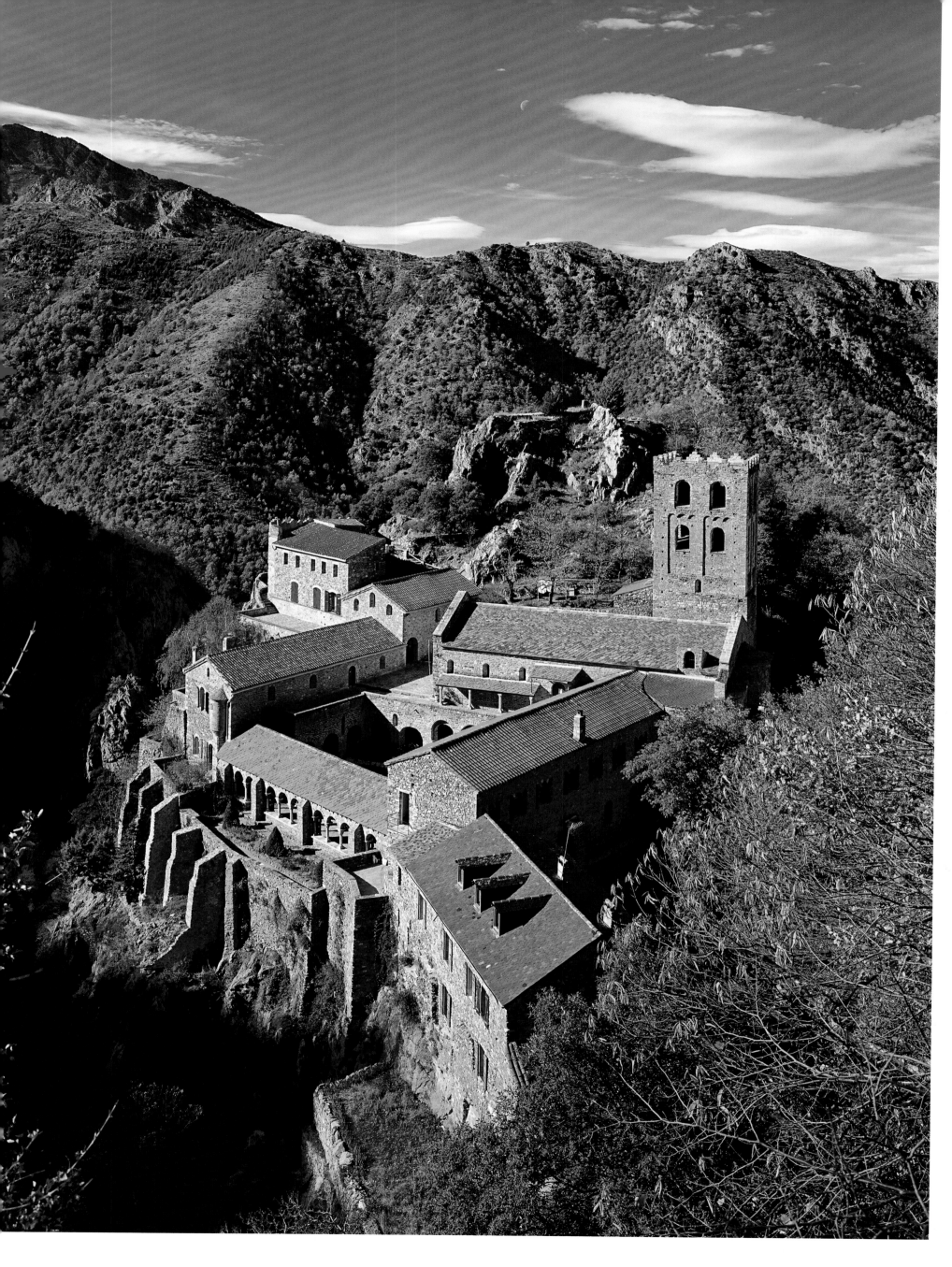

塞拉伯恩修道院與卡尼古的聖馬丹修道院

　　庫薩的聖米歇爾修道院已實現的建築藝術成就也影響了魯西永地區的其他修道院，如位於庇里牛斯北部偏遠山區的塞拉伯恩修道院（Prieuré de Serrabone），其建築內的迴廊和唱詩臺便刻有風格獨特的雕飾。當塞爾達涅伯爵尋找隱居之地時，發現了一處位於卡尼古山高處山區，由修士經營的堂院，後來其兄奧利巴（Oliba）——庫薩修道院院長——派了幾名工人和工匠斯古拉（Scula）協助一同建造聖本篤修道院。完工後，塞爾達涅伯爵便以聖馬丹（Saint Martin）修道院贊助人的身分安居於此。而斯古拉（於1014-1044年擔任聖馬丹修道院院長）則建造了兩座地勢相依的教堂，後遭毀損，直到1900年才進行重建。

◁◁ **塞拉伯恩修道院**
聖母教堂主殿的唱詩臺，約建於十二世紀，為奧古斯丁會（Augustinian Canons）早期小修道院。

△▽ **卡尼古的聖馬丹修道院**
於1009及1014年舉行祝聖。
上圖為修道院南側和部分現代重建的修道院會（Convent），下圖為教堂上半部和東南側迴廊的內觀，於二十世紀重建，柱頭曾於十二世紀下半葉修復。

177

里波爾修道院

庇里牛斯東部地區的修道院中，以位於里波爾（Ripoll）聖馬利亞（Santa Mariá）的聖本篤修道院最為著名。其由第一個巴塞隆納伯爵——多毛的威爾弗列德（Wilfred the Hairy）於 879 年興建，並在中世紀盛期達到聲望巔峰。此修道院之所以聲名遠播，不僅是因為基督教徒的相關著作，更是因為其收藏了許多經由阿拉伯戰爭傳入的古哲學經典。此外，許多重要的著作也編寫於修道院的繕寫室，譬如現存於梵蒂崗的《里波爾聖經》（*Bible of Ripoll*）。

熱愛藝術的奧利巴·卡布雷塔（Oliba Cabreta）——庫薩修道院院長以及之後的維其（Vich）主教，延攬義大利工匠，進而將倫巴底（Lombard）建築風格傳入加泰隆尼亞（Catalonia）。里波爾的第三座教堂建於十世紀初期，規模宏偉，內部設有五條廊道，後由卡布雷塔於 1032 年擴建數個開間，完工後凸出的耳堂建有六個半圓形後殿，分別位於唱詩班的兩側。到了十二世紀，更增建圓頂和西側大門。

與位於法國普瓦圖（Poitou）的教堂相同，此修道院的圓拱大門沒有拱楣，周圍的大片牆上卻分為六大區塊，展示了迄今最完整的圖像創作之一。大門上半部的橫飾帶中央刻有耶穌，旁邊環繞著天使們和傳福音者約翰與馬太（Matthew），下方則是路加（Luke）和馬可（Mark）。此外還刻有二十四個天啟的長老（Elders of the Apocalypse）和聖徒們，這兩大區塊代表了「得勝的教會」。最底部的雕刻則為「爭戰的教會」，大概與「收復失地運動」（Reconquista）相關。

◁ **里波爾**
聖馬利亞修道院教堂，於 1032 年重新祝聖，東側建築蓋有七座半圓形後殿。

▷ **里波爾**
聖馬利亞之修道院教堂，大門外觀，約十二世紀中，刻有繁複圖像裝飾的大門為西班牙羅馬式藝術重要作品之一。

羅德斯的聖佩爾修道院

第三座於加泰隆尼亞地區最著名的中世紀盛期聖本篤修道院為羅德斯的聖佩爾（Sant Pere de Rodes）。其原為隱士居所，建於偏遠之處，因此入侵的摩爾人（Moors）較難抵達。然而也因為受到摩爾人侵略的影響，於十世紀時開始興建的新修道院工程中斷，一直到 1000 年才完工，此時也正值修道會聲望興盛之時。如同里波爾修道院，羅德斯的聖佩雷德修道院也建有一重要的繕寫室。現已成為廢墟的修道院建築風格特異，在西班牙早期羅馬式藝術中格外醒目。建築的材料並非採用粗石，而是切割平整的琢石。唱詩班席和一般的法國式教堂一樣蓋有半圓形走道，但是並無放射狀的

禮拜堂。此外，教堂內部的兩側走道狹長，與其說是為了騰出更多的空間，不如說是因應結構配合中央走道的桶形拱楣所設計。最重要的是，中央走廊採挑高設計，並建有層層相疊的圓柱，據近代學術研究，其反映了從莫札拉布式（Mozarabic）轉變為羅馬式風格的過渡時期。

羅德斯的聖佩爾

早期聖本篤修道院，教堂於 1022 年祝聖，修道院建築西北側的外觀，教堂中殿蓋有雙層圓柱，西側大門的浮雕描繪使徒彼得與安德烈受到召喚，由「卡貝斯坦尼的大師」（Master of Cabestany）雕刻於十二世紀晚期。

拉佩納的聖胡安修道院

此聖本篤修道院自九世紀中葉以來便矗立於此，據推測應是所在地勢盤踞於一塊巨石（西班牙文為 peña），才得以免受外來侵襲，不過還是未能遏止阿拉伯人的多次掠奪。儘管如此，位於哈卡（Jaca）西南方的這座修道院並未遭到廢棄，自十世紀起成為歷任納瓦拉（Navarre）統治者及其後的亞拉岡（Aragon）國王的長眠之地。1071 年克呂尼修道會推行改革，於是到了十一世紀，一座新教堂建於原先的莫札拉布式的小教堂上方，其東側於岩石內建有三個半圓形後殿。這座修道院位居岩石下方，因此其迴廊不需要另闢屋頂。其中表現力深刻的柱頭雕刻約作於 1150 年，風格簡潔幾近樸實，相當引人注目。

拉佩納的聖胡安修道院（San Juan de la Peña）
早期聖本篤修道院，圖為修道院院長禮拜堂和遺跡，建於十二世紀下半葉。修道院建於巨石之下，八世紀時原為隱士居所。

努西亞的聖本篤之墓：
羅亞爾河畔聖本努瓦修道院

七世紀中葉，努西亞的聖本篤及其雙胞胎妹妹聖思嘉（Scholastica）之聖骨原存於卡西諾山修道院，後因修道院遭倫巴底人（Lombards）侵略毀壞，於是移至羅亞爾河（Loire）流域的弗勒里修道院（Fleury Abbey，約建於650年）。其後，弗勒里修道院即以羅亞爾河畔聖本努瓦（Saint-Benoît-sur-Loire）修道院教堂之名廣為人知，並在西方隱修制度建立後發展，於加洛林王朝時期發展為拉丁西方（Latin West）世界的文化中心之一。之後，修道院遭諾曼人摧毀，但很快地又在十一世紀埃伯（Abbo）和高茲林（Gauzlin）修道院院長的帶領下（1004-1030年）重振聲望，影響力遠及義大利、加泰隆尼亞、英格蘭和德意志地區之修道院。

修道院西側的巨型雙層塔樓位於中殿的前方，建於高茲林修道院院長在位期間，塔樓的門廊橫跨較低的整層樓。此修道院開創了一種新的建築形式，很快地就引起許多修道院仿效。除了塔樓門廊的架構之外，其柱頭雕刻也具有重大意義，具備多樣化的風格特徵，富含裝飾性及象徵意涵，其中的主題多衍生自聖經典故。此座修道院的確定時代可追溯至1040-1050年，展現了早期勃艮第羅馬式的雕刻藝術。

△▷ **羅亞爾河畔聖本努瓦修道院教堂**
存放聖本篤聖骨之地窖，周圍由多根厚實圓柱環繞，教堂約建於十一世紀，中殿約建於十二世紀。

▷▷ **羅亞爾河畔聖本努瓦修道院教堂**
帶有禮拜堂的前廊塔樓，位於開放式中庭拱廊之上，1026-1040/1050年間，寬17公尺，高14.5公尺。下層柱頭飾有雕刻。

沃爾皮亞諾的威廉與聖貝尼涅的聖本篤修道院教堂

　　第戎的聖貝尼涅（Saint-Bénigne in Dijon）修道院教堂為西方基督教世界中最偉大的羅馬式建築之一，儘管現僅存部分遺跡。來自小亞細亞（Asia Minor）的聖彼尼諾（St. Benignus）曾在勃艮第傳教，之後還去過歐坦（Autun）和朗格勒（Langres），最後才來到第戎，據信於羅馬皇帝馬可‧奧里略（Emperor Marcus Aurelius）統治期間（161-181年）在此殉道。到了六世紀晚期，許多信徒極為崇拜聖彼尼諾，建立了一座大教堂以茲紀念，並於西元535年祝聖，成為之後聖本篤修道會的修道院教堂。989年，克呂尼

修道院指派倫巴底人沃爾皮亞諾的威廉（William of Volpiano，962-1031年）擔任第戎聖貝尼涅教堂的修道院院長。由於教堂殘破不堪，威廉於1001年下令重建。

　　威廉並未依照當時甫完工不久的克呂尼二世教堂作為修道院的重建典範，反倒採用了五條廊道耳堂的形式，並將建築延伸至100公尺長。東側的耳堂直通以樑柱圍成的半圓唱詩班席，兩旁蓋有階梯式的半圓形後殿。唱詩班席後方可通往三層樓及三條廊道的寬廣圓形大廳，其天井直通圓頂。較高的樓層可通向兩座塔樓，其各自位於教堂的南北側。大廳內

的樑柱柱頭為現存最久遠的勃艮第雕刻藝術典範。此外，圓形大廳的東側建有一座長方形的聖母堂（Lady Chapel）。由於中央走廊的東側地勢高於側廊，因此位於走廊下方的地窖也隨之擴建延伸。這個部分與修道院西側並不相通，應是特地保留供修士之用。中央的半圓形後殿下方為聖彼尼諾之墓，如今其聖骨已不復存。此座孤立的圓形大廳無法確鑿其起源，羅馬的萬神殿（Pantheon）可能為其摹本，之後也沒有其他同類型的建築出現。

在沃爾皮亞諾的威廉治理期間，聖貝尼涅教堂的聲望達到高峰。威廉將此座教堂發展為聖本篤修道會的改革中心，勢力涵蓋了法國和北義大利地區六十座修道院。

第戎早期聖本篤聖貝尼涅修道院教堂
重建於 1001 年，左圖為圓形大廳，柱頭上刻有怪誕人像的裝飾，為最早期的羅馬式圖像柱頭之一，建於 1001-1018 年。

191

義大利地區聖本篤修道院的羅馬式建築與裝飾藝術

自努西亞的聖本篤修道會時期以來，義大利地區的修道會文化便不斷擴張，影響力一直持續至中世紀盛期和晚期。在早期的羅馬式藝術中，最重要的建築之一就是沃爾皮亞諾的威廉（第戎聖貝尼涅教堂之修道院院長）於皮埃蒙特（Piedmont）的聖賓尼諾卡納韋塞（San Benigno Canavese）所興建的弗魯杜阿里亞聖本篤修道院（Benedictine abbey of Fruttuaria）。憑藉著羅馬教宗、君王及權貴人士的庇護與支持，弗魯杜阿里亞聖本篤修道院得以於十一世紀獲得合法自治的地位。

此座修道院同樣也是修道會的改革據點，影響範圍廣大。西元 1069 年，光是阿爾卑斯山脈南緣地區就有五十四間小型修道院，在義大利之外，則特別影響至德意志地區的修道院。因受到第戎聖貝尼涅教堂及克呂尼修道會的影響，弗魯杜阿里亞聖本篤修道會有時也被稱為克呂尼 - 弗魯杜阿里亞修道會（Cluniac-Fruttuaria），為眾多革新修道院所依歸。

建於十一世紀的弗魯杜阿里亞聖本篤修道院如今除了外觀莊嚴的鐘樓之外，只留下少部分遺跡。而其他建於中世紀初期的聖本篤修道院（後文將介紹）的主要教堂和部分建築裝飾仍留存至今，其建築與藝術風格的發展已臻至羅馬式藝術的鼎盛。

彭波薩修道院

受惠於教宗與君王的庇護，彭波薩（Pomposa）修道院的權勢與聲望於十一世紀時最為強盛。最早可追溯至七世紀，由波河三角洲（Po Delta）南部的聖本篤修道會所成立，建有面積廣大的圖書館，並隨著亞得里亞（Adriatic）商人日益增加後發展為重要的精神和文化中心。此修道院具有許多重大成就，其中以阿雷佐的圭多（Guido of Arezzo）發明樂譜標誌最為顯著，直到今日仍受用於世。

建立起源追溯至九世紀的聖馬利亞（Sta. Maria）教堂並未建有耳堂，建築形式仿照其主教出身的拉溫納（Ravenna）地區之教堂。在十一世紀初期，教堂進行擴建，在西側建築前方新建中庭，並重新祝聖。根據一處銘文記載，馬茲洛大師（Master Mazulo）自稱為教堂的建築者。從此座教堂的三角拱楣門廊與羅馬舊聖彼得教堂（Old St. Peter's Basilica）大門的相似程度中，可見彭波薩修道院院長圭多（Abbot Guido of Pomposa，970-1046）興建這座教堂時曾仿照舊聖彼得教堂的形式。

◁▷▷▷ **彭波薩修道院**
修道院鐘樓，建於 1063 年，教堂前廊建有三扇巨型拱門，飾有浮雕和釉彩鑲嵌泥塊。
右圖為修道院教堂內觀，約建於九世紀，整修擴建於十一世紀，特色為以光亮的花磚飾面（opus sectile）地板與色彩柔和的壁畫襯托出寬闊的空間感。

幾何設計的中庭西牆只利用多種顏色的磚塊和木板搭建而成，為源自於倫巴底的裝飾傳統。其中包含了十字形記號、動物圖形的浮雕、間隔的花形雕飾及起源於拉溫納的馬約利卡碗（maiolica bowls）風格雕飾。

建有九層樓、四十八公尺高的鐘樓實為建築典範，可追溯至舊聖伯多祿教堂，其建築形式也廣泛流行於北義大利。鐘樓的每一層都設有窗戶，且窗戶的數量依樓層高度遞增，逐步增加塔牆的開放性、明亮度，而頂端漸細的鐘樓尖頂則進一步加強了建築的輕盈感。根據銘文記載，鐘樓是由狄亞斯德迪特（Deusdedit）於 1063 年所建造。

巨幅降龍場景的壁畫繪於東側三個拱門上方的整面弦月形處，氣勢十分磅礴。壁畫描繪天使們對抗遊走在世俗世界中的天啟巨獸，忠實刻劃了啟示錄（12：1-11）的內容。壁畫左半部為故事的重點，一名婦人坐著，頭上陽光普照，她剛生下來的嬰兒由身旁的修士抱著面向巨龍。巨龍有七顆頭和十隻觸角，盤踞著代表世俗世界的壁畫下半部，與上方的神聖世界相區隔。上方的天使長米迦勒率領二十三名天使對抗巨龍。全能的上帝位於壁畫中央處，其頭部原應使用粉飾灰泥所繪製，現已不復存。從這幅壁畫位於東側牆面的設計可知當時西方教會的處境，而壁畫中神聖世界打敗巨龍的描繪也傳達了教會的救世使命。

奇瓦泰的聖伯多祿山上聖堂

奇瓦泰的聖伯多祿山上聖堂（Civate, San Pietro al Monte）的歷史可追溯至八世紀，據傳是由倫巴底國王德西德里烏斯（Desiderius，756-774 年）所捐獻，建於奇瓦泰市的科摩湖畔（Lake Como）。這座教堂的結構為單條走廊和兩個唱詩班席，以及一座地窖。由於毗鄰皮達爾山（Monte Pedale），教堂入口因此設於東側的唱詩班席。大門由半圓形走道圍繞，連接教堂內外，也代表著連通神聖與世俗兩地。上方的圓拱門楣刻有圖像，描繪耶穌將天國鑰匙和法典傳予教堂的庇護者——聖伯多祿與聖保祿。

除此之外，入口處東側牆面繪有高藝術價值的壁畫，留存至今。首先映入參訪者眼簾的，是入口上方的繪有亞伯拉罕（Abraham）的弦月形壁畫，接著是穿越兩個開間之前的壁畫，繪製了耶穌為王身處天上的耶路撒冷（Heavenly Jerusalem），祂手上握有量度的金杖，而周圍的人皆凝視著祂。第二個開間的拱楣繪有天堂的四道河流，而入口門廊的兩側牆面上則描繪了教宗瑪策祿一世（Marcellus I）與額我略一世訓示教徒們的場景。

◁▷▷▷ **奇瓦泰的聖伯多祿山上聖堂**
圖為教堂的前廊和東側的壁畫，描繪天使長米迦勒和眾天使們對抗巨龍的場景，中央繪有環繞杏核狀光暈的上帝，約創作於十一世紀晚期。

△ **維羅納的聖柴諾聖殿**
1117-1138年間，圖為早期聖本篤修道院教堂的
內觀，包含地窖及上方的修士唱詩班席。

維羅納的聖柴諾聖殿

據銘文記載，建有三條廊道（無耳堂）的聖柴諾（San Zeno）聖殿應建於西元1117年地震後的維羅納（Verona），並於1138年整修擴建；同年尼可羅大師（Master Niccolò）為教堂增建大門，其拱楣由雕有橫臥獅像的細長樑柱所支撐。這座教堂以摩德納（Modena）主教座堂與費拉拉（Ferrara）教堂為典範簡化而建，大門的拱頂以拱楣的三角面構成，並描繪了驅除魔鬼以及作為城市的守護神等圖像。門的兩側刻有數個方塊浮雕，描繪舊約和新約聖經的世俗故事，右側刻劃〈創世紀〉（Genesis）的內容，左側則描繪耶穌的生平事蹟。雕刻旁署名威廉（Guillelmus）——來自尼可羅工作室的一名藝術家。

聖柴諾聖殿的銅製大門富含圖像裝飾，約創作於1138年。兩扇門各刻有二十四個銅塊雕飾，據考證應分別由兩個不同的藝術工作室所完成。相較於右側，左側浮雕的風格顯得較為古樸，極少背景的空間細節，人物身披厚重平整的服飾，動作幾近懸浮一般，頭部的雕刻風格則顯得隨興；其中一個描寫洗足禮的雕飾中，背景甚至只呈現了耶穌身體的上半部。相對之下，右側雕刻具有豐富細節，人物服飾多縐褶，在植物的描繪上則顯現出裝飾性的雅緻風格，例如天堂或諾亞（Noah）羞愧的浮雕場景。即使兩扇門的雕飾風格迥異，卻也展現了新約聖經（左側）與舊約聖經（右側）之間的對比類型。

△▽ **維羅納的聖柴諾聖殿**
教堂西側及鐘樓，大門建有三角拱楣，並飾有描繪聖柴諾抵抗步兵和騎兵之雕刻，約1138年。

▷▷**維羅納的聖柴諾聖殿**
銅製大門，約1138年之前，門的兩扇各刻有二十四個雕飾，〈逐出伊甸園〉（Expulsion from Paradise）此主題恰巧分別在左右門以不同風格描繪。

聖安提默修道院

聖安提默（Sant'Antimo）修道院的歷史可追溯至加洛林王朝時期，或許就是在查理曼大帝在位期間發展為托斯卡尼地區最重要的宗教聖地，也憑藉許多信徒的捐獻成為當地最富裕的修道院。儘管修道院成立早期曾遭逢天災，但其建築至今仍保存完整。

根據伯納鐸斯伯爵（Count Bernardus）記載的銘文所述，修道院約建於 1118 年或之後，首先進行教堂本體的工程，內部建有三條廊道和一條樓道，沒有耳堂。有鑒於其建築和雕刻均帶有法蘭克的藝術風格，推測負責建設的工匠應有部分來自當地。修道院內的主要柱頭均刻有別具風格的花草或幾何圖形，其中一根樑柱的柱頭描繪了舊約聖經裡的但以理與獅子（Daniel in the lions'den）（見 71 頁），由卡貝斯塔尼的大師所作，刻劃張力十足。其作品尤其可在南法隆格多克（Languedoc）和西班牙加泰隆尼亞地區找到。

聖安提默修道院
早期聖本篤修道院，約1118年或之後。
圖為位於如畫風景內的修道院及半圓形唱詩班走道。

希爾紹與克呂尼修道會：
采爾的利奇提倡克呂尼會規

在希爾紹（Hirsau）修道會於十世紀晚期式微之後，這間位於黑森林（Black Forest）的修道會便尋求一個新的開始，教宗利奧九世（Pope Leo IX）要求其姪卡爾夫的阿德爾伯特二世（Adalbert II of Calw）應負起掌管修道院的責任，讓修道會起死回生。然而，在阿德爾伯特二世指派修士威廉（1071–1091）擔任修道院院長之前，希爾紹修道會便已重振聲勢，在此領域中佔有一席之地。

重振的契機仰賴在希爾紹修道會合法的地位及其特殊自由上：修士有權選擇修道院院長，且修道院也直接隸屬於國王，而非修道會總會，另一方面也受教宗的庇護和管轄。

然而事實上，希爾紹修道會的勢力能夠如此壯大，還是受惠於修士們遵循克呂尼修會的規範所賜。修道院院長威廉除了請居住在勃艮第修道院的摯友烏利奇（Ulrich of Zell）撰寫修道清規（Consuetudines），更派了兩名修士各前往拜訪三次以商討立規事宜。如此一來，威廉不必親自實行修道清規，也能對已改革修道會的日常生活有所了解。他根據修士的回報（部分留存至今）制定了《希爾紹會規》（Consuitudines Hirsaugienses），其中也包含了克呂尼會規的主要規範。

為確保修士嚴格遵循克呂尼修道會的規範，威廉參考克呂尼二世教堂的建築元素，在原有的聖伯多祿與聖保祿教堂增蓋了一座複合式修道院。在中殿西側建有前廊，內部也設計了三層階梯式的長方形唱詩班席。威廉在修道會清規上並未一味盲從克呂尼修道會，在修道院的興建方面亦是如此。他擴展了某些方面，使其成為希爾紹修道院獨有的建築特色；例如，他特別以數根樑柱區隔出一個區域作為備用的唱詩班席，徹底運用了中殿的多餘空間。而除了不闢建地窖之外，威廉也未在建築的結構設計或雕刻裝飾上特別著墨，只加了少部分成對的柱頭雕刻和所謂的希爾紹式「凸角裝飾」（corner nose），此外也設計了特殊造型的圓柱底座和帶狀裝飾。修道院的另一個特色是在建築結構上採用大型石塊，由此可知當時雕刻工人的備料辛勞。此修道院現僅有少部分遺跡留存，帕拉丁繼承戰爭（War of the Palatine Succession）發生之後，修道院於1692年燒毀，絕大部分的遺跡也遭拆毀成為建築材料，僅剩原本西側建築的北側塔樓——俗稱「貓頭鷹塔樓」（Owl Tower）留存至今。

◁▷ **希爾紹修道院**
早期聖本篤修道院，在威廉於1071至1091年擔任修道院院長期間進行重建。圖為從教堂迴廊（哥德式建築）遺跡一方遠望羅馬式貓頭鷹塔樓之景觀。

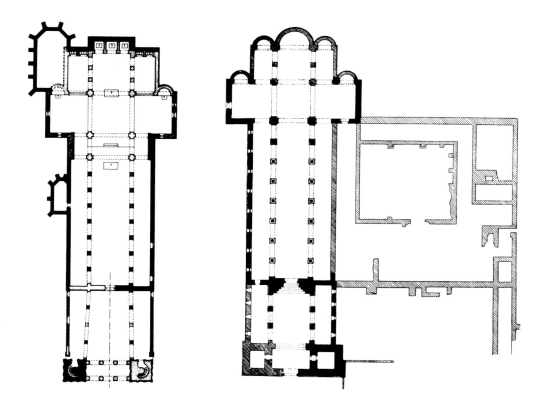

◁ **希爾紹修道院與鮑林澤拉（Paulinzella）修道院之平面圖**
在希爾紹修道院的改革之下，修道院建築依據修道會禮拜之需求進行調整，並參考克呂尼修道院的空間結構設計；可看出兩座修道院的相似之處。

　　十一世紀晚期至十二世紀初期政治與宗教劇烈動盪之際，希爾紹的修道主義似乎是當時社會上許多迫切問題的解決之道。許多主教與貴族相繼成立依循希爾紹修道會規範的修道院，促使其修道精神多經由這些修道會傳播，隸屬於總會之下的修道院之傳道作用反而相對薄弱。希爾紹修道會本身則致力於改革，指派修士擔任地方修道院院長，並陸續成立分院。儘管希爾紹修道會和克呂尼修道會一樣未能建立完整的改革組織，但旗下的修道院確實發揮了推動改革的功用。據學者專家研究，目前已知的希爾紹修道院達一百二十所，主要分布於德意志南部、德意志北部的薩克森地區及奧地利。

　　希爾紹修道院的建築外觀大同小異，除了必備的結構之外，較無獨立的特色之處，只有一例可提出來談論。位於圖林根（Thuringia）的鮑林澤拉修道院教堂，在其平面圖上便明顯看出類似於聖伯多祿與聖保祿教堂的建築設計。但兩者的內部結構還是有許多不同，例如以三個半圓形後殿組成唱詩班席，此外，這座修道院的雕刻裝飾也較為豐富，其風格仿效薩克森–法蘭克（Saxon–Franconian）的藝術形式，而非傳統的希爾紹修道會形式。

◁◁ **阿爾皮爾斯巴赫（Alpirsbach）修道院**
早期聖本篤修道院，1099-1125年，圖為面朝西方的教堂中殿、西側建築上半部樓層的雙孔及教堂東側的外觀。主要後殿整修後為哥德晚期風格，塔樓則擴建於十五世紀。

▷▷ **鮑林澤拉修道院**
早期聖本篤修道院，1102-1105年，由希爾紹修士管理。圖為西側大門和教堂前廊及中殿。

羅馬式風格在萊茵蘭的萌芽：
馬利亞拉赫聖本篤修道院

在萊茵蘭（Rhineland）流域的羅馬式教堂之中，馬利亞拉赫聖本篤修道院（Benedictine abbey of Maria Laach）佔有相當重要的地位。其建有六座塔樓，建築高度比當時大部分的主教座堂都來得高，甚至可與同為萊茵蘭流域的施派爾（Speyer）、美茵茨（Mainz）和沃爾姆斯（Worms）地區的教堂匹敵。如同這些教堂，馬利亞拉赫修道院的特色在於東西側的建築群相互對稱，包含耳堂、唱詩班席和塔樓；而大部分的建築仍留存至今。據溫特菲德（Dethard von Winterfeld）描述，馬利亞拉赫修道院已成為「整個時代的修道院典範」。

為了獲得靈魂上的救贖和尋求永生，帕拉丁伯爵亨利二世（Count Palatine Henry II）在聖母馬利亞（Virgin Mary）和聖尼古拉（St. Nicholas）的保惠下，於西元 1093 年在拉赫湖（Laacher See）的自有地產興建一所修道院。修道院的基牆結構直到 1095 年亨利去世才完工，之後陸續興建名為「天堂」的教堂前廊，以及高達數公尺的圍牆。修道院工程由亨利之妻阿得海德女伯爵（Countess Adelheid）接手，然其於 1100 年逝世，工程也因而中斷，不過當時修道院東側的建築已大致完工，足以供修士使用。齊格斐・馮・巴倫斯泰特（Siegfried von Ballensted）——亨利的繼子及繼

承人，也是帕拉丁伯爵——於 1112 年整修並續建修道院。由於齊格斐積極參與克呂尼修道會的改革運動，這所修道院因此降級並成為克呂尼修道會的附屬修道院。到了 1138 年，修道院由吉爾伯（Gilbert）院長管理，並從克呂尼修道會中獨立。根據收藏於達姆施塔特（Darmstadt）的《拉赫聖禮書》（*Laach Sacramentary*）記載，該修道院於 1156 年 8 月 24 日祝聖。

▽▷ **馬利亞拉赫修道院**
聖本篤修道院，1093 年。
左下圖為修道院西側景觀，建有圍牆花園、西側後殿、西側耳堂、十字塔樓和圓頂塔樓；西北側的教堂全景；右下圖為教堂東側的建築內部；右頁圖為建有晚期羅馬式柱頭的圍牆花園之建築內部。

十二世紀的新教團

熙篤會（Cistercians）

克呂尼修會及附屬的聖本篤修道會隨著發展日趨世俗化，並憑藉大量資金和規模雄偉的教堂迅速擺脫貧困處境，其姿態也越來越高傲。聖本篤修士樂伯（Robert）試圖扭轉這種現象，於西元 1075 年與七位俗人修士在勃艮第較偏遠處的莫萊斯姆（Molesme）共同興建了一所修道院。到了 1098 年，樂伯發現修道院的發展逐漸悖離初衷，於是和大約二十名修道士一同遷至鄰近第戎的熙篤（Citeaux），建立另一所修道院。直到克萊爾沃的聖伯爾納鐸（1091-1153）偕同三十位貴族加入修道會，此座聖本篤修道院的聲勢才開始扶

搖直上，帶領數座主要修道院的設立，包含 1113 年的格羅納河畔拉費爾代（La Ferté-sur-Grosne）修道院、1114 年的蓬蒂尼（Pontigny）修道院及 1115 年的摩利蒙（Morimond）修道院和克萊爾沃（Clairvaux）修道院，均建於聖伯爾納鐸擔任修道院院長期間。這四所修道院院長向修道會總院長負責，也有罷黜總院長的權力。隨後，這些主要修道院也成為起始點，向外擴張無數個附屬分支，遍及歐洲各地。

◁ **豐特萊（Fontenay）修道院**
早期熙篤會修道院，創建於 1119 年，修道院教堂建於 1139-1147 年間。修道院樸實的裝飾凸顯了簡潔的建築結構。

▽ **蓬蒂尼修道院**
早期熙篤會修道院，約 1140 年。修道院西南側外觀。原本的長方形唱詩班席於 1200 年改建為圓形禮拜堂和唱詩班走道。

△ **豐特萊修道院**
教堂與修道院會。位於圍牆東側的修士居所與教堂耳堂右側相連。
耳堂與唱詩班席的高度相當，低於更高的教堂中殿。

▷ **豐特萊修道院**
修士居所內部，約建於十二世紀。熙篤會長期依循聖本篤清規，特闢修士的公共寢室。
約自十三世紀起，修士的床鋪之間加設木製隔板，直到十五世紀左右才興建個人寢室。

▷▷ **熙篤修道院的擴展**
熙篤會多數附屬修道院起源於熙篤、克萊爾沃和摩利蒙。此幅地圖也顯示主要修道院聚集於特定區域。

法爾克瑞1234
羅瑪
阿爾瓦斯特拉1143
杜納蒙德1205
瓦漢1150
尼達拉1143
金洛斯1151
維茨庫爾1158
霍姆1172
因塞爾希登塞1296
庫珀1164
勒古姆克洛斯特1173
奧利瓦1175
梅爾羅斯1136
盧爾克洛斯特1192
布科1260
假爾普林1258
霍姆科南壯1151
里渥1132
克拉卡普1165
賴因費爾德1190
埃爾登1199
埃爾巴奇1173
多伯恩1171
肖林1260
奧布拉河1237
隆德1144
柯克斯特德1139
梅雷瓦爾1148
洛庫姆1163
萊寧1183
新策勒1281
蘇雷茨1177
翁霍茨克1179
懷特蘭1140
博德斯利1138
埃勝廉1123
阿爾騰貝克1133
普夫達1132
爾伯特茨拉1175
多貝爾盧格1165
盧布斯1194
延傑伊沃夫1149
廷特恩1131
沃登1136
歐瓦1132
海斯特巴赫1192
埃貝爾巴赫1131
瓦爾根森1133
歐西克1175
福特1136
威瓦利1129
隆蓬1132
埃拉1127
普拉茲1145
維佐為采1262
沙阿利1140
布隆巴赫1151
毛爾布隆1139
斯度許齊扎1239
朗戈內1138
薩維尼1147
拉格爾特拉普
特魯瓦斯豐泰內1118
海利根克羅伊茨1135
皮利什1184
卡爾諾厄1177
烏莫納
克萊爾沃修道院
摩利蒙修道院
莫萊斯姆
熙篤
茨韋特爾1138
克爾茨 c.1200
維勒訥沃1202
蓬蒂尼修道院
塞勒姆1138
利林費爾德1182
齊茨
埃茵奇1253
伊格雷斯1179
德雷的聖
拉費爾代修道院
龐蒙1131
豪泰里夫1138
施塔姆1273
威克林
萊茵河1129
席卡多爾1142
拉格拉克德約1235
奧巴齊內1147
塔米耶1134
齊亞拉瓦萊1136
福利納1146
西提赫1136
蘭德斯特爾1248
卡杜安1119
艾格貝爾1137
齊切迪內1142
莫里蒙多1134
豐泰維沃1142
蒙塔庫托
卡斯帕格諾拉1147
格蘭塞爾夫1145
塞南克1148
蒂列托1120
聖甘尼加諾1181
阿拉博瑞1209
特雷米蒂
索夫拉多蒙黑斯1142
巴爾德迪奧斯1198
豐福瓦德1146
勒托羅1136
聖馬丁1150
卡薩馬力1140
梅拉1143
里奧塞科1148
索韋拉德1287
菲特羅1143
拉奧利瓦1150
福薩諾瓦1135
加萊索1195
拉齊拉塔1211
梅隆1142
奧塞拉1141
莫雷魯埃拉1176
瓦爾布埃納1143
維魯耶拉1176
埃斯卡爾貝1213
聖馬利亞帕盧迪1250
聖瑪菲1233
博魯1169
菲特羅1132
塔羅卡1140
韋爾塔1144
桑特斯克羅伊斯1152
薩姆布西納1160
佛羅倫斯聖母三位一體龐尤1185
科拉佐1179
阿拉弗斯1148
塞薩1195
阿爾坎塔拉1160/1218
卡比斯1150
拉瑞爾
艾維茲1166
卡拉特拉瓦1158
烏斯蒂卡
聖斯泰法諾博斯科1150

莫萊斯姆
熙篤最早的四個修道院分會：
熙篤（1098）
拉費爾代修道院
蓬蒂尼修道院
克萊爾沃修道院
摩利蒙修道院
修道院分會
修道院分會
修道院分會
修道院分會
修道院分會
軍事修會

0　180英里/300公里

而義大利地區的附屬修道院，如 1120 年建於利古里亞（Liguria）的蒂格里奧聖馬利亞教堂（Santa Maria del Tiglio）和 1123 年建於韋爾切利（Vercelli）教區的盧切迪奧聖馬利亞教堂（Santa Maria di Lucedio），均發源自拉費爾代（La Ferté）。聖伯爾納鐸遊歷義大利期間，也興建了多座修道院，如 1136 年位於米蘭的齊亞拉瓦萊（Chiaravalle）修道院及 1137 年於皮亞琴察（Piacenza）附近的齊亞拉瓦萊哥倫巴（Chiaravalle della Colomba）修道院。之後這些修道院也陸續成立分支。然而，德意志地區共一百一十四座新成立的修道院中，只有二十一座隸屬於克萊爾沃修道院，其他均屬於摩利蒙修道院的勢力。在比利時與荷蘭地區，某些克萊爾沃修道院自 1135 年成立以來即掌管土地排水或以圍牆圈有土地權。伊比利半島則從 1140 年起才出現修道院。透過皇室的支持，克萊爾沃修道院與摩利蒙修道院的勢力，得以在收復失地運動（Reconquista）席捲後的伊比利半島上開枝散葉。

這些修道院推動清規改革，旨在帶領聖本篤會規重拾嚴謹的規範，認為修士唯有力行儉樸、勞動和禁慾，才能達到真正的謙遜。一位修道院院長曾率領十二名修士離開原本的居所以建立新的修道院。他們尋找森林或沼澤等清幽荒僻之處，艱辛地打造理想中的修道院。很快地，這些修士和克呂尼修道會的前人一樣，體會到兼顧辛勤勞動和謹遵儉樸的義務有多麼困難。在鍥而不捨的努力下，原先野生的沼澤轉變為富饒的農地，而孤立於世的修道院也日益脫離貧困。此外，儘管修士們因遵循禁慾的生活並恪守謙遜而放棄接受教育，他們還是憑藉著水利和建築的經驗練就了當時出眾的工程技能。

◁ **勒托羅納（Le Thoronet）修道院**
早期熙篤會修道院，由拉蒙・貝倫貴爾四世
（Ramón Berenguer IV，巴塞隆納與普羅旺斯公
爵）建於1136年，並於1147年之後遷至現址。
教堂約建於1160年，中殿貫穿唱詩班席及較低
矮的廊道。

▷ **豐福瓦德（Fontfroide）修道院**
早期熙篤會修道院，由納爾邦尼子爵（Viscount
of Narbonne）建於1093年。
修道院原屬格蘭賽爾夫（Grandselve）修道會
（其於1144/1147年加入熙篤會）。
教堂的中殿樑柱具有高底座和置中的凸出物，頗
為醒目。

▷▷ **塞南克（Sénanque）修道院**
早期熙篤會修道院，由亞維儂主教阿梵（Bishop
Alfant of Avignon）建於1148年。
圖為修道院樸實的屋脊塔樓及毗連修道院會之外
觀，坐擁普羅旺斯的山丘美景。

克萊爾沃的聖伯爾納鐸與熙篤會美學

　　熙篤會的建築藝術主要源自於修道會所身的規範，較少受到一般建築慣例的影響。根據修道會規範，只有尋求成為教士聖職者才可享有修士的地位，其他人則以俗人修士的身分入住修道院。而無論個人擁有再豐富的學識，如拉丁文等，身為俗人修士即無法晉升至修士的階級。雖然修士與俗人修士均居住於同一座修道院，其活動場所則各自獨立，如同聖加侖修道院的平面圖所展示。聖伯爾納鐸曾寫道：「修道院必須有兩道牆，一道為內，一道為外。內牆即修道士，外牆即俗人修士。」俗人修士的任務包括製作修道院所需的手工品、耕田與伐木，因此他們的住所靠近圍牆，離修道院本體有一段距離；而修士負責禮拜和讚頌天主，其居所延伸至主要建築和毗鄰的修道院會。

　　對此，克萊爾沃的聖伯爾納鐸在1124年左右著作的《自白書》（*Apologia*）中嚴厲批評克呂尼修道會的教堂建築，並反對修道院內的貧富之分。此外，他更關注並驅策修士的作為，以誇大的比喻呼籲修士省思基督教義，回歸修道本質。然而近代研究主張，聖伯爾納鐸的《自白書》並未說明自身的藝術觀或建立熙篤會的建築規範。據馬提亞斯・翁特曼（Matthias Untermann）指出，相較於《自白書》，聖伯爾納鐸在其早期的評論集《謙遜與驕傲》（*De Gradibus Superbiae et Humilitatis*）中所描述的修道生活之道德規範較能直接應用在熙篤會的藝術觀上。例如，好奇和愚蠢的歡愉等柱頭雕刻圖像，提醒修士勿因為財富而升起自誇、自我和自傲等作為，並藉由樸實無華的建築設計警惕修道士勿沉迷於富裕和奢華的生活。

◁ **豐特萊修道院**
早期熙篤會修道院的柱頭大廳，約建於十二
世紀。修道院會的建築結構也遵循簡潔的原
則。

△ **奧巴齊內（Obazine）修道院**
單灰色玻璃窗，約建於十二世紀。不矯揉造作
的玻璃窗設計，為早期熙篤會簡樸的藝術典
型。

　　然而聖伯爾納鐸並非唯一一個制定此種清規的人。修道院
院長史蒂芬（Abbot Stephen，1108-1133）即規定修道士
「佩戴的十字架不得為鑲金或銀鑄，只能是彩繪的木製材質；
院內只能使用鐵製的燭臺、銅鑄或鐵製的香爐；禮拜時只能

穿著粗織或亞麻材質的祭袍，且禁止披掛帶金或銀的羊毛披
帶」。聖壇的桌巾只限亞麻布且不得有圖案，禮拜器皿只限
銀製材質。

◁ **瓦爾德爾巴赫（Walderbach）教堂**
聖瑪麗熙篤會教堂，圖為教堂的拱楣彩飾，建於十二世紀晚期或十三世紀早期。石磚上的彩繪與單灰色玻璃窗的圖樣極為類似。

△ **巴德黑倫阿爾布（Bad Herrenalb）教堂**
圖為圍牆花園的雙拱廊。埃伯施泰因的貝托爾德三世（Berthold III of Eberstein）於1149/1150年興建並指定此座教堂為其墓地，後來捐獻予熙篤會。
這座已毀的羅馬式晚期教堂最令人驚豔的設計為圍牆花園，位於中殿大門的多層階梯前方。

▷ **豐特萊修道院**
圖為修道院迴廊，約十二世紀。在聖伯爾納鐸的理想中，修道院內的所有主要設施均應與迴廊相連，方便修道士活動。而豐特萊修道院正落實了這種概念。

　　翁特曼認為，有鑒於加爾都西會（Carthusians）早在1114年之前便曾記載類似的規範，因此無法斷定這類簡樸的修道清規是在聖伯爾納鐸於1113年進入修道會之前或之後才出現。若這些苦行的修道規範不是由聖伯爾納鐸本人所制定，則應是其受到熙篤會的影響所致。

　　教堂的建築架構和內部設備必須有一致風格。因此，熙篤會並未耗資興建正面大門，教堂上也沒有高塔，而是在屋脊上興建簡約的塔樓。教堂的柱頭若有設計，也只有簡單的植物圖樣裝飾；牆面未特別雕刻和粉刷，保留原始的石灰牆；單灰色窗戶只有簡單的編織紋或棕櫚葉圖樣。此外，在極度強調樸素簡約的美學規範之下，熙篤會的修道院建築逐漸發展出獨特的藝術形式，在其風格下各個建築元素融合並展現出均衡的和諧；不僅可協助修士秉持謙遜之心，也同時表現了強烈的建築形式。

女修道院與修女聖堂參事會

修道院的團體生活使修士得以尋求宗教的超凡修行，而女修士也同樣在尋找遠離世俗世界、力行苦修的途徑。當時已出現許多女修道院，但受到的限制比修道院來得多。除了異教的瓦勒度派（Waldensian）和卡瑟派（Catharism）之外，女性均無法成為神職人員；且大部分的女信徒均須透過男性聖職人員才可實行操練信仰的核心過程，例如告解、彌撒和領取聖餐等，男性聖職人員也必須為女修道院創始者的家庭負責宗教事務，如喪禮彌撒。這種依性別區分的義務和限制

進一步將女性隔絕於教會之外，也使得女修道院難以順應熙篤會自給自足的理想，必須仰賴修道會的支援與監督。因此，到了十三世紀初期，熙篤會對於接納女性的態度仍顯得模稜兩可。西元 1200 至 1250 年是女修道院主要的成立期間，然而其中有數個修道院並未獲准加入熙篤會。

在德意志地區，女修道院與修女聖堂參事會（ladies' chapter）的不同之處在於後者由貴族為其女性後代所建。這些女性的貴族後裔可在修女聖堂參事會中依階層接受教育，同

▽ 埃森大教堂（Essen, Minster）
聖葛斯默和聖達彌盎（Sts. Cosmas and Damian）早期女聖會教堂，據考由女修道院院長瑪蒂爾達（Abbess Matilda）── 奧托一世（Emperor Otto I）之孫女──建於十世紀晚期，並於十一世紀中期祝聖。圖為以亞琛帕拉丁禮拜堂為典範所建的西側建築，1000-1020 年間。

▽ 奧特馬爾桑（Ottmarsheim）
聖瑪麗女修道院，約 1030-1049 年間，建築結構同於亞琛帕拉丁禮拜堂，包含一樓的八角形主房，由簡樸的拱廊所環繞，其上為高聳的拱形樓道。

時也能免受繼承權的紛擾。由於她們並未實行任何宣誓，家族可以為了婚姻等理由要求她們還俗。然而，女性一旦投身女修道院，便不得還俗，因此修女在教堂中有獨立的唱詩班席，避免與修道院以外的人士接觸。為此，女修道院通常建有長廊，並與修女的住所相連，方便其實行定時的禮拜儀式。

△ 聖本篤於雷根斯堡（Regensburg）的內德蒙斯特修道院（Niedermünster）內將《本篤會規》交予一位修女，圖畫出自彼德斯豪森修道院（Petershausen）之《修道清規》（*Book of the Rule*），作於十三世紀下半葉，羊皮紙材質，長23.5公分，寬19公分，柏林博物館（SMB），國家圖書館，Ms.Theol.lat.qu.199，fol67 v。

▽ 科隆卡比托的聖瑪麗女修道院（**St. Mary in the Capitol**）
1040-1065年間。圖為東側建築（即三葉狀唱詩班席）外觀，某些大學、修道院教堂及萊茵蘭流域建於十二世紀的教堂也具有這種建築，如科隆的大聖馬丁（Groß St. Martin）教堂與諾伊斯（Neuss）的聖奎里努斯（St. Quirinus）教堂。

弗雷肯霍斯特

聖博義女修道院（St. Bonifatius）位於弗雷肯霍斯特（Freckenhorst），在貴族的資助下始建於 850 年，後於 1090 年成為西伐利亞（Westphalia）地區最主要的女修道院之一。其寬廣的拱楣貫穿耳堂及建於地窖之上的祭壇，而教堂中殿支撐拱楣的半柱設計則源自當時流行於德意志北部地區的建築特色。1116 年，修道院的興建工程因遭祝融而中斷，導致中殿的側廊只完成了拱楣的部分，尚未以橫向圓拱區分隔間。修道院西側以西元 1000 年左右的羅馬式早期建築特色為主，增建有高樓層與階梯式塔樓。此外，原有的半圓形後殿後來改建為長方形的祭壇，東側塔樓也增建樓層。

據教堂的洗禮池之銘文記載，修道院於 1129 年 6 月祝聖。此圓柱狀的砂岩石池立於雅典式柱基（Attic base）上，底座部分刻有蜷伏獅像，獅像群之間則為男性的半身人像，應代表但以理（Daniel，希伯來先知）身處獅獸的巢穴，或突顯受邪惡勢力壓迫的人性，希望藉由洗禮獲得救贖；刻有銘文的細帶區隔出上方的圖像浮雕，其描繪了教堂一年當中的七個主要節日：首先是天使報喜節（Annunciation）；接著是耶穌誕生與受洗日（Birth and Baptism of Christ），其中耶穌站在約旦河（Jordan）的浪濤之中，天使在其右遞上洗禮浴袍，由左側的約翰進行洗禮儀式，耶穌上方盤旋著聖靈之鴿，象徵天主的旨意；之後是聖誕節、復活節期間的耶穌復活日（Resurrection）和基督升天（Ascension），最後是佔據圖像主要部份的審判日（Day of Judgment）耶穌復臨。

◁ **弗雷肯霍斯特**
聖博義（St. Boniface）女修道院，約 1090-1129 年間。圖為教堂西北側外觀，西側建築和階梯式塔樓，外牆無特殊裝飾與設計。

▷ **弗雷肯霍斯特洗禮池**
約 1129 年，以單塊砂岩雕成，底座由四個部分構成，高 126 公分，直徑為 116 公分。圖為洗禮池及耶穌受洗禮之浮雕。

△▷ **奎德林堡的聖塞瓦提烏斯女修道院教堂**
1070-1129 年間。圖為修道院西側外觀及建築內觀，中殿梁柱上建有方形柱頭，刻有圖像裝飾。

▷▷ **奎德林堡女修道院院長之墓**
阿得海德一世（1045 年歿）、畢雅翠斯（1062 年歿）與阿得海德二世（1095 年歿）。約建於 1129 年，以灰泥製成，尺寸分別為 214 ×107 公分（阿得海德一世）、214 × 84 公分（畢雅翠斯與阿得海德二世）。地窖的南側牆面。

聖塞瓦提烏斯教堂與聖西連克教堂

位於德國奎德林堡（Quedlinburg）的聖塞瓦提烏斯（St. Servatius）女修道院教堂為國王亨利一世（King Henry I，876-936）之墓的所在地，具有崇高的神聖地位。主要由奧圖王朝皇室出身的女修道院院長管理，歷任修道院院長之中，有三位的墓碑上刻有其人像（見 236-237 頁）。其棺墓原應置放於聖十字祭壇前，後移至新教堂（建於 1070 至 1129 年間）之中央廊道。時至今日，這些棺墓保存於修道院地窖，中央的位置擺放阿得海德一世（Adelheid I，977-1044）——奧托二世（Emperor Otto II）與狄奧凡諾（Theophanu）之女；右方為女修道院院長畢雅翠斯（Beatrix）之墓；左側則為阿得海德二世（Adelheid II）之墓，兩位皆為亨利二世（Henry II）之女。這些棺墓的外觀一致，女修道院院長的遺體均穿著專屬的唱詩衣袍，手握書本，據

推測應為修道院清規。

另一座享有同等的崇高地位之教堂為位於格爾恩羅德（Gernrode）的聖西連克（St. Cyriacus）女修道院教堂，依循奧托王朝的建築風格建於 961 年，大部分遺跡仍留存至今。其特色之一為主要建築已安裝聖墓（Sepulchrum Domini）於其中，並於之後大幅擴建與翻修。此聖墓仿照耶路撒冷的基督之墓而造，每年也會舉行復活節儀式。「耶穌受難日」（Good Friday）當天，神職人員會將耶穌聖體自十字架上取下，放置於墓室，再於耶穌復活日時在聖會上展示。這些儀式也轉化為豐富的灰泥浮雕，裝飾於墓棺的西側。聖墓約建於 1090 年，為德意志地區現存最古老的聖墓典範。

聖墓

西側外牆，抹大拉的馬利亞，格爾恩羅德的聖西連克女修道院教堂，1090年，建築結構為白堊和砂岩，圖像浮雕為灰泥材質。西側牆面尺寸約為300 × 408公分。

239

VI 第六章

上帝的居所

羅馬式教堂建築與地方特色

羅馬式建築的一個主要任務是以石材建造神聖建築。教堂不僅在視覺上俯瞰著城市或鄉村空間，也同時代表著精神上與世俗上的統治。所有教堂都試圖建立聖壇與教堂建築本身的關係，這點從早期就直接影響著其建築形式。聖壇所收藏的聖髑確保了聖徒的肉身存在，教堂建築則以其結構管控各式各樣的團體進入聖地的通道；這點往往表現在法國的修道院、朝聖之路上的教堂地窖或唱詩班走道。

儘管教堂建築的基本風格十分統一，形式卻廣泛多樣，歐洲各地的教堂便表現出各種建築版本，本書也收錄部分作品。

教堂樣貌及建築師的工作內容多半由主教、主教座堂分會或大修道院院長決定。首先會討論概念問題，例如新空間應採用何種形式、牆壁的結構設計或拱頂等問題，這時便會用上建築師的技術性技能。

同時，建築的形式本身從來就不是目的，還要因應委託人所追求的目標和期望來表現出新意或援引其他教堂建築的典範。

早期基督教與中世紀初期的羅馬式教堂典範：
長方形大會堂與十字中心式建築

十一世紀初的羅馬式宗教建築，主要結合了長方形大會堂式（Basilica）中殿與十字中心式設計（central-plan）。羅馬的聖撒比納（Santa Sabina）聖殿是早期基督教柱廊式大會堂先例之一，二十四根飾有凹槽的廊柱及其柱頭原本可能要用於二世紀羅馬晚期的一座宗教建築裡，後來成為這棟五世紀初期三廊道建築的一部分。同時，柱子未以古典柱頭的楣構連接，拱廊的新設計反而為中廊牆面帶來韻律感，並以成排大窗構成高窗牆面。銘文顯示，這座教堂是教宗聖策肋定一世（Pope Celestine I, 422-432年在位）時期的一位伊利里亞的彼得（Peter of Illyria）所建造。聖撒比納聖殿被認為是最早運用轉用材（spolia）來建築的例子，透過古典時期的建築元素，將理想化的帝國榮光由過去帶至現在。

△ 聖阿波里奈聖殿
位於拉溫納的克拉塞，549年祝聖，後殿是其宏偉內部的主要焦點。

出口朝向大型後殿、整齊劃一的連列廳（enfilade），在拉溫納的克拉塞（Classe）的聖阿波里奈聖殿（Basilica of Sant'Apollinare）也可見到，這座三廊道柱廊式大會堂建於六世紀前半葉，毗鄰羅馬帝國晚期第二大軍港克拉塞，549年由委託人——總主教馬克西米安（Archbishop Maximian）祝聖啟用。紋路細膩的柱身、帶有生動莨苕葉飾（acanthus motifs）的柱基，顯示其來自君士坦丁堡的一間優質工作坊，可能是以海運送到鄰近港口，再運至教堂工地。絢麗的裝飾與壯觀而珍貴的馬賽克後殿，使得聖阿波里奈聖殿成為後期古典大會堂最宏偉的例子之一。

拉溫納的狄奧多里克大帝（King Theodoric）拜占庭式陵墓建於500年至525年間，其中央墓地藏有一個耶路撒冷聖墓的仿製品，代表著拜占庭教堂建築的另一個出發點。中心式建築在拜占庭帝國時期的拉溫納並不少見，如五世紀的加拉·普拉西提雅十字形陵墓（Mausoleum of Galla Pla-

◁ 羅馬的聖撒比納聖殿
於教宗聖策肋定一世在位時期（422-432年）落成，是早期基督教大會堂的典範。

△ 拉溫納的聖維塔教堂
547年祝聖。這棟受拜占庭風格影響的八邊形磚
造建築，本身也成為亞琛宮殿教堂的範本。

cidia）或同時期的東正教洗禮堂所展現的。磚造精良的聖維
塔（San Vitale）教堂儘管未與這些建築直接相關聯，但其
中心式設計也顯現出受其影響：司祭席的加入為教堂定出走
向，並為教堂外部賦予複雜結構。建築的核心是以巨柱架構
出八邊形結構，由柱與柱之間撐起二層樓高的拱形，半圓形
後殿向外凸出並開放。八邊形結構外另有一個八邊形，因而
擴大了外牆範圍；內層八邊形則覆蓋有圓頂。藝術史學者已
不再稱呼此種建築風格為拜占庭風格，而認為這是拉溫納的
特有風格。

　亞琛的查理曼宮殿禮拜堂（The palace chapel of Charle-
magne）以基督學觀點建構其中心式結構，且以古典式的大
理石柱、科林斯柱頭予以延伸，搭配其他古典元素，藉以融
入復興羅馬帝國和最終一統天下的主張。

◁ 亞琛的查理曼宮殿禮拜堂
約780-788年間，加洛林王朝的建築形式在奧托
時期十分常見。

◁△ **希爾德斯海姆的聖米迦勒教堂**
早期聖本篤修道院，1010-33年，左頁圖為東南角的外觀，上圖為交替圓柱支撐的中殿，與柱頭上的葉形和頭像裝飾。

希爾德斯海姆的聖米迦勒教堂

　　西元996年主教貝恩瓦德（Bishop Bernward）著手建立了修道院，最終建成了一座宏偉的大修道院教堂，並由貝恩瓦德本人於1022年祝聖，不久後主教即過世，當時建築尚未完工。貝恩瓦德將聖米迦勒（St. Michael）教堂設計成有雙唱詩班席的長方形大會堂，具有兩間耳堂，西側有一個醒目的唱詩班席。教堂的設計特點是中殿兩側耳堂各有獨立的方形

交叉區域，這個方形區域在主中殿重複了三次，且轉角均以粗大的支柱做為標記。中殿牆面的每個拱廊都由兩根圓柱支撐，拱形的交替為中殿劃分出空間區域，預示了日後羅馬式教堂的開間構造。與此種幾何結構相應，建築史上首次出現了發展完全的立方形柱頭（cubiform capital）；以此同樣可理解建築外部的基本立體幾何形式，為兩側耳堂及其高大的

△▷**哈爾伯斯塔特的聖母教堂**（Halberstadt, Liebfrauenkircne）
約1140年，向東的中殿及東側教堂外觀。為早期羅馬式建築的典型，平屋頂的長方形大會堂缺乏裝飾和結構性。

哈爾伯斯塔特的聖母教堂

十字中心塔主導下的結果。此外，這棟建築的特性也突顯在樓塔設計上，其八邊形宛如獨立的構造，被置放於耳堂正面的前方。

從德國哈爾伯斯塔特的聖母修道院教堂的東面，可以清楚看出其塊狀結構。方形唱詩班席的末端是略微內縮的後殿，側唱詩班席也以相同的後殿收尾。高大的耳堂上方可看見四座獨立高塔的尖頂，突出於側廊的東開間與建築西面之上。

特里爾的聖彼得主教座堂

特里爾主教座堂的設計源流可追溯至四世紀時結構複雜的雙長方形大會堂，但至今僅有環繞方樓的外牆得以留存。歷經多次毀壞，這座羅馬式教堂的舊有建築於1016年在總主教布勃（Archbishop Poppo, 1016-1047年在位）主持下增建西側。直到十二世紀，具有儀式重要性的東唱詩班席才獲得增建機會，成為這棟平頂建築第一個具有拱頂的部位。隨後中殿也加上拱頂，於是高度不一的分隔拱形與寬度不同的開間，導致外觀稍顯雜亂。兩座高大的長方形鐘塔突出於西面第一排側廊開間之上，角落則銜接著圓形樓塔。鐘塔前方拱廊建築的底層圍著寬闊的半圓形後殿。靠近南側的聖母教堂主建築，標示著哥德式風格進入德國的開端。

▷聖帕特羅克洛斯（**St. Patroclus**）修道院教堂
位於索斯特（Soest），西塔樓，約1200年。

▷▷**聖母、聖利伯里厄斯和聖基利安主教座堂**
（**Cathedral of Sts. Mary, Liborius, and Kilian**）
位於帕德博恩（Paderborn），西塔樓，約1220
年。

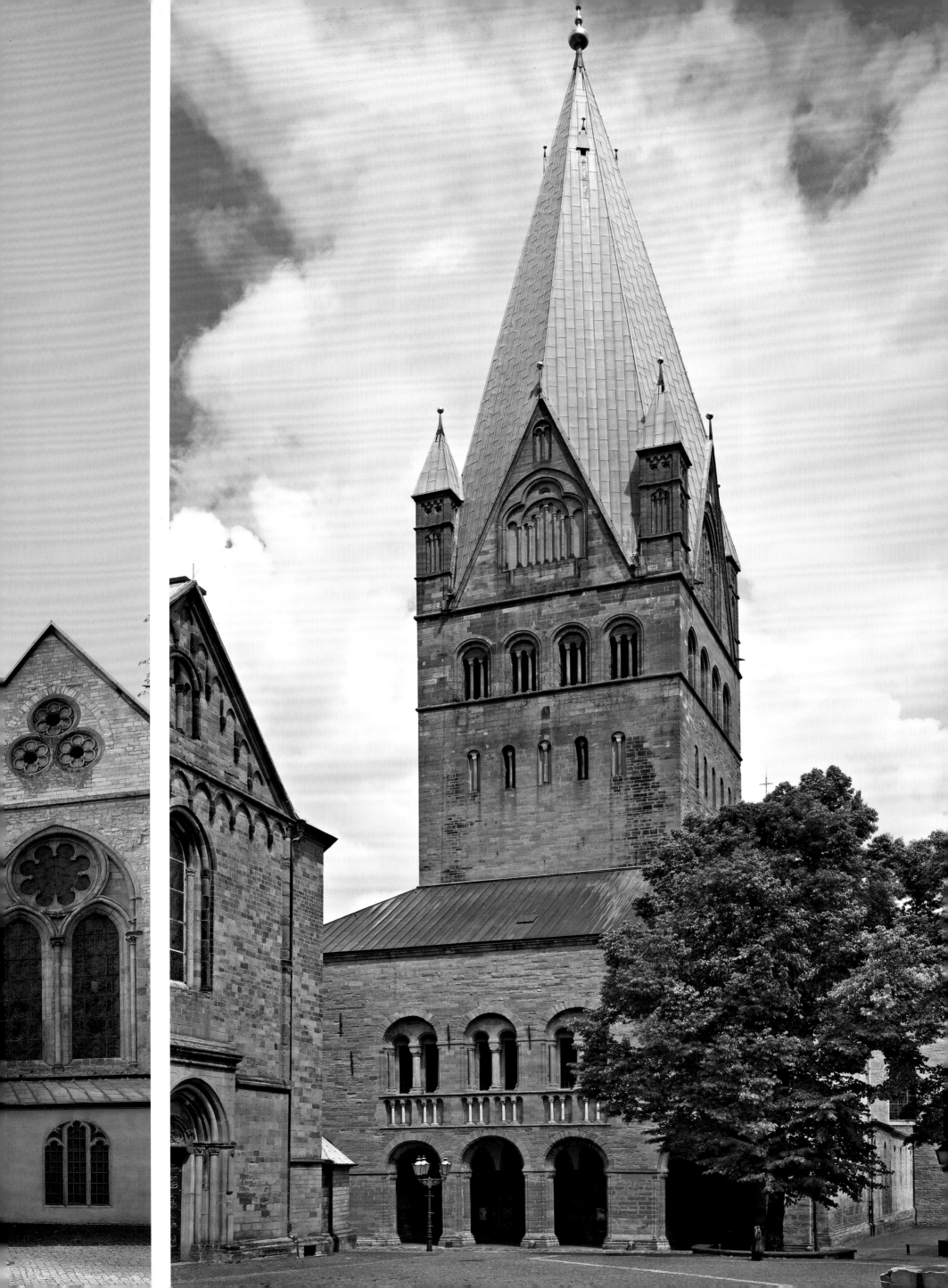

施派爾主教座堂與沃爾姆斯主教座堂——
王權的展現

在1027至1030年間興建施派爾（Speyer）主教座堂的神聖羅馬帝國皇帝康拉德二世（Emperor Konrad II, 998-1039），不僅建造了一座以磅礴風格宣揚其王權統治的雄偉建築，也使其成為薩利克王朝（Salic dynasty）的根基，因為這裡將成為康拉德二世的墓地。康拉德二世出乎意料地早逝時，地窖才剛落成，遺體旋即入葬。此教堂歷經數個工程階段，第一階段建成的主殿是平頂的，但側殿已開始採用新式拱頂。教堂的開間有交叉拱頂，其高拱由巨型的附牆柱（engaged columns）支撐，且不同於加洛林王朝與奧托王朝的傳統，四邊圍有橫拱，風格煥然一新；而附牆柱則形成牆的立面樣貌。海因里希·克羅茲（Heinrich Klotz）指出，「施派爾教堂於1030至1060年間興建的側殿是當時最現代的拱頂結構。」在這之前，柱與半柱的結合範式已出現在地窖，隨後延伸至側殿，其高度甚至高過主殿，並加上附牆柱的功能。

主殿雖然為平頂，但已經納進了側殿的牆壁結構。當1082年施派爾二期工程為主殿建造拱頂時，交替的附牆柱採用了輻射狀設計，因而使側殿對面的開間寬度增加一倍。這種結合兩個窄交叉拱頂、一個寬交叉拱頂的連結設計廣受歡迎，尤其在德國。富於韻律的樣式也帶來新的牆面浮雕樣式，例如在柱身一半高度加上斜面柱頭，或加上大型半柱結構的新古典科林斯式柱頭。

教堂外部結構予人平衡和諧的印象，位於東面的後殿、唱詩班席與東塔相輔相成。較細長的後殿位於地窖牆壁上方，其主樓層由七個高盲拱（blind arches）構成，頂端為矮樓道。唱詩班席的山牆高聳於後殿的圓弧斜屋頂上，其特色在於隨著山牆形狀上升的圓拱檐壁（腰線）與盲壁龕。唱詩班席與後殿的兩側是高塔，頗具特色的倫巴底式雕花鉛板（Lombardic abatsons）在唱詩班走道之上。

◁▷　▷▷ **施派爾的聖瑪麗與聖斯德望主教座堂**
（**Cathedral of Sts. Mary and Stephen**）
1027-1061年（施派爾一期教堂）、約1070－1120年（施派爾二期教堂），圖片分別為東北側外觀、東側建築、向東的中殿與大廳地窖。寬闊的東地窖是教堂建築最古老的部分，約建於1030年。

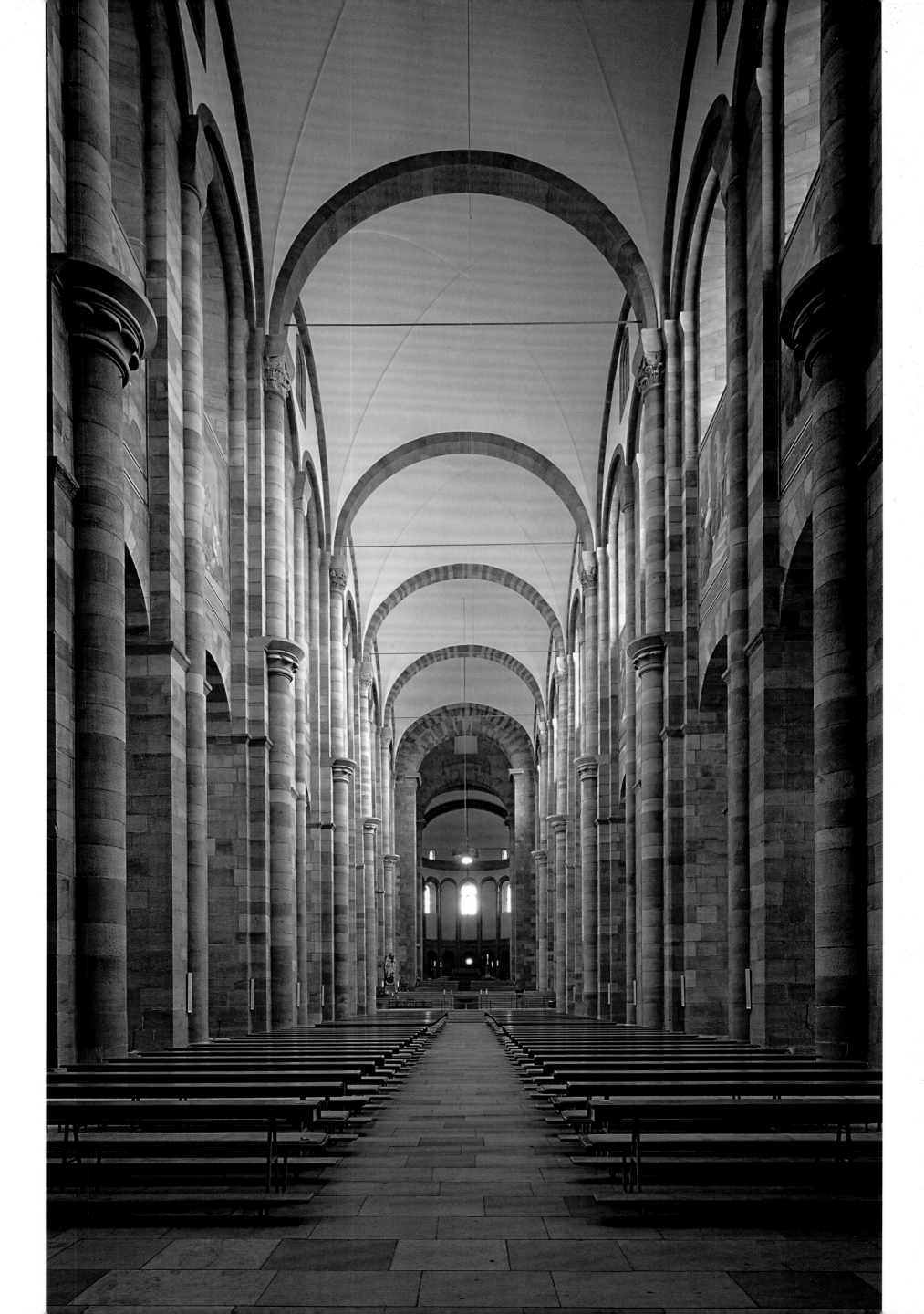

沃爾姆斯的主教座堂

　　希爾德斯海姆與施派爾展現了德國羅馬式教堂建築最重要的原則，但施派爾主教座堂的影響更為深遠，最直接的原因是其建造者可能為倫巴底人，同一批人也建造了約於1080年起建的美茵茨（Mainz）主教座堂。美茵茨教堂也採用連結設計，建築的東正面更直接承自施派爾主教座堂。這類建築的第三個範例是起建於約1110/1120年的沃爾姆斯主教座堂，其西側設計承自美茵茨教堂，並以施派爾教堂為範本來發展，中殿也採用現代的連結設計。建造西唱詩班席期間，1140年左右落成於聖但尼（Saint-Denis）的首座哥德式教堂為法國帶來了新的教堂建築原則，因而融入在沃爾姆斯的後期建築設計中。受法國哥德式教堂的範本影響，羅馬式半圓形後殿自此化為多邊形，拱頂也是如此；而在哥德式的附牆柱拱肋設計之外，還加上了諾曼風格的裝飾。據克羅茲分析，這種做法促使「一種討喜的裝飾建築」出現，然而缺乏景深也將羅馬式建築帶向沒落。

△▷ 沃爾姆斯的聖彼得主教座堂
約1110-1200年，東北側外觀與西側後殿。

科隆——
德國的羅馬式首都

在布魯諾總主教（Archbishop Bruno, 953-965年在位）在位期間，羅馬式教堂建築在科隆臻至盛期，他與身為日耳曼國王與神聖羅馬帝國皇帝的哥哥奧托一世大帝，是當時最有權勢的人物之一，而他的官方宅邸就位在科隆。擁有大量聖髑的布魯諾主教亟欲將科隆提升至如羅馬聖城的地位，而他在位時所著手的計畫，在接下來兩個世紀中由他的繼承者接續發展，終使科隆成為羅馬式建築的中心。起建於1106年的科隆城牆，如天上的耶路撒冷般建有十二道城門；其多塔式教堂也反映著這種天城形象。

舉例來說，聖宗徒聖殿（St. Aposteln）便是藉由這道城牆與城市融為一體。1150年左右，建於薩利克王朝的舊建築增建西唱詩班席與塔樓，1200年左右再增入東唱詩班席，成為科隆最大的三半圓式唱詩班席。這個設計援引自萊茵蘭（Rhineland）地區最早的三半圓式教堂，即卡比托（Kapitol）的聖母教堂（見231頁）。三個半圓式頂建築就如同三葉草般，位於東側的建築因此予人主結構的印象，其範本則是伯利恆（Bethlehem）的聖誕教堂（Church of the Nativity）。三個半圓建築的中心交叉處冠上一座八角塔，塔頂有十字架塔。八角塔、階梯塔與西塔所結合而成的塔群十分醒目。

同樣在1150年左右，本篤會大聖馬丁修道院（Monastery of Groß St. Martin）興建新教堂，教堂東側甚至比聖宗徒聖殿更早設計了三半圓式唱詩班席，交叉部上方則豎立著一座高大方塔。和聖宗徒聖殿一樣，大聖馬丁教堂的半圓式建築由拱廊所形成，並以廊柱支撐，拱廊上方是環繞東側區域的矮樓道。在建築內部的下層被分為數個窄壁龕，其上是有支柱的盲拱；上層為雙牆壁，樓道上的每一對三窗拱之間，都在方形基座上豎立著細長對柱，對柱並支撐起後殿拱頂。

△ 科隆的聖宗徒聖殿
約十一世紀前半葉，西側唱詩班席約於1150年建成，東側唱詩班席約於1200年建成。圖為東北側外觀。

◁▷ 科隆的早期本篤會大聖馬丁修道院教堂
約1150－1240年，東側建築與從唱詩班席看向教堂的景觀。

◁△ **科隆的聖格里安聖殿**
早期牧師會教堂，原始建築約落成於四世紀古典晚
期，長形唱詩班席落成於1067-1069年，擴建部分
約落成於十二世紀中期。圖為十邊形建築的長形唱
詩班席及東北側外觀。

△ **十邊形建築的壁畫**
先知肩上的聖徒，約1100年。此碎片從牆面取
下，128×156公分。

聖格里安聖殿

　　在科隆的羅馬式教堂中，聖格里安（St. Gereon）聖殿或
許是最神祕的教堂，原因不僅是其建築的歷史悠久上溯至古
典晚期，也因為它與許多傳說有關。這座教堂原是羅馬時代
晚期的一座紀念教堂，其平面圖呈橢圓十邊形，有一個小
前廳與一座建於四世紀後半葉的小前院，四周圍有柱子。由
於早有地基，位於中庭區的住宅建築於九世紀初重新啟用。
1000年左右的一條祝辭曾描述一個從五世紀以來流傳的傳
說，據說曾有三百一十八位來自萊茵流域下游底比斯軍團
（Theban Legion）的士兵，因為拒絕羅馬皇帝戴克里先（Di-
ocletian）迫害基督徒的命令，而在聖格里安聖殿殉難。總主
教安諾（Archbishop Anno, 1056-1075年在位）有回夢見自

己因為忽略聖格里安與其同伴的聖髑而遭受懲罰，因此夢醒
之後，他決定興建聖殿。起初，他曾建一個長形唱詩班席和
兩座梯塔，但直到一個世紀後，可能在1156年之前，唱詩
班席及其後殿與兩側階梯塔才依照本來的計畫完工。最後，
十邊形建築的拱頂在1227年落成，成為建築史上提到聖格
里安聖殿時的重要核心。八個馬蹄形壁龕匯集為橢圓形，
古典晚期牆壁的遺跡則在十邊形建築於霍亨斯陶芬（Hohen-
staufen）王朝修建時保留下來。壁龕上方是與扇形窗齊平的
樓道，其頂端覆以尖拱，由嵌入柱中的附牆柱支撐，拱頂肋
則由四分之三的附牆柱支撐。

米爾巴克與馬爾穆蒂耶

位於亞爾薩斯區（Alsace）米爾巴克（Murbach）的修道院教堂被認為是薩利克王朝晚期建築的傑出範例。儘管一路延伸至唱詩班席的中殿西部在十八世紀遭到毀壞。但歸功於勃艮第風格的琢石工藝，留存至今的三廊道大會堂東部依舊氣勢恢宏。

高大的耳堂方塔突出於整棟建築之上，平頂唱詩班席與側唱詩班席則分別突出於牆壁之外，高而窄的盲拱廊形成底層的基本結構，其間穿插著圍住窗口的盲壁龕。上排窗戶區上方的連續盲拱廊與三角牆皆來自霍恩施陶芬王朝，於十二世紀後半葉建成。

　　馬爾穆蒂耶（Marmoutier）修道院教堂，德文名稱為
Maursmünster，於十二世紀修道院院長馬路斯（Maurus）
在位期間建成。建材是以阿爾薩斯區特有的紅黃砂岩製成的
大琢石，牆壁設計也以米爾巴克修道院教堂為範本。在建築
結構的西側，是一棟乘載著塔群且設計簡潔的兩層樓建築；

長方形鐘塔高聳於上方，鐘塔兩側是八邊形側塔。中央區域
下層的前院牆壁有三個拱廊開口，中間的拱形尤其龐大。

△▷ **早期聖喬治修道院教堂、主教座堂**
位於蘭河河畔的林堡，約1090-1235年，西北
側外觀、中殿與耳堂。

林堡的主教座堂

　　林堡（Limburg）的早期修道院教堂，即現今的主教座堂，於1190年左右起建於俯瞰蘭河（Lahn）的山岩上，為萊茵蘭流域羅馬式晚期建築的一個範例。西側開始興建不久，教堂即決定將北塔的法國早期哥德式（French Early Gothic）建築形式的元素運用在此處。不長的教堂中殿容納了七座塔群，塔頂覆有萊茵河流域的四坡攢腳屋頂。然而，

更值得注意的是建築內部的四區域規劃，其蘊含著在中萊茵河地區前所未見的設計可能性。底樓為一雙拱樓道，其上方是以四個為一組的三拱式拱廊，最後則是盲拱及開向戶外的窗戶。主柱大多為半露方柱與附牆柱，形成這個連結設計中的主殿特色。

北義大利的羅馬式教堂

米蘭的主教座堂

聖安波羅修（Sant'Ambrogio）聖殿是聖安波羅修建造的教堂中最重要的一棟建築，他於386年祝聖啟用這座以他為名的教堂，並在397年過世後入葬於此。八世紀時，查理曼大帝准許教堂增建聖本篤修道院。現今的無耳堂三廊道大會堂是舊建築於十一至十二世紀間重建而成。建築正面有前庭，東翼為教堂前廳，上方無階梯的覆頂涼廊由一排逐漸向中央升高的拱廊組成。

南側低矮的前羅馬式僧侶鐘塔（Campanile dei Monaci）是最早的倫巴底鐘塔，建於840年左右。1123至1128年間，因為僧侶與教士時有衝突，北側也建成教士鐘塔（Campanile dei Canonici）。

在教堂內部，十字肋的圓狀拱頂與拱式樓道表現出氣派的大殿效果，也讓這座教堂成為倫巴底羅馬式建築的代表作。

◁△ **米蘭的聖安波羅修聖殿**
約九至十二世紀，前庭與西側外觀、東側的主殿。

267

帕爾馬主教座堂與洗禮堂

帕爾馬（Parma）主教座堂咸信是主教雨果（Bishop Hugo）於1040年興建的教堂，1045年開始則由卡達魯斯（Cadalus, 1045-1071年在位）續建，卡達魯斯即日後敗走的對立教宗何諾二世（Honorius II）。隨著後者掌握教宗權力，帕爾馬主教座堂也成為義大利羅馬式盛期最雄偉的教堂建築。1117年，地震將教堂毀壞殆盡，運用原有建材的重建計畫隨之展開，並於約1160年實際完成重建。唱詩班席與耳堂下方是寬敞的地窖，耳堂突出於建築東側，立方體狀的唱詩班席兩翼處是半圓形後殿，這種設計帶來了如同整體的和諧感，頂端並冠以八邊形塔。

帕爾馬洗禮堂是中世紀最偉大的洗禮堂之一，建於1196至1216年的二十年間。一條銘文告訴我們，雕塑家班奈德托・安特拉米（Benedetto Antelami）曾以建築師身分參與建案。這棟八邊形建築與同時代其他洗禮堂的不同處在於，教堂裡外隨處可見對建築與雕塑的創新詮釋。洗禮堂不尋常地設計了三大正門，這在法國早期哥德式主教座堂的設計中較常見到。西側大門也是洗禮堂的主門，其半月形拱楣刻有最後的審判，開啟義大利雕塑的先河。相對於法國羅馬式半月楣，帕爾馬洗禮堂將重點放在救贖而非天譴上；以楣樑雕刻為例，從墓中爬起的人被分成有福之人與悔改之人。半月楣並未詳盡地表現出所有個別主題，因此圖像由半月楣延伸至洗禮堂內，豐富的設計細節形成一種軸狀關係；例如西正門的最後審判與東壁龕的榮耀基督聖像即相呼應。

◁ **帕爾馬的聖母升天主教座堂**
1040/1050年與1117-1160年間，建於1170年的圓頂，東南側外觀。

▷ **帕爾馬洗禮堂**
1196-1216年，由班奈德托・安特拉米指導，安特拉米於1170年代曾指導主教座堂聖壇屏的重新設計工程。

托斯卡尼的初期文藝復興風格

佛羅倫斯洗禮堂是1059年由教宗尼閣二世（Pope Nicholas II）獻給施洗者聖約翰的洗禮堂。由於先前已有一座洗禮堂，藝術史學者們尚不確定新洗禮堂的身分與落成日期。法國藝術史學者馬歇爾‧杜利亞（Marcel Durliat）認為，這棟有羅馬萬神廟氛圍的獨立圓頂建築本體是一件古典晚期作品。十一世紀中進行修復時，牆壁依羅馬的範本覆上白色與綠色大理石，藉由表面裝飾遙念古典牆壁設計，並將古典建築元素與比例應用於建築正面的外牆。

這間洗禮堂與聖米尼亞托大殿（San Miniato al Monte）都被認為開啟了初期文藝復興（Proto-Renaissance）；這個頗為模糊的詞彙是藝術史學者雅各‧布克哈特（Jakob Burckhardt）所創，不僅只運用於古典形式，也具有政治與經濟意涵。換言之，前文藝復興時期對古典時代的接納，是在義大利市鎮普遍繁榮的經濟背景前提上，而其政治動力則來自帝王與教宗對世俗與精神權力的角逐。

西方世界在完全基督教化之後，孩童在教堂受洗變得普遍，洗禮是一件莊嚴的事，模仿著基督在約旦河（Jordan）受洗的過程。合宜的洗禮堂結構是獨立的圓頂中心式建築，這種形式從佛羅倫斯傳播開來，在義大利尤其普遍。其中一例是比薩（Pisa）洗禮堂，1152年在建築師迪奧提撒威（Diotisalvi）指導下起建，十二世紀末時建築進度至二樓層，直到1260年才由尼古拉‧皮薩諾（Nicola Pisano）接手建造四周的拱廊式涼廊，其子喬凡尼（Giovanni Pisano）則於1284年完成哥德式風格的花飾窗格山牆與雕塑。三樓的銜接結構清楚顯示，十二世紀的義大利羅馬建築鮮少以雕塑裝飾外牆。建築外部底層仿效於1118年完工的主教座堂正面設計，以圓拱式盲拱廊與彩色大理石條建構。

▽ **佛羅倫斯的聖喬凡尼洗禮堂（Baptistery of San Giovanni）**
約十一至十三世紀，外觀，背景右側為佛羅倫斯主教座堂的正面局部。

▽ **佛羅倫斯的聖米尼亞托大殿**
約十一至十三世紀，西正面，正面的五個拱形顯示教堂內部採用了重複的設計主題。

▷ ▷▷ **比薩奇蹟廣場（Campo dei Miracoli）的洗禮堂**
約1152年至十三世紀，主教座堂建於1063、1089-1272年，頁275的鐘樓即著名的比薩斜塔。

△ 比薩的聖母升天主教座堂
建於 1063、1089-1272 年，側走道的對角線視
圖，顯示許多圓柱和中殿的三區牆結構。

△▷ 盧卡的聖馬丁主教座堂（San Martino）
十二世紀末起建。西正面及鐘樓，教堂建築面上部
的細節有富變化的裝飾圓柱及大理石色彩。

比薩的主教座堂

　　比薩的聖母升天主教座堂繼延伸中殿之後，五廊道大會堂的建築也於十二世紀後半葉增建三個開間，其特點是形制整齊，做為支柱的下層盲拱廊圍繞著整個結構。位於西側的拱廊憑藉半露柱前方的圓柱獲得視覺支撐，其上方是以細柱支起四層樓高的柱式樓道，細柱後方則是排列整齊的窗戶。這棟教堂的結構近似古典廟堂正面，建築面外牆則讓人想起大會堂的十字形橫剖面。

　　教堂內部空間編排複雜，平面圖設計頗有古風。中廊旁是一路延伸至唱詩班席後殿的雙側廊，中間夾有耳堂。一體成形的花崗石柱支撐著雜色連續拱門，同樣為雜色的半露柱則為空間帶來東方氣息。

盧卡的主教座堂

　　繼兩座已建好的教堂之後，第三座教堂於十二世紀晚期開始興建，最古老的部分僅有教堂正面留存至今。據銘文所示，吉德托・達・科摩大師（Master Guidetto da Como）為此教堂建築者，可能將他的肖像刻畫於其中，而富於雕塑的教堂正面完成於 1204 年。三道高大的拱門通向前廊，與同時期托斯卡尼教堂的正面設計相異，真正的教堂正門也在此一時期建成。前廊的雕塑裝飾為聖馬丁（St. Martin）及月令勞工的場景，創作於 1233 至 1257 年間。教堂正面共三層，具大會堂式的輪廓，然其對稱性被現存的鐘樓所阻礙。受比薩建築學派的影響，正面的分層以圓柱廊道表現，廊道的後方為飾有階梯式拱邊的雙盲拱。所有拱門與牆面皆為白底飾有黑色的大理石條，而柱身及拱門上方的三角穹竇具有幾何狀的表面裝飾及雕刻。

◁ 皮斯托亞的城外聖若望堂
於十二世紀中期作羅馬式的重建，南側的三重連
拱。

△▷ 烏斯迪諾鎮蒙耶斯皮的聖甘爾加諾教堂（San
Galgano sul Montesiepi）
建於 1184 年之後，圓頂教堂的外觀及圓頂內觀。

　　相較之下，皮斯托亞（Pistoría）的羅馬式教堂：城外聖若望堂（San Giovanni Fuoricivitas），其毫無裝飾的正面則顯得樸實無華。然而教堂的南側建築面則飾有白色及綠色相間的大理石圖案，牆面且列有三重連拱。

　　1181 年，修士甘爾加諾・吉多蒂（Galgano Guidotti）歿於托斯卡尼南部的蒙斯耶皮（Monte Siepi），鄰近基烏斯迪諾（Chiusdino）；主教沃爾泰拉（Volterra）以他之名建了一座教堂。這座神聖的建築不是像一般的陵墓，其圓形建

築內部呈現出同心圓的條紋，前方並有一個天井前廳。圓形建築的外牆在往昔較為低矮，環繞一圈的磚造帶狀裝飾上方為增建的部分，這使得主要的圓屋頂可以從外面顯而易見；據推測外牆於 1340 年與長方形的小禮拜堂一同增建。

主建築的色彩輪以磚和石灰華的顏色，這是受到西恩納典範（Sienese models）的影響，此相間的色彩條紋在圓頂的內部表現出堂皇的氛圍。在南托斯卡尼的建築中，這座教堂不論是在概念上或是技巧上皆獨樹一格。

義大利北部與中部的圓花窗建築面

　　許多晚期羅馬式教堂的建築正面都有大型圓花窗，義大利文又稱為rota（即「輪」），大約於西元1400年後才有玫瑰窗的名稱。圓花窗上形象化的玻璃裝設讓教堂建築豐富的外觀形式可延伸至內部，有時為了呈現精緻效果，架構頗為複雜。圓花窗未具有普遍的意義，其重要性來自於窗與建築面結合的特徵。

　　直到1240年，摩德納主教座堂才有圓花窗，大方占據著西正面中央，中心是鏤空十字架，周圍是以尖拱形連接的放射狀柱條。圓花窗上方是同時代製作的榮耀基督聖像，其周圍環繞著早期的福音書作者象徵，由雕塑家威利哲姆斯（Wiligelmus）的工作坊製作。

　　阿西西（Assisi）的聖路斐樂（San Rufino）主教座堂正面，裝飾著三個絢麗的圓花窗。中央大窗裡有一大一小的同心圓，呈放射狀的柱條以圓拱形連接，兩圓中間是一圈雲狀

△ 摩德納主教座堂
1099年起建，1184年祝聖，建於1240年左右的西正面與圓花窗。

△ 阿西西的聖路斐樂主教座堂
約1134年起建，西正面與三個圓花窗。

圖案飾帶，窗的四周是福音書作者象徵，圓花窗整體由三個男像柱（telamon）支撐。

位於斯波萊托（Spoleto）的聖母升天（Santa Maria Assunta）主教座堂，其正面的圓花窗有七個之多；其中三個中型窗位在三角牆上，兩個最小的窗位在中央外圍區域，內側有兩個稍大的窗，而最大的窗在中央。大窗中心是以拱形連接的放射狀柱條，圍有一圈蛇紋飾帶，窗下也有男像支撐，

福音書作者的象徵出現在方框的三角穹窿。如果摩德納主教座堂的圓花窗可以解釋成宇宙的象徵，斯波萊托教堂以福音書作者象徵圍繞的翁布里亞式（Umbrian）圓花窗，則更有基督聖像光輪的意味，男像柱在古代則代表天體支柱。

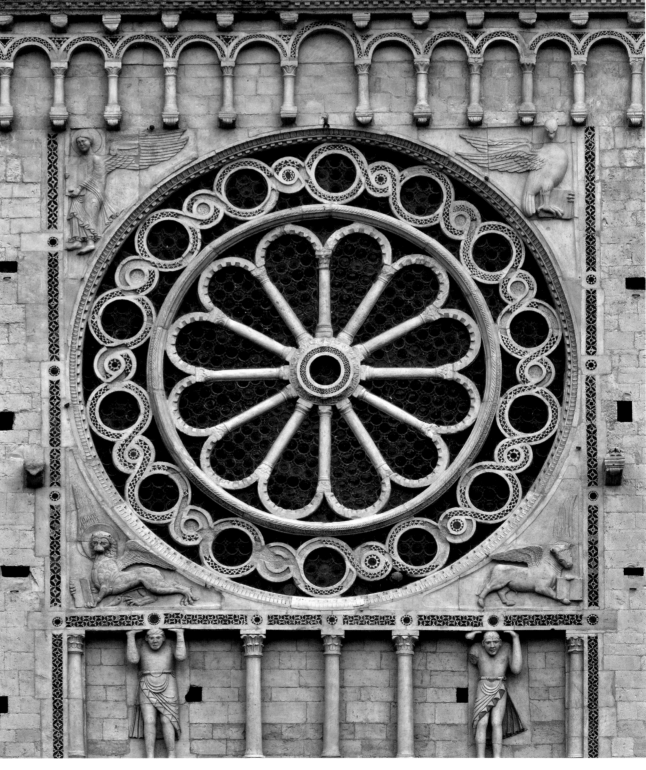

△ **斯波萊托的聖母升天主教座堂**
約1175年起建，西正面中央的圓花窗。

▷ **托斯卡尼的聖伯多祿教堂**
約十一世紀晚期起建，西正面圓花窗與浮雕裝飾的細部。

西西里：拜占庭馬賽克裝飾的盎格魯－諾曼式與摩爾式建築形式及圖像設計

位於巴勒摩（Palermo）附近蒙雷阿萊（Monreale）的新聖母（Santa Maria Nuova）主教座堂無疑是歐洲的羅馬式教堂傑作之一。這座融匯諾曼、拜占庭與阿拉伯建築元素的教堂是西西里國王威廉二世（King William II, 1166-1189年在位）大力贊助的本篤會教堂，1174年首見史料時就已建成，兩年後即能夠入住幾百位修士。1183年教宗路基約三世（Pope Lucius III）將修道院升格為總主教轄區，不僅使修道院教堂從此晉升為主教座堂，也讓這座獲國王與教宗青睞的教堂廣受世人矚目，因為當時巴勒摩已成為總主教席所在。

在寬逾一百公尺的教堂建築中，大會堂式中殿連接著正十字形的東側區域。如同巴勒摩的帕拉提那禮拜堂（Capella Palatina），側廊因為主廊寬闊而收窄，毗連的耳堂為交叉區域，單是其邊長就達到中殿的一半。這些擴建使得拱頂只能加在後殿，中殿與東側區域的木天花板在1811年遭祝融後依原貌重建。

西正面的焦點是角落的兩座高塔，十八世紀時以柱廊連接，因而遮掉了一大半的諾曼式拱門。諾曼式唱詩班席的主後殿兩旁有側殿，皆以原貌保留至今。高逾兩層樓的外牆交錯著以細柱構成的盲連拱，形成類似尖桃拱的區域。而淺石灰與黑熔岩的交替色彩則塑造出活潑外觀。位於北面與西面的兩扇重要的青銅正門，分別由巴里薩諾・達・特拉尼（Barisano da Trani, 1179）與波納諾・皮薩諾（Bonnanno Pisano, 1186）製作。

覆蓋整座教堂內部牆面的馬賽克裝飾帶來了堂皇氣派的效果，馬賽克描繪著舊約故事、基督的生平和傳教故事及使徒事蹟。

◁ 蒙雷阿萊的新聖馬利亞主教座堂
1174-1185年，局部的唱詩班席與法蒂瑪
（Fatimid）壁面裝飾。

△▽ 巴勒摩省的切法盧（Cefalù）
貝殼石灰岩底下的市景及主教座堂，約落成
於十二世紀前半葉。

▷ 蒙雷阿萊的新聖馬利亞主教座堂
創世故事與基督像細部，馬賽克，1180年代。

蒙雷阿萊新聖馬利亞主教座堂的迴廊
東南角的井房與雙柱頭拱廊。

蒙雷阿萊新聖馬利亞主教座堂的迴廊

新聖馬利亞主教座堂接近南側廊的走道兩側，保留著以二十六個雙柱拱構成的拱廊，柱身與拱邊皆飾有馬賽克與其他表面裝飾，並以熔岩巧妙刻作，這在走道是首創之舉，且部分已修復。雙柱頭雕塑的藝術價值高且富變化，雖然裝飾主題大多為花草圖案，仍能發現世俗或神話場景，只有少數為宗教主題；無法辨識出統一的圖像主題編排。

勃艮第的重要教堂建築

圖爾尼

聖菲利貝爾（Saint-Philibert）修道院位於索恩（Saône）河畔，隔著兩座高大圓塔與圖爾尼（Tournus）相望。教堂西正面的牆面平坦，僅有規律排列的半露柱條與盲連拱，圓拱有飾邊；西正面的首要特徵是雙塔，這是雙塔正面留存至今最古老的例子，歷來的教堂建築中也時有所見。這裡還可以發現勃艮第建築中第一件呈放射狀的小堂設計，位在十世紀就有史料記載的三廊式地窖裡。

然而，這座教堂更獨特之處在於精巧的建築設計。中殿細長的磚造圓柱支撐著飛扶壁，每道飛扶壁之間都橫懸著筒形拱頂。這種構造的優點是拱頂的水平壓力不會全落在外牆，而是分散在相交的筒形拱頂上，圓柱則只支撐石塊重量，這為後古典建築首次帶來了自我承撐的拱頂系統。缺點是拱頂系統的縱長似乎被相交的斜向筒形拱頂打斷了。

由於構造頗具巧思，建造者留下自己的肖像（見頁65）似乎非常合理。至於日後為何沒有形成任何學派，藝術史學者們對此尚無定論。

◁ 圖爾尼的聖菲利貝爾修道院教堂
約十世紀－1120年，中殿與橫筒形拱頂。

△ 圖爾尼的聖菲利貝爾修道院教堂
東南面的雙塔構造，於十二世紀左右增建北塔鐘樓。

歐坦

　　位於歐坦（Autun）的聖拉札爾（Saint-Lazare）主教座堂的內部設計，有著與其人像裝飾正門（見頁368-369）不分軒輊的高藝術價值。主廊採用克呂尼三世修道院的挑高三層高牆，並發展出更優雅的風格。這座教堂因此是建築源頭可上溯至克呂尼三世修道院的勃艮第教堂之一，只是規模小了很多。一樓由細長的尖拱拱廊構成，高度比上兩層多一倍，側廊拱頂上方是附盲三拱的樓道，每個開間皆有面向主廊的窗。高側窗壁面也是每個開間只有一扇窗，為主廊帶來光源。十字柱側邊有半露柱，延伸至筒形拱頂的拱腳，柱上有新古典凹槽紋。從中殿到唱詩班席及耳堂都有尖筒形拱頂，側廊的橫尖拱上方為交叉拱頂。

弗澤萊

　　不同於克呂尼修道院，位於弗澤萊（Vézelay）的聖瑪德蓮（Sainte-Madeleine）修道院教堂是為了因應抹大拉的馬利亞（Mary Magdalene）之聖髑的朝聖風潮而興建，這件聖髑於1058年獲得教宗詔書認可。這座朝聖教堂建於十一世紀末，因遭祝融而於1120年重建。中殿尤其顯現出欲和克呂尼修道院一別苗頭的特點，因為它捨棄了主殿挑高三層的設計，改採較適度的兩層設計，僅容納大型拱廊與高廊窗，窗戶則設立在各個開間中交叉拱頂的弧面上。橫拱的多樣色彩從視覺上點出拱頂的韻律性。柱頭主題則為建築增添了許多可看性，和歐坦主教座堂一樣，其柱頭數量為勃艮第教堂之冠，而且是由名雕刻家製作。

△ **歐坦的聖拉札爾主教座堂**
1120-1146年，教堂內部。這座遵循克呂尼三世修道院傳統興建的教堂，與其最接近的地方是整體效果。

▷ **弗澤萊的聖瑪德蓮修道院教堂**
本體建於1120年，高唱詩班席建於約十二世紀晚期。朝東的中殿與交叉拱頂。

奧弗涅金字塔

位於奧爾西瓦（Orcival）聖母教堂（Notre-Dame）的唱詩班席表現出十二世紀奧弗涅（Auvergne）建築學派風格。教堂位處坡地，西側面向山陵，東側地窖隨之隆起到地表上。半圓形唱詩班走道有四間呈放射狀的小堂，比禮拜堂稍高，較低的兩側是耳堂東牆邊的小堂，主唱詩班席俯瞰著整個唱詩班區。唱詩班區以此種層次安排連接著耳堂，與圓頂交叉部上方的塊樓（massif barlong）形成奧弗涅地區特有的橫式構造；其上方是兩層樓的錐形尖頂塔。各種結構此起彼落，有如金字塔般交錯於廣闊的地基，直到最上方採光的八邊形塔樓的塔尖，因而被稱作「奧弗涅金字塔」。加上三廊道大會堂、唱詩班走道與包含側廊上方露台的中殿，整個平面形成奧弗涅羅馬式建築的理想設計。主廊與側廊以連拱區隔，圓拱支柱的其中三面覆有半柱，柱頭有雕塑設計。在奧弗涅羅馬式建築中，前廳通常位在中殿前，人們從這裡進入教堂。前廳和塔都支撐著入口面向主廊的露台。

△ 奧爾西瓦的聖母教堂
十二世紀，唱詩班區的層次均衡，是奧弗涅金字塔的經典範例。

▷ 聖內克泰爾修道院教堂
位於聖內克泰爾，約1080年起建，東南側外觀。

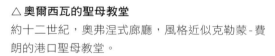

△ 奧爾西瓦的聖母教堂
約十二世紀，奧弗涅式廊廳，風格近似克勒蒙 - 費朗的港口聖母教堂。

△ 克勒蒙 - 費朗的港口聖母教堂
約1100年起建，這座教堂將奧弗涅建築學派中所有理想的元素冶為一爐。

克勒蒙

此種設計不僅出現在奧爾西瓦與克勒蒙 - 費朗（Clermont-Ferrand）的港口聖母教堂（Notre-Dame-du-Port），也出現在聖薩蒂爾南（Saint-Saturnin）教堂。聖內克泰爾（Saint-Nectaire）的早期小修道院教堂也許是其中最傑出的例子，位於伊蘇瓦爾（Issoire）的聖奧斯特雷穆萬（Saint-Austremoine）教堂則是其中最偉大的例子，其唱詩班席的牆面裝飾甚為突出。

位於克勒蒙 - 費朗的港口聖母教堂，其奧弗涅羅馬式的本體建築落成於十三世紀，被一間哥德式主教座堂取代後，僅有部分被發掘並留存至今，然這座朝聖者教堂仍展現出當地建築的結構特色。教堂起建於1100年左右，大會堂中殿有半圓筒狀的微弧拱頂，水平壓力分散在側廊上方廊道的四分之一筒形拱頂中，拱頂有向外的窗，為結構平衡的空間間接引進光源。值得注意的是以走道通向四間小堂的唱詩班席，其四個刻畫生動的圓柱柱頭出自雕塑家魯伯特斯（Rutbertus）之手，是奧弗涅的雕塑傑作之一。南側正門有雕刻，另有像三角牆的楣飾，左方刻劃著三賢士朝拜，右方刻劃著基督受洗，中央則是獻聖子於聖殿；上方半月楣描繪寶座基

△▷ 伊蘇瓦爾的聖奧斯特雷穆萬教堂
約1130年起建，唱詩班區結構非常近似聖內克
泰爾修道院教堂，但裝飾更為豐富。

伊蘇瓦爾

督，四周是福音書作者象徵，但現存者僅有其中兩個圖案。基督左右各有一位熾天使，以賽亞與施洗者聖約翰則立在大門兩側。拱楣上方描繪著天使報喜與聖嬰誕生。這些浮雕在法國大革命時期遭到嚴重毀損。

東部地區也有如金字塔般的教堂建築，位於伊蘇瓦爾的聖奧斯特雷穆萬教堂，咸認是奧弗涅建築學派最偉大的範例。唱詩班席為東側區域的中心，其四周是較低的唱詩班走道，通向四個呈放射狀排列的小堂。長方形的聖母禮拜堂似乎有些異樣，可能是設計後來經過更動。經由唱詩班席龕部的開間，唱詩班席鄰接著高大的奧弗涅橫樑，其由耳堂與其東堂、塊樓與兩樓層的十字中心八邊形塔樓所結構而成。托座上方的方塊圖案與花草設計，以及後殿外牆上帶色彩的表面裝飾與黃道十二宮浮雕，皆應和著比例勻稱的建築結構。

VIRGO

LIBRA

隆格多克、魯西永與加泰隆尼亞的早期與盛期羅馬式宗教建築

九世紀初法蘭克王國從伊斯蘭統治中奪回巴塞隆納，開啟了收復失地運動；期間查理曼建立西班牙邊區（Marca Hispanica），貝薩盧（Besalú）、塞爾達涅（Cerdange）、巴塞隆納及魯西永（Roussilon）等，都屬於邊區範圍。這裡從很早就開始興建修道院，而其建築也極受重視，其中許多計畫都來自庫薩的聖米歇爾修道院。庫薩的聖米歇爾修道院院長是富文化涵養並愛好藝術的奧利巴·卡布雷塔（Oliba Cabreta），他是加泰隆尼亞貴族之後，身兼里波的修道院院長與比克主教之職（見頁179）。他曾造訪義大利數次，並將北義大利的影響帶回庇里牛斯山東部，因而在加泰隆尼亞-奧克語區（Occitan）的早期羅馬風格傳播中扮演著核心角色。

埃爾恩（Elne）是魯西永地區唯一一座主教城市，其主教座堂起建於1042年，埃爾恩修道院的走道則直接仿自庫薩的聖米歇爾修道院。約建於1140年的走道，是魯西永保留於原址的唯一一條走道，其中唯一採用羅馬風格的地方是與教堂平行的南翼，其中哥德元素的部分也保留了羅馬風格的概念。這條走道的主要特點是雕塑豐富，其中有些是出自雕塑家邊亞的雷蒙（Raymond de Bianya）之手。

隆格多克（Languedoc）的聖吉揚萊代塞爾（Saint-Guilhem-le-Desert）修道院，其名稱來自亞奎丹（Aquitaine）與土魯斯的公爵威廉，即短鼻吉揚（Guillaume au Court-Nez），他是查理曼的夥伴，在這間修道院過世。這座早期羅馬式大會堂的唱詩班區起建於1025至1050年，十一世紀末建成今日的樣貌。主後殿有兩個側殿及一個矮樓道，都展現出倫巴底的影響。

位於科爾比埃山區（Corbières）阿特雷班（Alet-les-Bains），現為遺跡的聖瑪麗（Sainte-Marie）修道院教堂，是八世紀西哥德式建築的代表作之一。絢麗的多邊形後殿、圍有圓柱的盲拱廊與小圓頂的三個窗口，都落成於十二世紀前半葉。

▽ 聖吉揚萊代塞爾早期本篤會修道院教堂
約十世紀晚期建成，1025-1050年左右重建，西塔約建於十二世紀。

△ 埃爾恩主教座堂的走道
約1140年及之後，刻有天使／鳥形生物與海妖
的雙柱頭。

▽ 阿特雷班的早期聖瑪麗修道院教堂
十二世紀前半葉，後殿外觀。

加泰隆尼亞

今日法國南部的魯西永與隆格多克，在西哥德王國占領塞普提馬尼亞（Septimania）時期與今日的加泰隆尼亞為一個整體，在加洛林王朝結束四十年的阿拉伯統治後，逐漸形成加泰隆尼亞的心臟地帶。儘管如此，這些地區仍受區域性王朝所統治。受查理曼任命為西哥德王國卡爾卡松（Carcassonne）伯爵的貝洛（Bello）及其後代，在加泰隆尼亞民族與藝術的發展上扮演顯著的角色，並為中世紀的魯西永與加

泰隆尼亞的共同身分賦予了特殊性格。的確，貝洛的後代如多毛威爾弗列德（Wilfred the Hairy）於855年成為比克與歐松納（Ausona）伯爵，877年成為巴塞隆納伯爵，弟弟米隆（Miron）則成為孔夫朗（Conflent）與魯西永伯爵。

早期羅馬風格在加泰隆尼亞的絕佳例子是位於聖文生（Sant Vicenç）的卡爾多納（Cardona）城堡教堂，建於1029至1040年間，前身為981年建成的一棟舊建築。連接

▽▷ **聖文生的卡爾多納城堡教堂**
1029-1040年，東側外觀與內部。

交叉區域的三個方形主廊開間,各自毗鄰著帶有三個方形交叉拱頂的側廊,表現出倫巴底－加泰隆尼亞建築的新意。略微突出的耳堂兩翼有兩個小後殿,東唱詩班席後殿可從一個前開間進出。高拱下的大柱將廊道區分開來,也支撐著主廊筒形拱頂的橫拱。在交叉區域有階梯通往唱詩班席下方的三廊道地窖,唱詩班席的交叉拱頂由兩排各五根圓柱支撐。十字形圓頂表現出空間的勻稱分布,十字中心的八邊形塔則顯示這座堡壘曾於十七世紀進行重建。

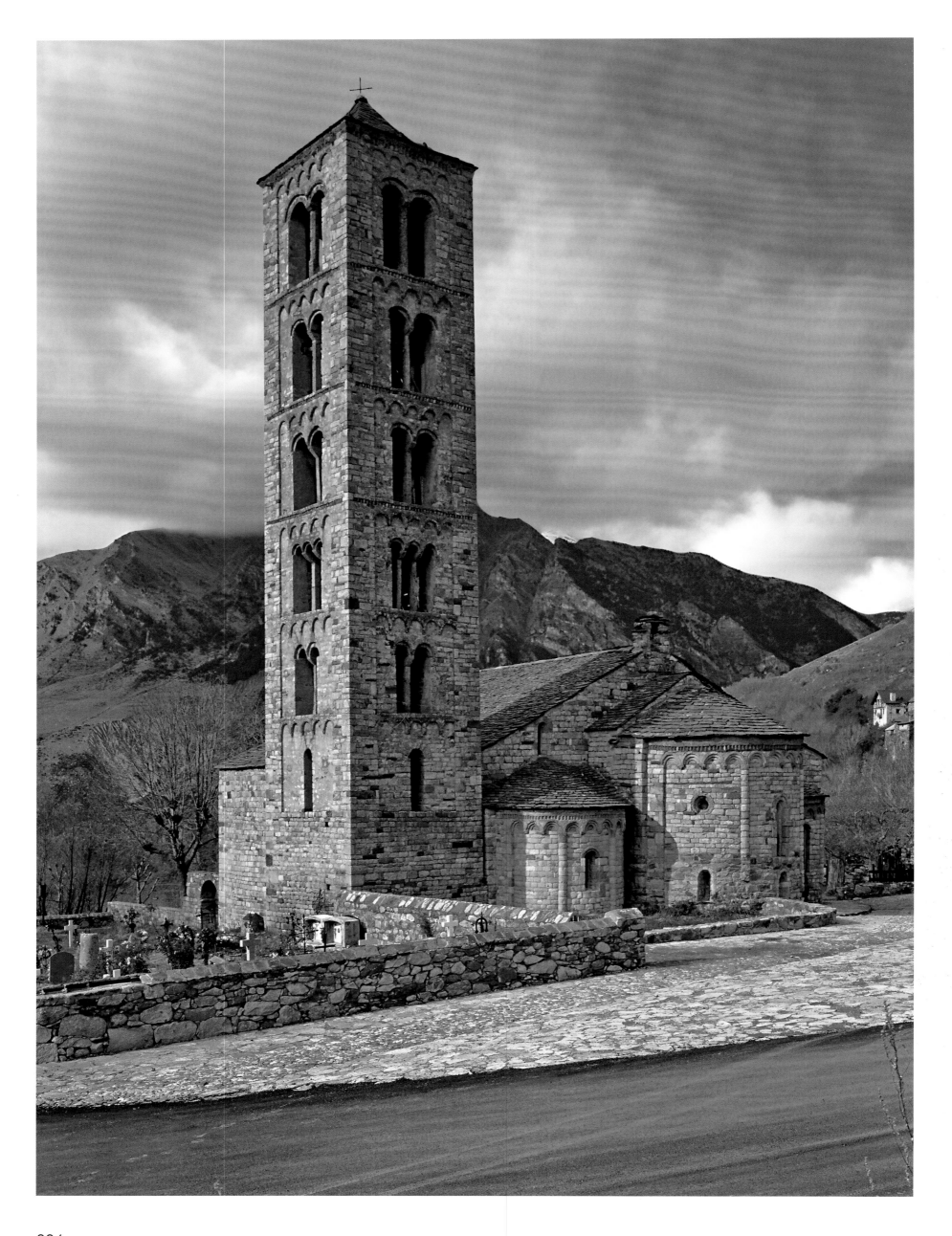

◁ **陶爾的聖克利勉教堂**
1123年祝聖，教堂東南側外觀與倫巴底鐘塔。

△ **拉塞烏杜爾赫利的聖馬利亞主教座堂**
約1120年起建，東側建於1175年以後，約
十二世紀晚期祝聖。

　　位於陶爾（Taüll）的聖克利勉（Sant Climent）教堂，其
鶴立雞群的細長鐘塔例示了倫巴底羅馬式風格在加泰隆尼亞
的長遠影響。如同陶爾的聖母教堂，聖克利勉教堂的聲名主
要來自壁畫。在三廊道四開間的大會堂式建築中，拱門以圓
柱支撐，廊道僅有木天花板而無拱頂，主廊後殿位在側廊末
端的兩個小後殿中間。這間教堂和加泰隆尼亞的其他小教堂
皆無耳堂。

　　陶爾的兩間教堂都在1123年祝聖，位於拉塞烏杜爾赫利
（La Seu d'Urgell）的聖馬利亞（Santa Maria）主教座堂則
到十二世紀晚期才祝聖。依據一份1175年的合約，倫巴底

建築師萊蒙德斯・倫巴德斯（Raimundus Lombardus）受
託建造教堂屋頂，原本也預定建造圓頂與耳堂兩側的鐘塔，
但戰爭和掠劫造成的資金短缺迫使建案中斷。大會堂式的空
間末端是寬闊的耳堂，唱詩班走道在加泰隆尼亞並不常見，
所以耳堂牆內還嵌有四間小堂，拓寬了東側空間；主廊後殿
是唯一突出之處。比例勻稱的樓道及其連拱有北義大利建築
的影子。

紓解大量訪客的空間應用：
土魯斯與孔克的朝聖者教堂

克呂尼三世修道院教堂崩毀之後，位於土魯斯聖塞寧聖殿的五廊式教堂就成為法國最偉大的羅馬式宗教建築。其突出的耳堂有四個東後殿，連接著一條簡潔的唱詩班走道，五個呈放射狀的小堂為東側帶來豐富層次，上方是十三世紀中增建的高聳十字中心塔。中殿的主廊牆壁分為上下兩樓層，每道廊拱上方都是一道雙廊拱，樓道一路延伸並圍住耳堂兩翼，下方為內側廊。樓道的四分之一筒形拱頂銜接著主廊的筒形拱頂邊緣，因而分散了水平拱頂的壓力。連續筒形拱頂的橫拱富於韻律，其附牆支柱從主廊柱與主廊高牆向外散布。

土魯斯古道（Via Tolosana）是通往聖地亞哥 - 德 - 康波斯特拉（Santiago de Compostela）的朝聖路線之一，土魯斯則是這條路線上的一個要站。依據朝聖指南，聖塞寧聖殿是極受歡迎的拜訪景點之一，因而其規模與結構都必須因應大量朝聖者的需求，讓他們順利從唱詩班走道走到聖壇。位於奧弗涅地區魯埃格省（Rouergue）的小鎮孔克是通往聖地亞哥的勒皮（Le Puy）古道的要站，以其聖菲斯或聖佛依（St. Faith, or Sainte-Foy）像聞名。十一世紀，修道院的興盛帶動了朝聖者教堂的興建。如同土魯斯，孔克建造了一座龐大的三廊式大會堂，帶有突出的三廊式耳堂，每個廊道皆有兩個開間。聖佛依修道院教堂的唱詩班席有唱詩班走道與呈放射狀的小堂，十字形區域上方無奧弗涅式塊樓，但有一座十四世紀的圓頂。事實上，不論是因為資金不足或技術困難，二十二公尺高的拱頂意圖達到的氣勢，並未反映在高塔上。為保持其風格特性，教堂遲遲未能決定後續工程由哪一位建築師進行。

▽ **土魯斯的聖塞寧聖殿**
約 1080 年－十二世紀中，東側外觀，樓道與主廊上方的筒形拱頂。

▷ **孔克的聖佛依修道院教堂**
約 1050-1130 年，禮拜堂與盲拱廊及呈放射狀的小堂，東側的內景與主廊牆壁。

大廳與圓頂建築——法國中西部建築

　　法國西部的羅馬式宗教建築有兩個特點。一方面，大廳式教堂代表著一種不同於大會堂的新式教堂空間，其主廊和側廊具有相同高度，並在同一片屋頂下。另一種宗教建築的形式，則是受拜占庭風格宗教建築影響的圓頂式教堂。

　　多爾多涅省（Dordogne）的佩里格（Périgueux）保存著法國最大的圓頂教堂。聖夫龍（Saint-Front）修道院教堂興建於1120年燒毀的一棟舊建築遺址上，有五個呈正十字形的巨大圓頂，符合墓地式教堂的規劃，並受到威尼斯聖馬可（St. Mark）大教堂的直接影響。等長的四翼從主樓十字形的方形區域向四邊延伸，奉樞機主教塔列蘭（Cardinal Talleyrand）之命，東翼於1347年增建一間小堂。教堂的現有樣貌是十九世紀經過大規模過度修復後的結果。

　　豐特弗羅德（Fontevraud）修道院教堂代表著亞奎丹式（Aquitanian）圓頂建築的巔峰，單廊式教堂的中殿包含四個方形開間，每個開間都覆有圓頂，第五個較小的圓頂出現在交叉部。開間有支柱，每根支柱側邊都有兩根圓柱，上方是略呈尖形的橫拱，由此形成空間架構。中殿牆壁也運用同樣的建構原則形成雙牆。耳堂與唱詩班席的年代較中殿早，建成於1125至1150年間。

▽ **佩里格的聖夫龍修道院教堂**
1120年重建，東南側圓頂建築。

▷ **豐特弗羅德修道院教堂**
約十二世紀，東側的圓頂教堂內部。

奧爾奈

　　奧爾奈（Aulnay）的聖皮埃爾（Saint-Pierre）教堂是建於十二世紀左右的普瓦圖式（Poitevin）大廳式教堂，主廊與兩條側廊同高，兩個入口也符合普瓦圖式設計。西門也可以看作是主門，分成上下兩部分。三角牆主要是龐大的盲連拱，其雕塑已佚失，正門區域則包括主門與兩個側門。耳堂南翼的正門（見頁346-347）也分為上下兩部分，但只有三角牆區域分為主要與兩側的盲連拱。這間教堂的首要特點是建築雕塑豐富。由於拱邊內縮幅度大，不僅放射狀石塊構成的山牆末端有紋路，拱邊下方也有紋路。

◁△▽ **桑通省奧爾奈（Aulnay-de-Saintogne）的聖皮埃爾朝聖者教堂**
約十二世紀，東側的內景、中殿的人像柱頭、東南側外觀。

吉隆德河畔塔爾蒙

　　塔爾蒙（Talmont）小鎮臨近吉隆德（Gironde）河灣，飽受水患之苦。早在十四世紀，聖拉代貢德（Sainte-Radegonde）教堂的單廊中殿就曾被落石砸毀一部分，造成今日其中心式結構的樣貌。這間羅馬式教堂建於 1094 年，前身是一棟加洛林王朝的建築。現存的中殿開間與耳堂側翼帶有尖拱筒狀拱頂，耳堂上方覆有圓頂。兩間小堂連接著唱詩班席開間的外牆，入口在耳堂兩翼。北耳堂的大正門依循普瓦圖式教堂的前例，將牆分為上下兩部分；上部是分為七區的盲連拱，下部主要是正門本身，兩側是較低而細長的盲連拱。三道拱的拱邊、弧面牆，以及如飾帶般延伸至主門柱頭區域的側門盲楣樑，構成雕塑設計的空間。雕塑以各種方式表達其祛邪目的。

豐特貢博爾

　　1091年，隱士皮埃爾・德・雷托爾（Pierre de l'Étoile）在克勒茲河（Creuse）河畔的一間舊隱修地興建一間本篤會修道院，大教堂不久後也建成，但時隔半個世紀直到1141年才祝聖啟用。然而，與普瓦圖（Poitou）的地緣關係並未讓豐特貢博爾（Fontgombault）修道院教堂成為大廳式教堂，諾曼式建築的影響反而更明顯，促成了其長方形大會堂的形式。規模不大的西正面內是挑高主廊，兩旁是非常窄的側廊。主廊的挑高牆面最能突顯諾曼式建築的影響，高拱上

方是一條樓道，可通往以盲連拱構成的側廊樓。高側窗位於交叉拱頂的弧面牆。側廊貫穿耳堂，連接著唱詩班走道，從唱詩班走道可走入三個呈放射狀的小堂。

　　漸次升高的唱詩班席在周圍的襯托下顯得富有氣派。唱詩班席的兩個前開間銜接著耳堂，耳堂上方是長方形十字中心塔。唱詩班小堂兩側是東側唱詩班前開間的朝東小堂。

▽▷　▷▷ **豐特貢博爾本篤會修道院教堂**
約十一世紀晚期起建，1141年祝聖，東北方外觀，唱詩班席的內部與外觀。

諾曼第：法國羅馬式風格最早的地方建築學派之一

征服者威廉（William the Conqueror）能夠在1047至1060年間鞏固其公爵權力，主要與教會的復興運動有關。兩者都是由強大的主教所支持並推動，而這也顯現在十一世紀後半葉的宗教建築上，同時促使法國最早的羅馬式建築學派誕生。這個學派的特點是將凹室與樓道的壁面石塊重新詮釋為雕塑結構，並以此進行設計。貝爾奈（Bernay）是第一個運用這種設計的地方，此後在瑞米耶日（Jumièges）、康城（Caen）、萊賽（Lessay）等地繼續發展，最後於瑟里西拉福雷（Cerisy-la-Forêt）的前哥德風格中結束此牆壁設計。隨著1066年黑斯廷斯戰役告捷，諾曼第公爵威廉成為英格蘭國王，諾曼建築風格也隨之傳入英格蘭，並很快流傳至歐洲大陸並進一步發展，最後與哥德式建築產生共鳴。

貝爾奈

貝爾奈聖母（Nortre-Dame）教堂是最古老的諾曼教堂之一，僅有主廊、南側廊、南耳堂與唱詩班席的一部分留存至今。這座三廊式大會堂的所有廊道末端原本都位於後殿，另有兩個東耳堂後殿。分為三區的挑高主廊牆面包含一樓以橫樑支撐的大連拱，其橫樑則由半柱結構的柱頭支撐。上方側廊桁架的雙開口，顯示早期有樓道的規劃，其間有平壁龕。末端是高側窗。

瑞米耶日

瑞米耶日聖母修道院教堂公認是早期羅馬式諾曼建築的傑作，但也僅有遺跡留存至今。氣派的西塔位於前樓的兩側，此主要依照卡洛林王朝的西面塔堂形式，但也蘊含著羅馬式雙塔正面的影響。長形主殿分為四個雙開間，以柱及突出的半柱區隔，柱與柱之間的牆分為三區；底層是大型雙連拱與橫樑，上方為兩個三重連拱的樓道，最上方是敞亮的高側窗。主廊或許有木製覆頂，但側廊與其他廊道上方為以橫拱構成的交叉拱頂。

◁　▷▷ **瑞米耶日的聖母修道院教堂**
1040-1067年，西正面的雙塔與南側外觀。

▷ **貝爾奈的聖母修道院教堂**
約1015年及之後，朝東的主廊。

康城

幾乎在同一時期，康城的聖艾提安（Saint-Étienne）修道院與聖三一（Sainte-Trinité）修道院先後在1260年代落成，這是征服者威廉及妻子法蘭德斯的瑪蒂爾達（Matilda of Flanders）積善贖罪的方式。聖艾提安修道院教堂是男修道院教堂，這是繼瑞米耶日的教堂驚鴻一瞥，於圖爾尼首次建成（見頁292-293）後，再次採用雙塔正面的設計。聖三一修道院是女修道院教堂，也採用雙塔正面，不過後來的重建已使中央區域整個改觀。聖艾提安教堂的內部設計近似瑞米耶日的聖母教堂，但更進一步發展；廊區連拱與底層區域一模一樣的設計，使牆壁幾乎消失。1200年左右，唱詩班席的錯落設計被唱詩班走道所取代，唱詩班走道有七個呈放射狀的小堂，鄰接著四座塔。

▷▽ **康城的聖艾提安修道院教堂**
約 1060/1065-1081 年，拱頂建於1120年左右，唱詩班席建於十二世紀晚期。朝東的主廊，東南側外觀。

▽ **康城的聖三一修道院教堂**
約 1060/1065 年，西側雙塔正面。

瑟里西拉福雷

　　瑟里西拉福雷的聖維戈（Saint-Vigor）小修道院教堂直接承襲自位於康城的聖艾提安教堂之建築形式，將主廊上層設計為朝廊，進一步打破牆壁的設計。聖艾提安教堂的高窗牆側僅有一條小走道，聖維戈教堂則井然有序地安排了三連拱。

　　諾曼羅馬式建築的最終階段為傾向哥德式，此一發展可以從位於聖馬丹柏舍維爾（Saint-Martin-de-Boscherville）的聖喬治（Saint-Georges）修道院教堂觀察出。在這座教堂主廊上方的連拱旁也有兩條走道，但上層樓道化為兩組拱形，牆壁因此完全瓦解。

◁ **瑟里西拉福雷的聖維戈小修道院教堂**
約1070年～十二世紀初，東南側外觀。

▽ **聖馬丹柏舍維爾的聖喬治修道院教堂**
1114年以後起建，教堂及其十字中心高塔與修道院建築遺跡。

◁△ **聖米歇爾山修道院教堂**
十一世紀重建，唱詩班席建於哥德晚期，位於山
岩上的修道院外觀及羅馬式中殿。

聖米歇爾山

聖米歇爾山（Mont-Saint-Michel）修道院教堂位於布列塔尼-諾曼（Breton–Norman）泥灘中央的山岩上，絕佳的位置讓它從一開始就註定成為宗教儀式場所。因此十一世紀，從舊建築改建的新教堂成為不斷增建的修道院院區的一部分，此後又因應歷屆院長的宏願或朝聖者的需要，並加上位居高處曾遭雷擊，引起多場大火的因素，經過反覆修復與改建。例如，晚期哥德風格的唱詩班席建於十五世紀，中殿

是唯一從羅馬風格時期留存至今的部分，落失的東部區域在1020年左右進行重建，中殿於1060年左右重建，1084年完工。聖米歇爾山教堂承襲瑞米耶日的教堂風格，單開間的牆壁分為三區；底層為連拱，上方樓道有雙直欞，最上方之高側窗區覆有盲連拱。由於支柱較少變化，空間風格顯得十分統一。

327

英格蘭的羅馬式建築

1066年黑斯廷斯戰役大勝後，征服者威廉執掌英格蘭政權，為了鞏固權力，他將盎格魯－撒克遜主教與大修道院院長替換成自己身邊的神職人員。他們厲行一種階級嚴密的教會改革計畫，同時興建一批諾曼主教座堂。在這之前，英格蘭已可見羅馬式建築的蹤跡，但如今諾曼第建築的影響更巨，例如以新的設計比例與建築元素來擴張空間規模。

達勒姆（Durham）主教座堂起建於1093年，其三廊式大會堂是典型的諾曼建築表現之一。主廊由交替支柱構成，牆面分為三區，並有廊道與高側窗。不同於早先的假設，拱頂是1130至1160年左右才加上，主廊原本是木天花板。這座教堂不僅用來伸張諾曼政權，也是防範蘇格蘭的堡壘。

聖奧爾本斯（St. Albans）修道院教堂的中殿有十個柱構開間，末端是大幅突出的耳堂。然而，層次分明的連拱、開口甚寬且低矮的樓道、高窗牆側走道等，都有一種沉重古老的氣氛。寬敞的空間上方覆有木天花板。

至於位於伯里聖埃德蒙茲（Bury St. Edmunds）的羅馬式教堂，留存至今者僅有以往入口處的西塔，從其高大的規模，可以看出昔日身為堡壘的重要性。

△ 聖奧爾本斯主教座堂
約1075-1099年由康城修士保羅（Paul）起建，1115年祝聖，主廊。

◁ 達勒姆主教座堂
1093年起建，主廊的三區域「諾曼式」牆壁結構。

▷ 貝里聖埃德蒙茲早期修道院
1081年以後起建，入口大廳上方的高塔。

◁ **阿克雷城堡（Castle Acre）**
早期克呂尼小修道院，1089 年起建，教堂正面遺跡的局部。

△△ **伊利主教座堂**
1081 年以後起建，內部朝東一景、西正面。

▷▷ **諾里奇的聖三一主教座堂**
1096 年起建，教堂及十字中心塔外觀，教堂內部。

　　不過，貝里聖埃德蒙茲早期修道院的西正面，可以從伊利（Ely）主教座堂建築略窺一二。伊利主教座堂的卡洛林式西面塔堂元素與當時的羅馬式建築發展有關。高塔俯瞰著構成西耳堂入口的深長前廳，而西耳堂僅有南翼與兩座較小的塔保留至今。豐富的花草與幾何裝飾區隔出各個牆面。不同於如今已是遺跡的阿克雷（Acre）城堡等典型的英格蘭式盲連拱建築面，伊利主教座堂的圓拱形窗戶穿插在成排的低矮盲連拱之間，窗戶拱內面富於層次，並有柱條。長達十二個開間的中殿以橫向為主分為三區，細長的附牆支柱則從視覺上削弱了橫向分割，附牆柱也支撐著已毀損的木天花板。

　　位於諾里奇（Norwich）的聖三一主教座堂，其三開間唱詩班席與延伸至十四個開間的中殿，展現出英格蘭羅馬式建築的直長特徵。大會堂式的挑高主廊旁是兩條窄側廊，末端合為單廊，伸入寬闊的突出耳堂。牆面以康城的聖艾提安修道院為摹本分為三區，連拱建構出等寬而未區隔的廊道及側邊有走道的高窗牆。晚期哥德式的扇形拱頂由附牆柱支撐，其前身可能是十二世紀的木製筒形拱頂。

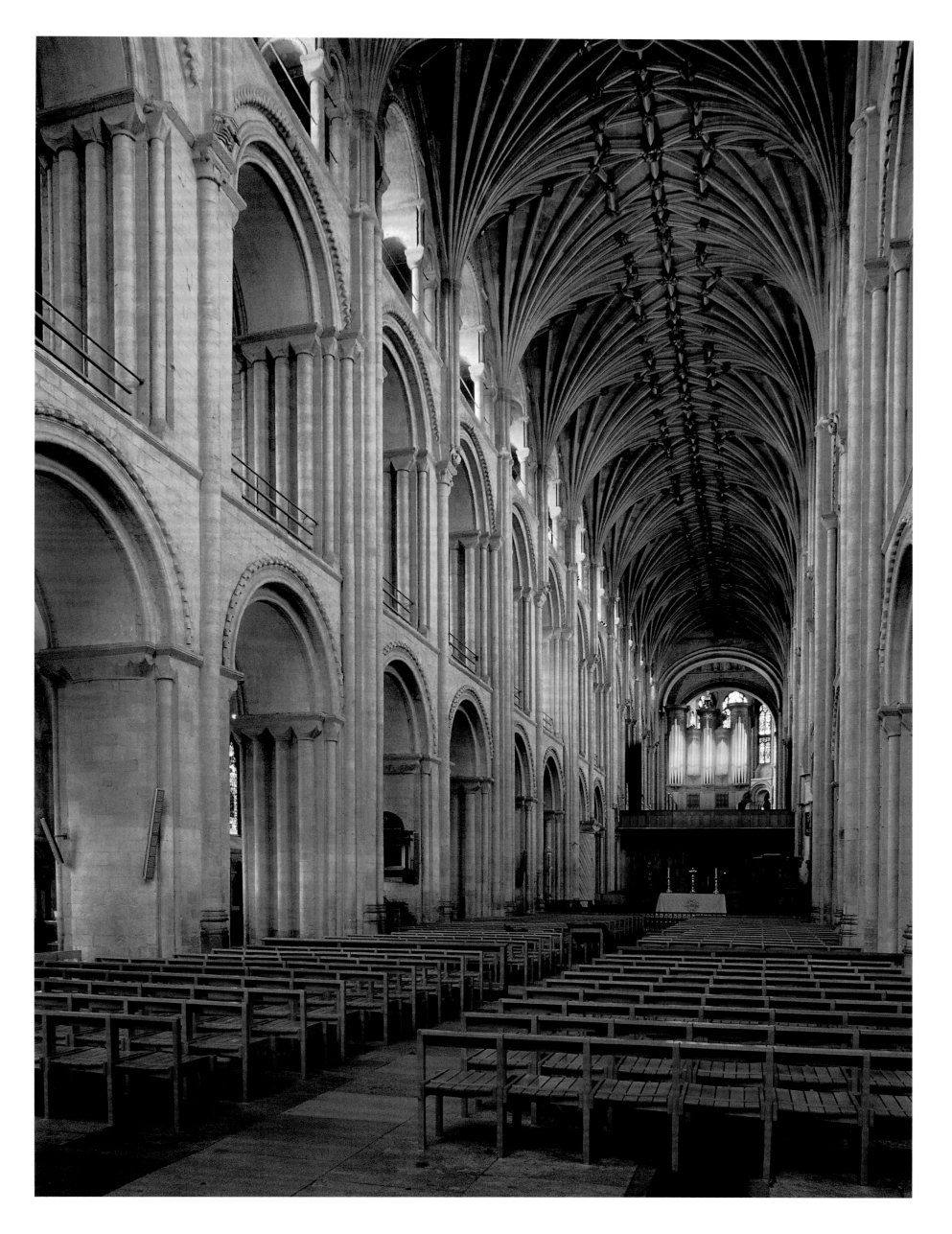

斯堪地那維亞的宗教建築：萊茵蘭與諾曼的影響及北歐異國情調

十二世紀初，丹麥尼爾斯國王（King Niels）與隆德（Lund）首位總主教阿塞爾（Asser）將一棟受盎格魯－撒克遜影響的十一世紀末單廊式教堂改建為新教堂。由於當地於1102/1104年成為大主教轄區，新教堂也必須滿足轄區需要，並有相應的規模。三廊式大會堂經過數個工程階段，自一開始就採用受萊茵蘭地區影響的連結設計與交替柱。1123年的第一次祝聖儀式是為地窖的主祭壇所舉行，地窖上方是唱詩班席與耳堂。建造地窖時，教堂西側也同時動

工，但因為政治動盪而一再中斷。1145年，第二位大主教艾斯基爾（Eskil）為教堂祭壇祝聖，可能也同時更動了其建築風格，賦予更多雕塑裝飾。唱詩班席後殿外觀顯現出萊茵蘭羅馬式建築的影響，西正面的源頭則可上溯至諾曼式雙塔正面。

丹麥凱隆堡（Kalundborg）的聖母教堂（Vor Frue Kirke）原本是一座城堡教堂，建於城堡山巔，以往有水圍繞。方形區域加上有前軹與唱詩班席末尾的等長四翼，形成其正十字

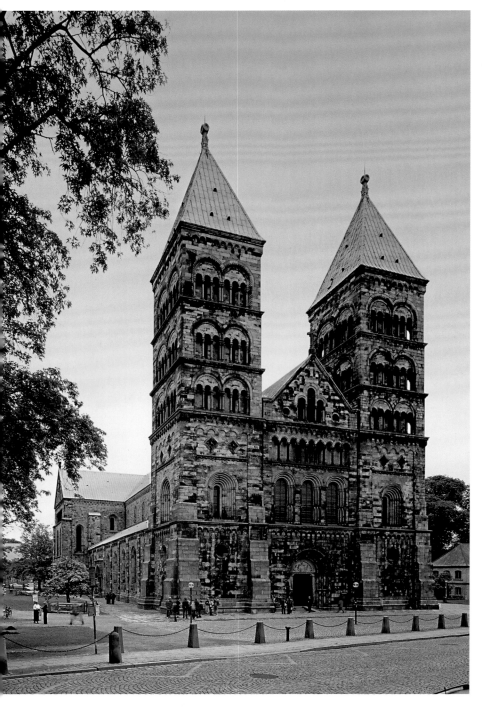

隆德主教座堂
十二世紀早期，1123年祝聖，西雙塔正面，東側外觀。

形平面。四翼筒形拱頂上方的四座多邊形塔可能是在1170至1190年間所設計，第五座方形塔於1827年倒塌，1867至1871年重建，當時也重新整列了塔尖。

斯堪地那維亞（Scandinavian）教堂的一種特殊形式是木構教堂，自維京時期（Vikings）起就是整個北日耳曼地區（North Germanic）的特色。十二世紀以後，石製教堂在丹麥與瑞典興而代之，但木構教堂在挪威的峽灣地形上仍有發展，如今也僅能在這裡看見。家屋的木造方式是以木製橫樑圍繞著直柱（挪威語稱為 stav）向上疊出架構；木構教堂則是以柱組成架構，再一步步建構空間，最後鋪建屋頂木材。烏爾內斯（Urnes）木板教堂的主空間四周是有支柱的木拱廊，柱頭飾有方格圖案。教堂外觀富於層次，屋頂漸次升高至頂端的屋脊角樓。

△ 凱隆堡的聖母教堂
1170-1190年，城堡教堂，十字形主樓與四座塔。

△ 烏爾內斯木板教堂
在典型挪威峽灣岸的教堂外觀。

▷▷ 博爾貢（Borgund）木板教堂
約1150年，四層教堂結構的內部與外觀。

家族與王朝教堂——
西匈牙利的晚期羅馬式建築

　　1000年聖誕節，聖斯德望（St. Stephen, 997-1038年在位）頭戴教宗西爾維斯特二世（Pope Sylvester II）贈與的皇冠，登基為匈牙利國王，阿爾帕德（Árpáds）王朝隨之入主馬扎兒地區（Magyars）。依父親吉扎大公（Grand Duke Géza）的期望，史蒂芬一世仿效西方建立一個基督教封建國家，讓人民受洗，並確立一系列主教職權。隨後興起的建築計畫採用當時風行歐洲的羅馬風格，史蒂芬一世自己就擁有不下十座主教座堂，此外還有許多地方教堂。然而，這批早期羅馬式建築多數已在火災及蒙古西征時遭毀。

　　亞克（Ják）聖喬治教堂是匈牙利最重要的晚期羅馬式宗教建築，為1214年亞克王朝的貴族馬丁（Márton）以當時王朝或家族教堂形式興建，隨著十二世紀貴族家族崛起，這些形式也廣為流傳。這些意在展示貴族權勢與財富的家族教堂，通常伴有一間本篤會修道院或普雷蒙特雷修會（Pre-monstratensian）小修道院。其特徵為兩座西塔中間有一個陽台，供貴族家族走去參加教堂儀式。亞克聖喬治教堂的三廊式大會堂曾因蒙古侵歐而中斷建設，至1256年才續建。西正面是一道氣派的凱旋拱門，其三角牆於壁龕層次上刻出基督與使徒像。

▽▽ **亞克的聖喬治教堂**
1214-1256年，西正門（俗稱使徒門）與西正面。

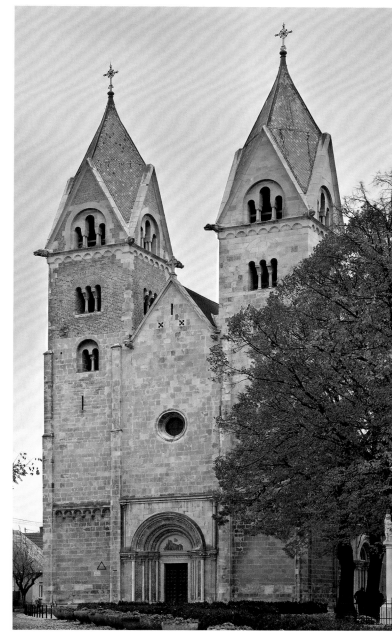

△△ 萊貝尼的聖雅各修道院教堂
十二世紀晚期，西北側外觀，西正面。

亞克教堂的範本來自萊貝尼（Lébény）的聖雅各（St. James）修道院教堂，這是最古老的匈牙利王朝教堂。焦爾王朝（Györ）的扎潘與帕特伯爵（Csépán and Pot）於十二世紀末建造這座三廊式大會堂，有兩座西側高塔與三個唱詩班席後殿，並於1206年祝聖。教堂於土耳其戰爭中嚴重毀損，原本的十字肋僅有西側留存至今，萊茵蘭式尖塔為十九世紀時修復的成果。

贊貝克（Zsámbék）位於西匈牙利布達佩斯（Budapest）的西邊，其最近代的晚期羅馬式家族教堂如今僅餘遺跡。教堂起建於1220年，原本為來自法國的埃納狄家族（Ainardi family）的教堂，但蒙古西征導致工程中斷，後來法國普雷蒙特雷修會以哥德早期的形式續建，最後於1258年祝聖啟用。儘管現存者僅有十字中心塔的部分遺跡，但建築的氣勢仍顯現出羅馬風格與哥德風格和諧融合的成果。

◁ 贊貝克已毀的晚期羅馬式教堂
1220年起建，1258年以哥德早期風格建成。

VII 第七章

教化與勸世

神聖空間的正門與其他圖像媒介

在前羅馬式建築時期，圖像幾乎全在教堂內部，而且大多是馬賽克畫或壁畫，但現在卻出現在教堂外部，並以浮雕形式為大宗。「榮耀基督聖像」的大型圖像以往都在後殿，但在羅馬式教堂卻出現在拱楣上。將正門上方的弧面牆當成一種新的圖像媒介，是羅馬時期最重要的發明。

教堂正門是從俗世空間跨進神聖空間的門檻，具有特別的重要性，無論是誰想進入教堂，都必須留意這層轉化。許多正門的中心主題為「最後的審判」並非巧合，提醒著信徒要確保自己能在另一個世界獲得救贖，也因此常見對於最後審判場景的壯觀描繪，在上帝身邊可以看見地獄與魔鬼的圖像。

雖然克萊爾沃的聖伯爾納鐸認為修道院區的圖像不該由具學識的僧侶繪製，但教宗額我略一世卻堅持要他們為不識字的廣大群眾作畫，並寫道：「繪畫對文盲的影響，一如書寫對識字者的影響，唯有經由繪畫，他們才能看出自己應該遵循的目標。因此，繪畫的首要之務是教化群眾。」聖經史、救贖之路，以及聖者的生平場景既出現在壁畫上，也出現在柱頭雕刻與灰泥浮雕上。

神聖空間的入口──從拱楣浮雕到正門人像

　　羅馬式正門設計最古老的一個例子，是位於魯西永區傑尼德豐丹（Saint-Génis-de-Fontaine, Roussillon）的聖傑尼修道院教堂的門楣，可能是一間庇里牛斯山的工作坊所製作，其華美盛大的展示在東庇里牛斯山區極為常見。飾有浮雕的凹槽刻有「1019-1020 年」的銘文；門楣上描繪天球中的榮耀基督聖像及其杏仁狀光環，身旁圍繞著天使，兩側各有三尊使徒雕像，其輪廓因應著建築結構決定，顯示建築與雕刻尚未能充分調和。

　　與聖傑尼修道院教堂的門楣雷同，位於泰克河畔阿爾勒（Arles-sur-Tech）聖瑪麗修道院教堂（Sainte-Marie-de-Vallespir）正門的榮耀基督聖像也屬於建築結構的一部分；榮耀基督聖像位於十字架中，四周環繞著福音書作者的象徵，可能也由同一間工作坊製作。雕飾甚少的砂岩製拱形在勃艮第進一步發展，成為羅馬式雕塑最著名的主要圖像媒介。早期庇里牛斯山地區的正門設計僅為工作坊小型作品的加大版，但位於教堂拱楣上杏仁狀光圈中的榮耀基督聖像，卻有大型雕像的風範。這類雕像最早約於 1090 年出現在沙爾利厄（Charlieu）的早期聖福蒂納（Saint-Fortunat）小修道院正門，二十年後，它不僅傳到克呂尼，更在羅馬式正門雕塑中留下豐富遺產。

▷ **泰克河畔阿爾勒的聖瑪麗修道院教堂**
弧面牆上的正十字、榮耀基督聖像與福音書作者象徵，約十一世紀前半葉。

△ **聖傑尼德豐丹的聖傑尼修道院教堂**
門楣上的基督、天使與使徒，1019/1020 年，大理石。

▷ **沙爾利厄的聖福蒂納小修道院教堂**
西正門拱楣上的榮耀基督聖像與天使，約 1090 年。

羅馬式正門為一種藝術媒介的概念在克呂尼成形，並首次在穆瓦薩克（Moissac）充分實現。東唱詩班席後殿圓頂的榮耀基督聖像被移至南正門——不然就是西正門——最醒目的位置，置放在拱楣的中心，形成整座教堂面對外界的表徵。基督身為世界的審判者，與聖約翰的天啟景象相連結，因此他身邊圍繞著啟示錄提到的四種生物，兩側與楣樑上方也有啟示錄提到的二十四位長老。教會代表著天堂的階級秩序，面對塵世的混沌與邪惡時時帶來的威脅。

穆瓦薩克的聖皮埃爾（Saint-Pierre）修道院教堂
南正門與入口中柱的東側細部：先知耶利米像，
1120-1135年。

奧爾奈德桑通的聖彼埃爾朝聖者教堂
南耳堂正門拱緣豐富的人像裝飾，1130 年以後。

正門拱緣裝飾

　　相對於勃艮第的正門拱楣，法國西部發展出了一種捨棄弧面牆的正門，將雕刻裝飾集中於拱緣上的設計，圖像系列的大小因而較為限縮。奧爾奈德桑通（Aulnay-de-Saintoge）的聖皮埃爾朝聖者教堂（Saint-Pierre-de-la-Tour），其南

耳堂正門布滿雕像的四層大拱緣，咸認是法國西部正門藝術中的重要作品。裡層拱緣是一圈交織著動物的莨苕葉飾，其中有些是人頭動物身；第二層拱緣有二十四位頭頂光環的人像，手裡拿著酒杯與書，可以被視為使徒或先知，第二與第三層的每個人像腳下都有一個代表擎天神的人物給予支撐；第三層的人像是啟示錄中二十四位長老的坐像，他們的冠

冕、手上的樂器與容器說明著各人的身分。由於人像呈輻射狀排列於石拱上，他們也構成拱形的結構元素。出於拱緣逐層加大的需要，第三層人像通常必須增加至三十一位，偏離其原先的數目。

第四層，亦即最外圍的拱緣，出現了各種動物像與人像，意義則尚待解釋。舉例來說，邊緣的吞人怪獸可能有祛邪的

功能，帶著樂器與號笛的驢可能是勸世意味較濃厚的永生象徵。整組雕像外圍還有一圈環狀盤飾，動物們一隻緊接著一隻，從兩側向中間奔跑。

聖特斯

　　聖特斯（Saintes）的聖瑪麗修道院教堂（Sainte-Marie-des-Dames）正門也以法國西部的正門拱緣為範本，並捨去拱楣。側柱與側柱緣支撐著主要與中介拱緣，拱緣也延伸到如飾帶般呈梯狀的柱頭區域。整體規模縮小的圖像以頭尾相接或輻射狀的方式交錯於拱形上，其中代表性雕像以固定造型一再重複。

◁▽ **奧爾奈德桑通的聖皮埃爾朝聖者教堂**
南耳堂正門的拱緣細部。

▷ **聖特斯的聖瑪麗修道院教堂**
正門拱緣細部，約1140年代至1170年代。

雕塑設計的寬廣天地——
從正門牆壁到建築面雕塑

里波（Ripoll）是個加泰隆尼亞小鎮（見頁179-180），當西班牙學者佩卓・德・帕洛爾・薩勒拉斯（Pedro de Palol y Salellas）將里波聖母修道院正門的裝飾性門面形容為「基督信仰的凱旋門」時，他心中想到的可能是影響其建築形式的古典範本。古典式凱旋門不僅用來表現教堂正門設計的適切架構，也為圖像設計提供了寬廣多樣的發揮空間。

在德國，這些設計絕大多數集中在弧面牆與帶門楣與柱頭的有柱正門上。由於底座寬闊的裝飾性建築正面極為少見，因此雷根斯堡（Regensburg）的聖雅各與聖潔如（Sts. James and Gertrude）教堂的北門門面被視為特例。這種設計又稱為蘇格蘭式大門（Schottenportal），其正門設計明顯受到古典凱旋門的影響，為十二世紀德國最精緻的正門作品。以半圓拱形正門為中心發展的裝飾性建築面和北側邊廊等高，圖像似乎略有異國情調；而事實上，直到今日我們才完全理解其內涵。東牆下部可以認出寶座聖母子像，周圍交雜著各種混種生物、動物與植物；其他人物像身分不明，在第二個風口處跪著支撐廊拱的人物像尤其難以辨認身分。只有牆壁末端中上部位的一小排人物像可以看出是基督與使徒們。

◁里波的聖母修道院教堂
正門牆壁，約十二世紀中。

△雷根斯堡的蘇格蘭教堂（聖雅各與聖潔如教堂）
北正門，約1180-1190年。

353

△加爾省的聖吉爾修道院教堂
教堂西面，約1130年代至1150年代。聖吉爾（加爾省）
是南法朝聖路線土魯斯古道通往聖地亞哥‐德‐康波斯特拉
的中介點。

▷加爾省的聖吉爾修道院教堂
中央正門的南斜面，獅像上方：聖雅各（Sts. James the Greater）與聖保羅；上方飾帶：猶大之吻。

聖吉爾

　　古典式凱旋門在普羅旺斯與義大利本國的進一步發展，比在西班牙或德國來得自然。同時，建築與雕塑在加爾省的聖吉爾修道院教堂正面中的完美交融，在羅馬式藝術中也十分獨特。在兩座長方形塔中間，底座寬闊的建築正面有三扇正門，中央正門較高且寬，並有一條門中柱。刻有多位人像的飾帶橫貫整個結構正面，其設計複雜而富於層次，並在側大門的門楣處下降一級。這是中古世紀第一件、也是最複雜的「基督受難」（Passion）主題雕塑。真人尺寸的使徒雕像

幾乎就像基督受難事件的見證人，站在三門中間牆壁的長方形壁龕與中央正門的側柱上，然其中有些人的形象已難以辨認。中央正門拱楣上的榮耀基督聖像是十七世紀的重建雕塑；南側正門呈現未包含在「基督受難」主題中的十字架釘刑圖像（Crucifixion），並以凱旋十字架為造形；北側正門拱楣的圖像則是在三賢士與約瑟之夢（Joseph's Dream）圍繞下的寶座聖母。

△△ 加爾省的聖吉爾修道院教堂
西面，中央與南正門之間的牆壁，飾帶：彼拉多
（Pilate）面前的基督、受鞭打的基督。

△▷ 加爾省的聖吉爾修道院教堂
西面，中央正門，門楣飾帶：耶穌替門徒洗腳；
南斜面飾帶：猶大之吻。

阿爾勒

　　依據鄰鎮聖雷米（Saint-Rémy）所保留的傳統，阿爾勒（Arles）的聖托菲姆（Saint-Trophime）主教座堂具多人雕像的正門遵循古典式凱旋門單一拱形的設計。彷若獨立三角牆的正門設計明顯採用了聖吉爾的範本，走上一段階梯，才會抵達教堂西面的正門。正門兩側邊牆上各有三條圓柱及刻有圖像的柱基，立於抬高的基座上；在圓柱圍起的區域中，北方外牆的櫃式壁龕內是聖雅各與聖巴多羅買（St. Bartholomew）的雕像，南方外牆的櫃式壁龕內是小聖雅各（St. James the Less）與聖腓力（St. Philip）的雕像，兩側柱子的中央則是教堂守護者聖托菲姆的雕像及聖斯德望遭石擊像（Stoning of St. Stephen）。正門各層由一條連續的飾帶貫穿，內容為連續而工整的人物像，邊牆則有拱緣裝飾。

阿爾勒的聖托菲姆主教座堂
西面及正門整體，約1170年代至1190年代。

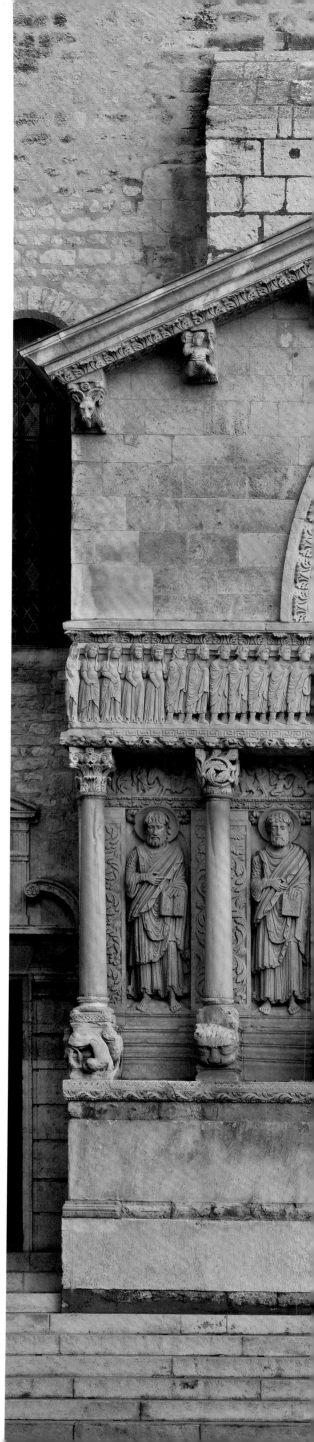

菲登扎

十二世紀晚期，在紀念聖多尼諾（St. Donninus）、幾個世紀後被稱為菲登扎（Fidenza）的地方，一棟較老舊的朝聖者教堂被改建為新教堂，其建築是以摩德納主教座堂為範本興建。正面的三扇正門直接承襲普羅旺斯的聖吉爾修道院教堂的形式，有圓柱的教堂前廳與半圓形凸牆則體現北義大利的影響。浮雕飾帶與真人尺寸的人像同樣源自聖吉爾教堂與阿爾勒的聖托菲姆教堂。

這間教堂的正面雕塑沒有統一形制，中央正門旁的兩尊先知雕像顯然與彼此相關，史學家認為這是十二與十三世紀之交義大利最重要的一位雕塑家——班奈德托・安特拉米（Benedetto Antelami，約 1150 年以前－1210/1215 年）

——最早的已知作品，可能作於 1175 年。這是中世紀義大利已發現且最早的獨立大型壁龕雕塑，表現出一種新的人像理想；不再以建築結構為支撐，而是為人物本身獨立塑像。同時，人像雙腳平站在基座上的角度，使得雕像呈塊狀，而朝內的手勢更加深了塊狀感。不直視前方的頭往側偏，讓我們看見傳達其內心情感的面部表情。先知們雙眼圓睜，眼球虹膜清楚可見，投射出的目光引領教堂觀者走進正門。更重要的是，我們得以將先知像視為雕塑作品。而此時的雕塑家們正邁向哥德藝術。

△ **菲登扎主教座堂**
西面，中央正門與兩扇側正門設計，以聖吉爾為範本，約 1175 年。

▷ **菲登扎主教座堂**
正門局部：中央正門左右兩側牆壁與壁龕先知像，場景描繪聖多尼諾的生平事蹟。

斯波萊托城外聖伯多祿大殿
建築正面，外觀與主正門左側浮雕，上兩幅圖像描繪正直者之死與女罪人之死，約 1220-1225 年。

斯波萊托

　　位於斯波萊托（Spoletto）城外聖伯多祿大殿（San Pietro fuori le mura）的特點，在於其建築正面、尤其是中央正門周圍豐富的浮雕設計。入口四周有莨苕葉飾，兩側為多層次拱廊，馬蹄形弧面牆布滿科斯馬蒂風格（cosmatesque）的馬賽克裝飾，帶狀裝飾的上方則有鷹像。

　　正門兩側的壁面被限制在延伸至三角牆的壁柱條中間，兩壁各有五個敘事性的浮雕鑲板，描繪著聖經場景與動物寓言。例如，左上方描繪聖伯多祿為一位悔罪者鬆開枷鎖，因

而激怒了一個痛失人類靈魂的惡魔。第二個浮雕描繪不知悔悟的罪人受惡魔折磨，頭被塞進桶子，但天使視而不見；天使的衣服縐褶可見倫巴底雕塑的影響，特別是班奈德托·安特拉米的影響。右手邊牆面上端是洗腳圖像，接著是使徒彼得與安德烈聽見基督叫喚的圖像。兩側牆面都描繪了狼與獅子的動物寓言，其中獅象徵基督信仰的價值，例如神恩與正邪之戰。

普瓦捷

　　普瓦捷（Poitiers）聖母大教堂（Notre-Dame-la-Grande）西面的大量雕塑設計，表現出亞奎丹（Aquitaine）地區部分教堂的特徵。建築最外側是高大的牆角柱塔，正面分為上下兩層；下層正門與盲拱廊採用三廊道式建築的主題，上層再分為仿若石棺牆的兩部分，只有三角牆才較清楚顯現出桶狀拱頂的剖面。

　　然而，這棟教堂最特殊的一點是缺乏拱楣，這意味著正門和兩側盲拱廊的雕塑裝飾全集中在拱形的曲線上。表現聖經歷史場景的人物浮雕都位在牆壁的三角穹窿上。

普瓦捷聖母大教堂
西面，外觀與描繪聖子沐浴的局部，約十二世紀中。

△ **錫夫賴的聖尼古拉修道院教堂**
西面，上下兩層各有三個大致等寬的拱廊，十二
世紀後半葉。

▷ **安古蘭的聖皮埃爾主教座堂**
西面，上層中央拱廊，以榮耀基督聖像形式描繪
基督升天場景，約 1115－1136 年。

錫夫賴

位於錫夫賴（Civray）的聖尼古拉（Saint-Nicolas）修道院教堂，其建築正面以普瓦捷教堂為範本，底座寬闊，西面分為上下兩層，各層再分為三個等高的拱廊。正門兩側有盲拱廊，盲拱廊內各有一個雙盲拱廊，上層的中央拱廊則包含一扇窗戶。兩側的盲拱廊為雕塑提供了空間，不過左方的騎士雕像已佚失。右方的拱形內是四尊福音書作者像，底下是具敘事風格的教堂守護聖者浮雕。所有拱形都飾有大量雕塑，但拱楣是十九世紀添加的仿冒品。

安古蘭

安古蘭（Angoulême）的聖皮埃爾主教座堂風格接近亞奎丹的圓頂建築，建築正面則以普瓦捷教堂為範本。複雜的圖像設計串連著「基督升天」與「最後的審判」主題，達到羅馬式建築正面雕塑的巔峰。建於 1115 年與 1136 年間的這座教堂，交織著兩種時代概念，以及兩種日後逐漸盛行的風格。中央描繪福音書所述基督升天的那一刻，圍繞著祂的福音書作者象徵及其他人物，則顯示祂預言自己將在最後審判中再度降臨。

末日的最後審判——羅馬式正門的中心主題

末日是最後的審判，基督將再次降臨。這是羅馬式正門的中心主題，通常會於拱楣中央描繪基督登位進行審判。

歐坦主教座堂的重要性，主要在於其不同凡響的柱頭雕塑及正門的「最後的審判」主題雕塑。拱楣中央的基督站在杏仁狀光圈中，四周圍著天使，祂的手向兩側攤開，兩側又各分為兩個區域。基督的右邊是帶著祈求手勢面向祂的八位使徒，聖彼得守在通向天上耶路撒冷的入口；上方的聖母坐在寶座上，兩位使徒在她對面看著審判進行。基督左邊描繪靈魂接受秤重的場景，是羅馬式雕塑中最戲劇性的表現。大天使米迦勒身形頎長，身上的絲衫刻劃細膩，

對面是一群瘦骨嶙峋、帶著邪笑的地獄惡鬼。米迦勒為善行秤重，藉以權衡出惡行的重量。楣樑上是獲得救贖與落入地獄的靈魂行列，在他們上方、世界審判者下方，雕塑家刻上了自己的簽名：「吉勒貝杜斯所作（GISLEBERTUS HOC FECIT）」

若不是因為 1766 年「最後的審判」遭灰泥封住，它絕對不可能躲過務求破除偶像的法國大革命。這件雕塑直到 1836 年才被重新發現，1860 年才修復完成。

△ 歐坦的聖拉札爾主教座堂
主正門拱楣與拱邊飾，拱楣：最後的審判；拱邊飾：
月令與黃道十二宮符號，1130-1145 年。

▷ 最後的審判
拱楣局部，描繪秤重靈魂的場景，底下門楣刻劃
落入地獄的靈魂（截圖）。

...REVS ALLIGAT ERROR : NAM FORE SIC VERVM N...

STAT XPISTO IVDICE LET
VMILITAS
TIS ELORIA PAX REQVIES

SANCTI BVM CETVS STAT
SIC ATVR ELEC
ADELLI GAVDIAV CTIS EL
OPE CLATORES TRANSMVTETIS NISI MOR

△ **孔克的聖佛依修道院教堂**
西正門,拱楣中央的基督為世界的審判者,局部細節為獲得救贖的靈魂,1130年代至1150年代。

▷ **最後的審判**
拱楣局部,天使在天堂之門(左)迎接獲得救贖的靈魂,惡魔將被判入地獄的靈魂趕進地獄血口(右)。

孔克

「最後的審判」最令人印象深刻的呈現,出現在奧弗涅地區孔克的聖佛依教堂的拱楣上。在中央,光環中的基督登座審判,兩手分別指向右上與左下,分別代表救贖與天譴兩個對立世界,兩個世界又各自位於兩層。天使隨侍在基督左側,聖母、聖彼得與一位俗世帝王則在基督右側,後方是更多聖者。分界線由基督身後的十字架垂直柄開始,將拱楣一切為二。審判主題的底下是靈魂秤重的場景,再下方描繪天

堂與地獄之門。聖者接待獲得救贖的靈魂，引領他們進入天上耶路撒冷，亦即兩兩成對的聖者所置身的拱廊，聖者中央是亞伯拉罕；另一邊，被判入地獄的靈魂被迫通過地獄血口，後方擔任判官的惡魔在這一層及上一層施加地獄刑罰。傲慢與淫亂等人類之惡在這裡遭受懲罰，一位濫用聖職的主教便出現在這裡。

聖佛依教堂拱楣的另一個特點是獲得保存而殘留的諸多顏料痕跡，這顯示這幅圖像對前往聖地亞哥 - 德 - 康波斯特拉的朝聖者確實頗有影響，格外豐富的地獄細節及諸多銘文，讓提供每個俗世罪人末日的想像以及末日之後能夠懷有何種期待。

KREQVIES PERPETWSPDES

S SECVRI NILMETVENTES

VMDVRVMVOBISSCITO

PENIS IN[ ]VSTI/ERVCIATVR

EVRGS COENDAGES FA[

[ ]VTVRVC

多爾多涅河畔博利厄的聖皮埃爾修道院教堂
南正門，拱楣：基督再臨與最後的審判；門
楣：惡魔般的生物，1130-1140年。

多爾多涅河畔的博利厄

　　位於多爾多涅河畔的博利厄（Beaulieu-sur-Dordogne）聖皮埃爾修道院教堂的南正門於十二世紀最後三十年完工，周圍是很深的前廳。不同於歐坦與孔克等地教堂的拱楣，在聖皮埃爾修道院教堂的最後審判圖像中，基督無光環，也無寶座，雙臂也未如審判者般分指天堂與地獄，而是呈十字架狀，手上可見聖痕。也因此，兩位天使在祂身後支撐著十字架，祂左側後方的另一位天使則展示十字架上的釘子。換句話說，這幅圖像呈現的並非「最後的審判」，而是在最後審

判前的「基督再臨（parousia）」，因此基督身邊才會有兩個吹號的天使。此外，審判者的冠冕在使徒聚集觀看審判的那一刻，才由天使帶來。他們腳下是圍聚的罪人，有些人還從墳墓中起身。兩層楣樑的下層有惡魔般的生物，包括啟示錄所提到的七頭怪獸；上層中央有兩個面對面的有翼混種生物，牠們身後的兩個人被從地獄血口出現的野獸吞噬。這是整幅圖像中意義最模糊的細節，因為似乎牴觸了基督再臨的主題。

班貝格主教座堂的君王門
正門與描繪「最後的審判」的拱楣，約1200-
1224/1225年及之後。

班貝格主教座堂的君王門

　　班貝格（Bamberg）主教座堂的北正門（Prince's Portal），即所謂的君王門，最醒目的特徵是多梯狀的側柱，大門兩側各有十一條圓柱。圓柱中央偏上方有一段桶狀飾帶，再上方的雙柱以人像（或說雙人像）替代柱條，主角是十二使徒，各站在一位先知的肩膀上。從班貝格主教座堂的雕塑，可以辨認出兩間工作坊的作品，其中一間較早參與雕塑製作，約在1200至1224/1225年間，但完成右手邊側柱裡側的三對人像之後就消失了；不久，據推測由來自蘭斯（Reims）的工作坊接手，首先完成的作品便是右手邊側柱的其他人像。

　　拱楣上主要的設計由早先參與的工作坊完成並開始動工，但是由後來的工作坊接手完成。然而，人像表情的設計概念已大幅更動，變成直接對觀者說話。栩栩如生的詮釋使得情感表達更富感染力，近似早先法國哥德風格的正門表現。獲得救贖者掩不住心中的欣喜，落入地獄者則遭惡魔以鐐銬束縛，悲傷與懊悔扭曲了臉上的表情。就和其他教堂一樣，基督的角色在這裡也出現轉化，祂不再以審判者之姿出現，引人注目的傷口突顯出祂也是救世主。

　　正門右手邊的猶太教寓言人物像，顯示雕塑家們已達到自然擬真的技巧高度。這是十三世紀最精緻的雕塑作品之一。

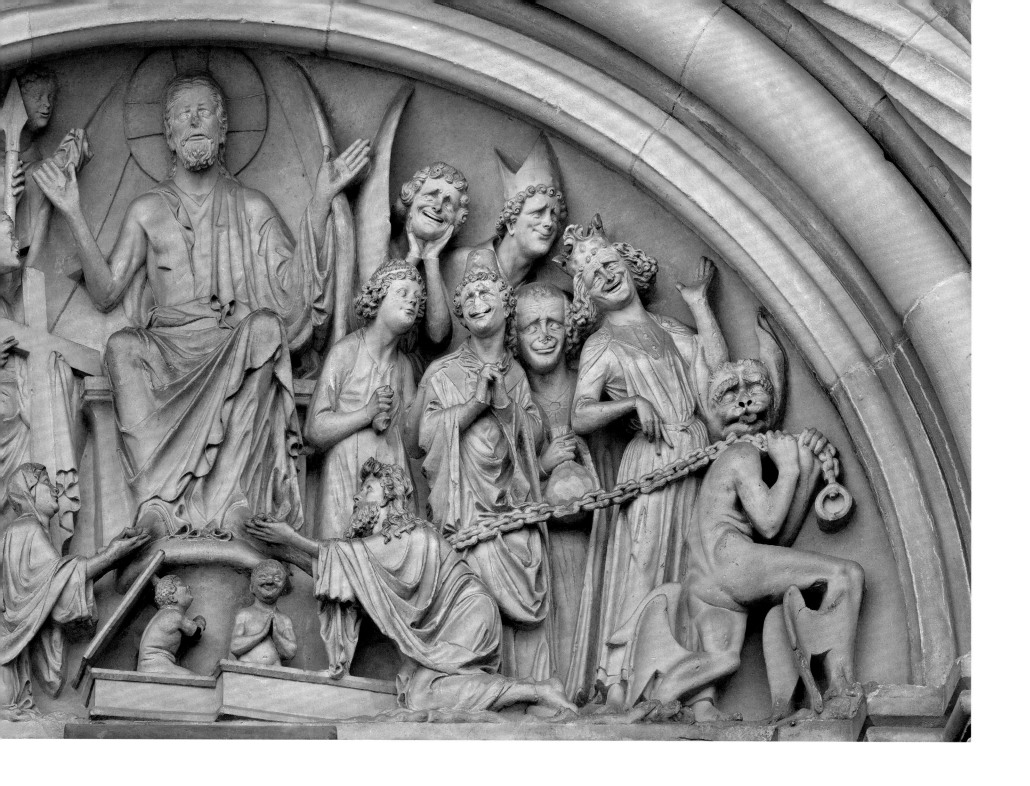

▷ **拱楣：最後的審判**
班奈德托 · 安特拉米所作，1196年以後，帕爾瑪洗禮堂西正門。

▷▷ **大理石浮雕：卸下聖體**
班奈德托 · 安特拉米所作，1178年，110×230公分，帕爾瑪，聖母升天主教座堂。

班奈德托 · 安特拉米的作品

「最後的審判」主題鮮少出現在義大利，首次出現是在帕爾瑪洗禮堂，顯然是以法國教堂為範本。拱楣中央的基督坐在寶座上，上半身半裸，舉起的手臂現出聖痕，天使從旁帶來「基督的武器」（Arma Christi），即讓基督受難的刑具。聖保羅從靠內的左手邊角落出現，觀察審判過程的其他使徒們則散布在上方拱框內，穿著典禮服飾的兩位天使在拱框頂端吹號。楣樑中，獲得救贖的靈魂從左方出現，落入地獄的靈魂從右方出現，兩列隊伍分別向中央吹號的天使前進。

不同於法國教堂，雕塑家班奈德托 · 安特拉米避免戲劇性的情感渲染。「最後的審判」的勸世內容突顯在門側柱浮雕上，左邊表現出慈悲能夠鼓勵人向善，右邊則藉由葡萄園工人的寓言指出審判者的仁慈。

帕爾瑪聖母升天主教座堂的聖壇屏或布道壇一部分的大理石浮雕，是安特拉米最早的已知作品，作品上有雕塑家的簽名與「1178年」的標示。「卸下聖體」的場景上方與兩側皆有以平面烏銀鑲嵌的寬莨苕葉飾；特別的是，這個場景也延伸出「基督受難」的主題——舉例來說，日神與月神就是與基督受釘刑有關的指涉。直頂框架上端的十字架位在中央，將圖像分為兩區塊。這幅多人場景的對稱設計使得浮雕向外突出，其中包含許多聖經指涉。這麼做的目的是希望透過基督的中心角色，促進教會統一。

ANNO MILLENO CENTENO SE

SALOME MARIA

正門建築的其他圖像主題與特點

位於巴塞爾（Basel）的聖母（Virgin Mary）主教座堂北耳堂的聖加祿門（Galluspforte），是德語世界中最早有大型側柱人像的正門，其名字來自 1272 年以後北耳堂留有記載的聖加祿祭壇。由於具羅馬式建築特徵的正門區域約莫自 1200 年起就歷經多次修復與改建，留存至今者僅餘拱楣的上半部與側柱人像。

拱楣中央是左手打開生命冊的寶座基督，右手的十字架為後人添加。使徒聖彼得從基督的右手邊走來，身後跪著一位捐獻者；左手邊是以引見的手勢帶領一男一女走上前的聖保羅。楣樑中，明智與愚蠢的少女們指涉著最後的審判。兩位天使在最上頭的聖龕中吹號，宣布死者復活，聖龕刻劃著種種慈悲之舉，施洗者聖約翰（左）與聖斯德望（右）的雕像位於天使下方。側柱裡是頂著其象徵符號的四位福音書作者立像。正門最上方是突出的柱頂楣構及一條棕櫚葉飾帶。

福音書作者的服飾顯示出勃艮第風格的影響，但取法對象不明；正門框近似貝桑松（Besançon）主教座堂的黑門（Porte Noire），這座古典凱旋拱門是這間城外教堂舉行遊行時，行經的地點之一。

△▷ **巴塞爾的聖母主教座堂的聖加祿門**
正門、拱楣與門楣外觀，約1200年。

▷▷ **聖加祿門原羅馬式結構的斜面牆人像**，約1200年。

奧洛龍的聖瑪麗教堂
西正門，內拱緣外觀與局部：騎士雕像與獅吞人
像，約1130年代至1150年代。

奧洛龍

在亞奎丹小鎮奧洛龍（Oloron）保存至今的兩座羅馬式教堂中，聖瑪麗（Sainte-Marie）教堂因為其三階式正門而較受重視。其正門雕塑因為覆蓋在一層灰泥底下，直到十九世紀才重見天日，所以躲過了反偶像崇拜的法國大革命；後來為其大拱楣增建的兩個小拱楣，也未遭到阻礙。垂直排列的十二條大理石板以淺浮雕描繪「卸下聖體」場景——風行於庇里牛斯山地區與北西班牙的主題，並以日神與月神將主題延伸至對時間盡頭的描繪。結合基督形象與字母的圖像形成十字架中軸，底下的動物表現出其中心主題，即基督信仰戰勝異教信仰。

拱邊飾的雕刻層次非常不同，外拱緣是啟示錄二十四位長老的一排坐像，中央拱緣以令人吃驚的樸素手法描繪當地以

豬肉及鮭魚準備宴會的傳統，用來指涉聖經中的婚宴寓言（馬太福音 22, 1-14）。內拱緣與外拱緣的黃石色彩，明顯有別於中央拱緣採用庇里牛斯山大理石的淺灰色。學者雷格勒（R. Legler）認為，這表示法國南部建築不認為有必要使用更多色彩。令人意外的是，拱邊飾尾端左側的野獸與右側的騎士都是全身像；藝術史學者認出騎士的身分是貝亞恩的子爵加斯東四世（Viscount Gaston IV of Béarn），隨十字軍東征返國後，他仍持續對抗薩拉森人，門中柱底下被鍊在一起的兩人，就是薩拉森人（見頁91）。

蘇亞克

　　蘇亞克（Souillac）聖瑪麗（Sainte-Marie）修道院教堂的重要性，首先來自其羅馬式雕塑。原始正門在胡格諾派（Huguenot）戰爭期間已毀損大半，現存遺跡已融入內側西牆。正門上方的浮雕刻劃西奧菲勒斯（Theophilus）的傳說，他被逐出教區的副主教職位，因而與魔鬼締約。兩個相鄰場景分別刻劃與魔鬼締約及被魔鬼擒住的西奧菲勒斯，上方則描繪身為此教堂守護者的聖母從天而降，將契約書從已悔悟而熟睡中的西奧菲勒斯房裡取走，以破壞這份契約。這件浮雕兩旁是大於真人尺寸的聖本篤與聖彼得雕像，浮雕本來可能是正門邊牆的一部分。

　　已毀損正門的門中柱，充分展現其驚人的雕塑表現力。左側刻劃天使從天而降，阻止以撒（Isaac）的犧牲；外側表現吞噬人並彼此廝咬的野獸，對稱的構圖削弱了若干兇殘氣息。混沌與秩序分庭抗禮，相持不下——這是羅馬式藝術中的常見原則。

　　先知以賽亞的雕像被認為是羅馬式藝術的傑作。他雙腿交叉，彷彿正跳著舞，手臂與頭擺動的姿態加深了此種印象，髮絲與長袍生動自然，益加突顯受神靈灌注的先知接近心醉神迷的狀態。

◁ **蘇亞克的聖瑪麗修道院教堂**
內側西牆浮雕：聖母從天而降，拯救僧侶西奧菲勒斯；左為聖本篤像，右為聖彼得像，約1120-1135年。

▷ **蘇亞克的聖瑪麗修道院教堂**
門中柱：亞伯拉罕獻祭（左）與幻獸群（右）及先知以賽亞像，皆位於教堂西牆內側，約1120-1135年。

希爾德斯海姆主教座堂的西正門
青銅雙門外觀及描繪新約與舊約故事的浮雕；右
扇門獅頭門環的上方描繪獻聖子於聖殿，逐出伊
甸園的主題則描繪於相對的左扇門，1015年，
約472×113公分。

聖經故事與聖徒傳說——
青銅門與木門上的豐富敘事

宗教建築的正門扮演著特殊角色，開啟並關閉神聖空間。信徒必須通過門進入教堂，門上圖像因而陪伴在左右，而聖經故事的描繪便能展示基督身為救世主的事蹟。

中古世紀最古老的一扇刻有連續圖像的門，位於希爾德斯海姆（Hildesheim）。依據其1015年的銘文，貝爾恩華德主教（Bishop Bernward）下令為聖米迦勒修道院教堂或直接在當地主教座堂裝上這扇門。其左右翼各分為八部分，從下到上依序描繪左門的舊約故事與右門的新約故事；雙門場景的象徵互為對照，例如該隱（Cain）弒弟對照著天使報喜，藉以指出新約中人類獲得基督救贖的事件。

就各方面來說，這扇所謂的貝爾恩華德門（Bernward's Door）是當時的藝術傑作。單是其青銅鑄像的規模，就展現了全新的技術成就；此外，涵蓋淺浮雕、半浮雕與獨立雕塑細節的設計也值得一提。雖然可以看出其風格範本來自當時的小型雕塑與書籍插畫，但這扇門的雕塑家成功發展出了一種新的敘事情節構圖，心理刻畫十分動人。

格涅茲諾

格涅茲諾（Gnesen）主教座堂南正門的青銅門板，是用來紀念波蘭的守護聖者聖阿德爾伯特（St. Adalbert）。圖像敘事從左門底端向上發展，反向描繪聖者生平的十八個場景，編排深具特色，也是重要的歷史遺跡。兩扇門規格一致的淺浮雕圖像外各圍著一圈莨苕葉寬飾帶。左門外框留有三位大師的簽名痕跡，其正確全名已無法辨識，但從藝術史脈絡可推知他們來自馬斯河（Maas）地區，當時必定是在現場直接完成鑄模。

托羅亞

位於阿普里亞區（Apulia）的托羅亞（Tróia）主教座堂，其西正門的青銅雙門板以多種技術製作，銘文顯示完成於1119年。人像是用烏銀鑲嵌工法，僅有上排四幅保存至今，除了描繪兩位獻施主歐德利希歐斯（Oderisius）與伯納鐸斯（Bernardus），也描繪全能者（Pantokrator）基督、主教威廉二世（Bishop Wilhelm II）、聖彼得與聖保羅的圖像。八隻獅頭門環與龍形門鈸也以雕刻方式完成，兩旁是生命樹的淺浮雕。由於獅頭數目多過門環的功能所需，它們和龍雕可能都具有祛邪意義。

△▷**格涅茲諾主教座堂南正門**
青銅雙門及描繪聖阿德爾伯特生平的系列浮雕外觀、左門浮雕局部：治癒中魔者，約十二世紀後半葉，約325×84公分。

▷▷**托羅亞主教座堂西正門**
青銅雙門及人像、獅頭與龍形貼飾、貝內文托（Benevento）的歐德利希歐斯像，皆以雕刻結合烏銀鑲嵌工法製作；局部：龍形門鈸，1119年，366×205公分。

SCIPIO · REBIBA · SICVLVS ·
SACTÆ · ROMANÆ · ECCLESIÆ
CARDINALIS · PISARVM ·

PROSPER
EPS TROIAN   PATRIARCHA
COSTATINOP · EIVS · NEPOS
HAS · PORTAS · PENE · COLLAPSAS
INSTAVRAVIT · M·D·LXXIII

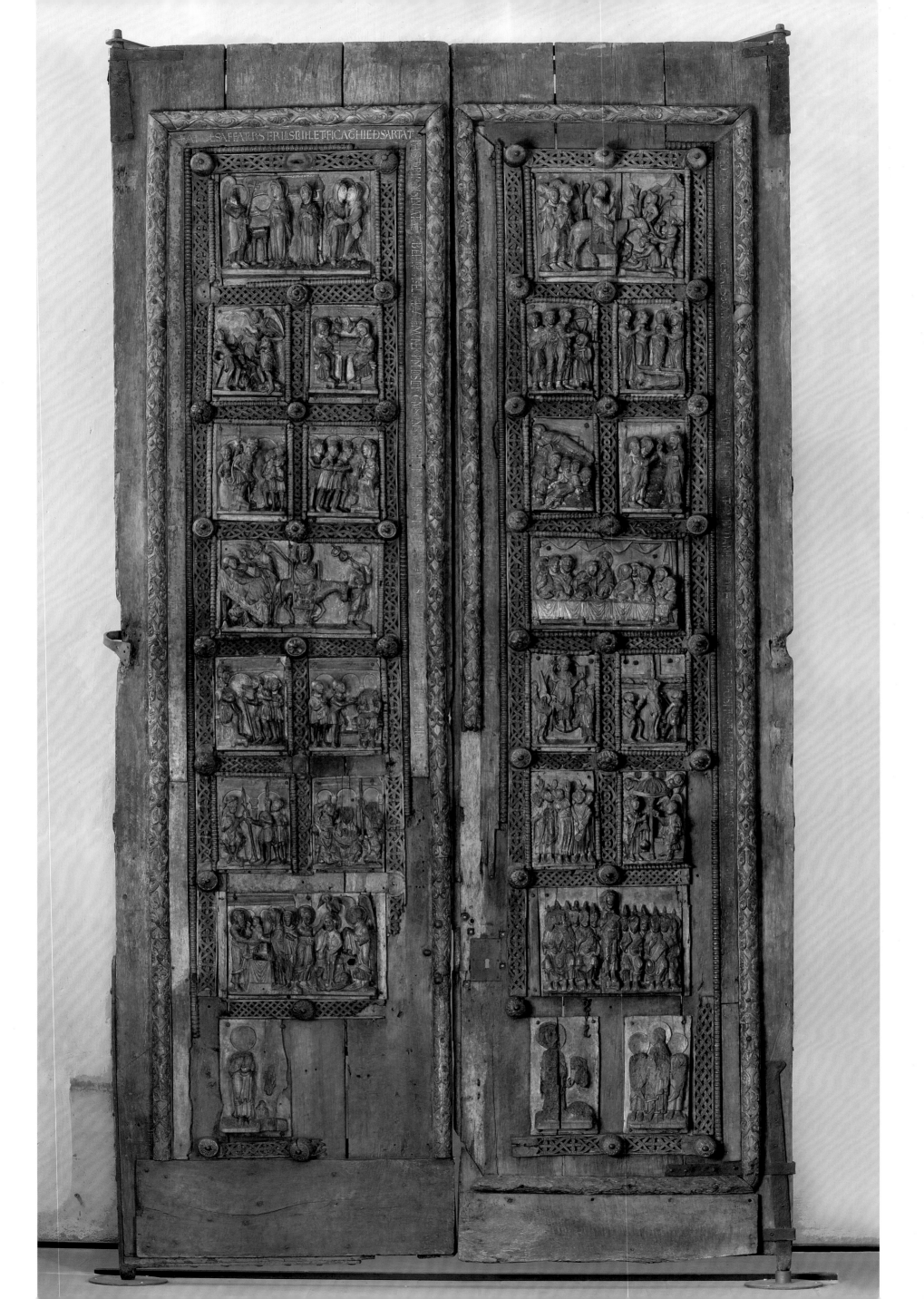

科隆的聖瑪麗教堂羅馬式門面
雙扇彩繪木門外觀及局部：進入耶路撒冷
（上），最後的晚餐（下），約1065年，高472
公分。

科隆

德國現存的唯一一座木製羅馬式圖像門來自位於科隆的早期本篤會聖瑪麗女修道院（St. Mary's in the Capitol），也被視為科隆十一世紀的雕塑傑作。兩扇門板各以近方形圖面描繪八組人像，中間各穿插三幅橫式或風景畫式的圖像，最後是底下的四幅肖像，其中一幅肖像已佚失。每個胡桃木方形圖面都裱在橡木板上，左側圖面描繪基督的童年場景，右側描繪基督作為牧者及基督受難。以深浮雕表現的人物及其服飾生動自然，細節豐富。年輪學分析顯示其完成日期是1050年左右。

環繞教堂的猛獸與神話生物——
神聖空間的守護圖像

教堂建築置身於邪道猖獗的世界，妖怪四處橫行，魔鬼恫嚇人心。為了將惡魔驅離教堂，必須找出祛邪之道。裝飾於外牆的各式各樣野獸與怪物，就可望發揮防禦奇效。舉例來說，法國西南部聖波萊達（Saint-Paul-lès-Dax）聖保羅教堂的唱詩班席外牆上，有八個表現基督受難的浮雕所組成的飾帶，底下為野獸像，其中兩隻狗頭生物面對面，前爪縮為拳狀，一旁是獅鷲獸。據夏德（Herbert Schade）解釋，牠們是古代神話中的地獄犬賽伯洛斯（Cerberus），通常表現為三頭獸，象徵人從生到死的三個階段。這裡的狗頭獸尾巴上的龍頭與蛇頭、口中吐出的火焰及毒液，落實了這種解釋。另一方面，其腳掌中的石塊，有一說認為是對付狗的武器；被解釋

為曼陀羅花或曼陀羅草的植物，據說也是能發揮神力殺狗的神器。在希臘神話中守衛著冥界的地獄犬不僅能祛邪，防範魔鬼的威脅，身上也帶著對付自己的工具，這可以解釋為藉基督之力戰勝邪惡。

地獄犬
約1120年或以後，浮雕，聖波萊達的聖保羅教堂，唱詩班席外牆。

位於德國柯尼希斯盧特（Königslutter）早期本篤會修道院唱詩班席的外牆雕塑，展現了羅馬式雕塑的所有曖昧不明之處。窗戶區下方的主後殿外牆圍著一圈圓拱狀飾帶，以柯林斯式柱頭的壁柱為支柱。描繪小型場景與圓形花飾的拱形底下有雕像式托座，最上方是一條莨苕葉飾與串珠狀緣飾。

這一系列狩獵場景構成一條飾帶，獵人在南北兩側吹號角，一隻獵犬在北側追逐野兔，接著獵人提起戰利品；南側

也有一群獵犬在追逐野豬與鹿；在後殿頂端，兩隻被逼急的野兔壓住了獵人。依據基督教神父奧古斯丁（Augustine）與耶柔米（Jerome）的解釋，獵人是追索人類靈魂的邪惡象徵，十一世紀的彼得‧達彌盎（Peter Damian）也做同樣解釋。另一方面，蘭茨貝格的赫拉德（Herrad von Landsberg, 1125/1130–1195）則將獵人看成是引導人類向善的傳道者，追獵著動物形象所象徵的惡行。善惡之爭的曖昧解釋

也出現在托座雕像上。飾以太陽象徵或從口中生出莨苕葉的公牛與公羊頭，可被視為賜福的神力；鷹或許也屬於同一個脈絡，但交纏的女妖與互啄的神鳥則算是邪惡的象徵。人頭像也有各種形式，直盯前方的人頭像是一種惡兆，鬍鬚轉變為莨苕葉飾的人頭像則被認為表現出善的力量。教化與祛邪圖像的並置，為柯尼希斯盧特的羅馬式雕塑特點。

△▷ 狩獵飾帶及局部：狩獵動物、壓住獵人的野兔、提著野兔的獵人
約1126-1150年，柯尼希斯盧特，早期本篤會聖彼得與聖保羅修道院教堂，唱詩班席後殿外。

教堂與迴廊的柱頭：形式與圖像

　　圖像雕刻的正面是面向外界，而柱頭則在羅馬式宗教建築內執行其最崇高的任務；柱頭為迴廊帶來了豐富圖像，在教堂中殿也有超乎其建築功能的重要性。

　　柱頭位於立柱、柱構造或半露柱的頂端，是教堂空間視覺結構的一部分。立柱的柱基面向俗世，立柱所支持的圓頂則展現天界的象徵形式；柱頭與建築的支撐與負荷功能相連，同時也從塵世與宇宙的中介角色獲得其象徵意義。

　　在強調牆壁的德語世界建築中，柱構造從單純的支撐功能發展為牆壁的一部分，並始終位於拱門與拱門之間。這可以解釋為何德國發展於十一世紀的立方形柱頭較少植物造型、較多立方體元素，因為半球體的基本形式融入立方體後，其側面就成為可以加上浮雕的弧面牆了。在拱墩下通常由柱頭支撐的拱形處，形成一個拱墩區，為周圍的圖像飾帶提供了空間。

△ 具有人像與植物圖像元素的柱頭群
約十二世紀後半葉，達梅里（Damery），聖喬治（Saint-Georges）教堂。

△△ 奧托晚期的無裝飾立方形柱頭
1010-1033年，希爾德斯海姆，聖米迦勒修道院教堂。

△ 具有圖像與其他裝飾元素的立方形柱頭
1129年以前，奎德林堡（Quedlinburg），聖塞瓦提烏斯（St.Servatius）教堂。

迴廊的建築雕塑
約1126-1150年，柯尼希斯盧特，早期本篤會
聖彼得與聖保羅修道院教堂。

◁ **哈特曼柱頭圖像**
約 1151-1175 年，戈斯拉爾，聖西蒙與聖猶達
（St. Jude）牧師會教堂，教堂前廳。

△ **墊塊狀（cushion）柱頭及雕像裝飾與其他元素**
1129 年以前，奎德林堡，聖塞瓦提烏斯教堂。

▷ **立方形柱頭及浮雕圖像**
約十二世紀前半葉，哈默斯萊本，早期奧古斯
丁會聖龐加爵牧師會教堂（Augustinian Can-
ons' collegiate church of St. Pancratius）。

裝飾與雕像

立方形柱頭的內容絕大多數來自塞爾特與日耳曼人的異教圖像庫，基督信仰與早期的修道院潮流將這些圖像帶進了羅馬式圖像世界。柱頭偶爾也包含古典建築元素，例如規律性地運用棕櫚葉飾，甚至做成飾帶，邊角結合毬果圖像。

惡魔頭像一再於柱頭出現，從嘴裡吐出匍匐的莨苕葉或蠕動的蛇。這類柱頭中最重要的是戈斯拉爾的聖西蒙與聖猶德教堂裡所謂的「哈特曼柱頭」（見頁 65），其柱冠上刻有銘文「柱與柱基刻像由哈特曼所作（HARTMANNUS STATUAM FECIT BASISQUE FIGURAM）」。其柱頭各面頭像口中所吐出的莨苕葉飾延伸至交纏於頭像上方的雙龍蛇頭，接合方式古怪的龍翼則從角落向外延伸。位於哈默斯萊本（Hamersleben）修道院教堂（見頁 414/415）的柱頭，多半在其立方體形式中包含半月狀或盾狀柱面，並飾以浮雕；有些柱頭的形式則不同，基座為立方體，但無半月狀或盾狀柱面。浮雕覆蓋柱面時，其數量多到讓人幾乎以為這是一條圖飾，而非柱頭。從這裡可以看出，通往聖地亞哥的朝聖路線可能已經將法國柱頭雕塑的影響帶到薩克森（Saxony）。另一方面，頭像與怪物像則比較屬於當地傳統。

413

柱頭：髮絲交纏的男女頭像
約1200年，德國，史皮斯加佩（Spieskappel），
早期普雷蒙特雷修會施洗者聖約翰修道院教堂
（Premonstratensian monastery church of St.
John the Baptist）。

羅馬式石像
來自土魯斯早期修道院迴廊，土魯斯，奧古斯丁美術館（Musée des Augustins）。

△▷**柱頭雕塑：希律王之宴與被砍頭的施洗者聖約翰、希律王愛撫莎樂美**
約 1126-1150 年，聖艾提安修道院迴廊。

◁◁**一對描繪聖徒的浮雕立柱**
約 1126-1150 年，聖艾提安修道院大廳。

◁**立柱及其浮雕：彈琴的大衛王**
約 1151-1175 年，多拉德聖母聖殿（Notre-Dame-de-la-Daurade）迴廊。

▷▷**柱頭：口中長出藤蔓的怪物像**
約十二世紀。

位於土魯斯聖艾提安修道院的大廳柱群刻有成對與單一的人像，其雙腿交叉的形象在法國西南部較為常見。修道院迴廊的雙柱頭呈現希律王（Herod）之宴與被砍頭的施洗者聖約翰，左方場景中的希律王正在愛撫莎樂美（Salome）。

歐坦的敘事性柱頭

在西方，雕塑於教堂正門與建築整體獲得揮灑空間；同樣的，雕像式柱頭為西方雕塑、特別是法國羅馬式雕塑，帶來了更有效而強烈的歷史敘事，其開始與結束顯然都要從聖經說起。從上帝造人、天堂出現，一直到世界末日，這個描述人類生存不斷受惡魔威脅的故事次第展開，人類僅能從上帝許諾的救贖中獲得解脫。在暗處活動的惡魔與光明坦蕩的天意，兩股力量在人類靈魂中彼此抵抗，對戰不休。

在歐坦，吉勒貝杜斯大師與一群人數不明的雕塑家為其主教座堂製作了一百零一件柱頭雕塑，其中四十九件雕像柱頭的雕塑品質尤其可觀。今日人們是從正門認識吉勒貝杜斯，因為他將自己的名字刻在顯眼的地方，柱頭雕塑也展現其獨特風格，不過並非所有柱頭都直接出自他的刀下。由於是半露柱，這些柱頭雕塑呈梯形，僅有三面，且經常成為牆面場景設計的一部分。雕像多伴隨有矛尖狀棕櫚葉飾，顯現出柯林斯式莨苕葉飾的影響。

◁△ **柱頭雕塑：猶大自盡**
由吉勒貝杜斯工作坊所作，1120-1130年，歐坦主教座堂，聖堂參事會室。

△△ **柱頭雕塑：逃進埃及**
由吉勒貝杜斯工作坊所作，1120-1130年，歐坦主教座堂，聖堂參事會室。

△ **柱頭雕塑：上帝質問該隱**
由吉勒貝杜斯工作坊所作，1120-1130年，歐坦主教座堂，聖堂參事會室。

柱頭雕塑：三王之夢
由吉勒貝杜斯工作坊所作，1120-1130年，歐坦主教座堂，聖堂參事會室。

除了野獸，這些柱頭主要刻畫聖經歷史，有時也如本頁圖所示，伴隨著強烈的人類情感。聖母子逃往埃及時騎驢的姿態彷彿正登上智者寶座（sedis sapientiae），聖母也以動人的保護手勢抱住聖子。有翼的惡魔生物站在自盡的猶大身邊，描繪方式一如正門拱楣的圖像般生動；對面南方側廊柱

的柱頭描繪的是受審判的該隱，形成新約與舊約的圖像類型學對照。

以兩部分刻畫三王（賢士）之夢的柱頭來自唱詩班席，在其茛苕葉飾的上方，敘事以水平方式編排。三位國王並排躺在同一條被子下，戴冠的頭枕在墊上。其中一人的手放在被子上，護住另外兩人，他也是唯一未沉入夢鄉的人。天使從一旁出現，右手食指如夢境般輕觸國王的手，左手指著三王上方的星辰。圓形被子與其邊緣的幾何抽象設計與其說是被子的縐褶，不如說是圖面設計。儘管如此，克勞斯‧巴斯曼（Klaus Bussmann）仍有力地指出，吉勒貝杜斯「這種

柱頭雕塑：該隱之死
由吉勒貝杜斯工作坊所作，1120-1130
年，歐坦主教座堂，聖堂參事會室。

精神化的基礎」，正來自「其高度抽象的表現方式」。

　　刻畫該隱之死的柱頭具有強烈的敘事創造力。依據傳說，該隱死於盲獵人拉麥（Lamech）之手，而拉麥實為該隱的後裔。由於眼盲，狩獵時由兒子土八該隱（Tubalcain）隨侍在側，一聽見樹林裡動物的聲響，男孩便將父親持弓的手舉起，瞄準聲響射箭。一回，拉麥射出一箭，以為動物中箭倒下，但男孩跑去看時，卻發現拉麥射死的是受天譴而四處漂泊的祖先該隱。沮喪懊悔之下，盲獵人雙手合握猛揮，兒子的頭部受到重擊因而死去。這幅圖像表現的正是箭射中該隱，但獵人尚不知自己闖下大禍的戲劇性瞬間。

柱頭雕塑：二德與二惡
由吉勒貝杜斯工作坊所作，1120-1130年，歐
坦主教座堂，聖堂參事會室。

　　另一個柱頭雕有兩個象徵美德的人像，站在象徵惡行的怪
物頭上。歐坦聖拉札爾主教座堂的雕像式柱頭與正門浮雕形
塑了勃艮第雕塑的巔峰，也是羅馬式雕塑發展史的一個高
潮。1860 年，法國建築師暨歷史學家歐仁・維奧萊－勒－
杜克（Eugène Emmanuel Vollet-le-Duc）受託修復教堂時，

將十字交叉部的柱頭換成仿製品，原件今日可在教堂的聖堂
參事會室（即從前的會議廳圖書室）中看見，在這裡更能讓
人清楚觀賞到吉勒貝杜斯的傑出技藝。

撒旦活動的範圍——柱頭上栩栩如生的惡魔雕像

古代柯林斯式柱頭的基本形式，在時間長河中演變出各種雕像式柱頭，為雕塑帶來了更多表現空間；南歐的柱頭是其範本之一，中東與北非的文化形式與內容也影響了柱頭的形制。柱頭不僅成為如歐坦主教座堂中聖經故事的表現場地，蘊含著多重教化意義；惡魔與怪物也占有一席之地，或者說，柱頭提供這些魔性生物一個舞台，目的是驅離牠們，或保護教堂不受牠們及其活動影響。

坎特伯里主教座堂（Canterbury Cathedral）地窖的一個柱頭上，刻有一個女惡魔像，雙腿大張地置身於兩隻半驢半獅鷲獸的長尾混種生物中間。驢是代表陽具的動物，在古代象徵性慾旺盛與生殖力豐沛。這裡的驢受女惡魔放在牠頭上的手所刺激並指揮，而女惡魔自己也長了一對驢耳。另一個柱頭雕塑上的混種生物為公羊與人的混合體，長著一對墮落天使的翅膀，因為根據古老傳統，墮落的天使多半會轉化為動物，這裡則轉化為惡魔生物。這個生物身旁還有一隻混種生物，騎在一隻爬行類動物身上。牠們似乎是音樂家，手裡拿著樂器為惡魔的盛宴演奏舞曲。

位於勃艮第索略（Saulieu）聖安德齊（Saint-Andoche）修道院教堂的柱頭，有一個毛髮蓬亂，翅膀厚大的裸身惡魔像，指涉著基督的第一個試探。惡魔拿著要基督轉化為餅的石頭，從左方走向基督，基督身後有一位天使。歐坦教堂的柱頭受半露柱的形式牽制而顯得平面，索略教堂的柱頭則位於半柱頂端，在柯林斯式柱頭的啟發下，展現出較多空間深度。遭斥的惡魔和吉勒貝杜斯不久前為歐坦教堂所創作的拱楣雕塑頗有淵源。

◁柱頭雕塑：活躍的惡魔生物
約十二世紀，坎特伯里主教座堂，地窖。

▽柱頭雕塑：基督的第一個試探與猶大之死
約十二世紀中，索略，聖安德齊修道院教堂。

身為世界審判與統治者的寶座基督，通常會以正面表現，但普蘭皮耶（Plaimpied）一間修道院的柱頭所描繪的基督受試探場景，卻幾乎背道而馳。基督在怪物構成的寶座中彷彿搖搖欲墜，在分別位於聖殿下與試探山的兩個惡魔簇擁下蹣跚前進。基督受試探的整個戲劇性高潮被濃縮在這個柱頭上；基督左腳站在柱的線腳上，右腳尖僅輕輕觸碰龍形生物，右手扶壁，試著穩住已脫離正位的上半身，前傾的頭力圖穩住重心，一絲驚恐掠過祂的臉龐，讓祂無法看著伸向惡魔的左手裡的書，惡魔以怪物的外貌從左方靠近，對祂拿出試探之石。依據毛魯斯（Rhabanus Maurus）的說法，基督手裡的書顯示「上帝在場」，因而得以抵禦惡魔及其誘惑。

獅的出現有許多意義，圖像表現的通常在表現其魔性的一面，且多半是地獄血口的形象。獅一再被描繪為吞噬人的動物，因而是惡魔追捕人類的象徵。屈諾爾（Cunault）的聖母小修道院教堂柱上的吃人猛獅或許也應該從這個角度理解，牠威脅著做為上帝處所的教堂，然而終究被上帝收服。

位於勃艮第布瓦聖瑪麗（Bois-Sainte-Marie）聖母誕生教堂（Notre-Dame-de-la-Nativité）的一個柱頭呈現的是地獄極刑。兩隻呲牙裂嘴的惡魔正拷打一個人，用巨鉗拔出他的舌頭，懲罰他散布不實謠言。

柱頭雕塑：基督的試探、龍寶座上的基督
十二世紀後半葉，普蘭皮耶，聖馬丁修道院教堂。

431

△ 柱頭雕塑：吞噬人類靈魂的惡魔
約十二世紀，屈諾爾，聖母小修道院教堂。

▷ 柱頭雕塑：拷打人的惡魔
約十二世紀，布瓦聖瑪麗，聖母誕生教堂。

柱頭飾帶、彩繪與銘刻柱頭——
法國西部具特色的雕塑建築

馬里尼亞克的聖敘皮斯教堂

濱海夏朗德省（Charente-Maritime）馬里尼亞克（Marignac）的聖敘皮斯（Saint-Sulpice）小修道院教堂擁有大量裝飾性雕塑建築，在法國西部教堂中別有地位。在這座建於十二世紀的單殿教堂中，耳堂與唱詩班席由三個半圓頂建築組成，上方圍著裝飾及雕像構成的柱頭飾帶，其規模之大，前所未見。十字交叉部墩柱亦覆有兩條浮雕飾帶，突出於牆壁之外，飾帶兩旁分別是柱頭與拱基，此一設計遍布整個唱詩班席。

相對於純裝飾性的拱基帶，教堂柱頭的莨苕葉飾帶刻有雕像；此外，只有柱構造與半柱的柱頭才以雕像為重心，否則一般來說，都是交織著裝飾圖案、植物、動物與人像。狩獵場景出現在雜技藝人或人頭動物像旁，伴隨著規律出現的成對獅像等。比較突出的是柱頭雕像，經常衝破圖像框緣，伸入串珠狀緣飾內。它們是對稱的，例如在比較長的那一邊，背對彼此的獅鷲獸成對出現，柱頭邊角上方的獅頭也分別從兩側與兩個身體結合。就如同其他羅馬式雕塑，今日我們很難或不可能針對其單一圖像提出解釋。

後殿雕塑飾帶：狩獵場景與魔獸（下）；東北十字交叉部墩柱的柱頭飾帶（對頁與下一跨頁）
約 1134-1166 年，馬里尼亞克，聖敘皮斯修道院教堂。

437

紹維尼的聖皮埃爾教堂

位於紹維尼（Chauvigny）的前聖皮埃爾（Saint-Pierre）牧師會教堂，其柱頭雕塑儘管敘事風格簡樸，卻是法國羅馬式風格最具表現力的作品之一。唱詩班席柱是聖經與惡魔場景的混搭世界，龍與獅身人面獸成對出現，伴隨著獅與怪物。一個或許可解釋為撒旦的人物跨站在火上，其他或許是遭判入地獄的人物在怪物領導下走向撒旦。在另一個柱頭上，有翼怪物捉住並吞噬人類。與這個惡魔世界的對照是聖經故事的描繪，例如天使向聖母報喜的場景，或如圖中天使向牧人報喜的場景。雕塑家在這個柱頭上刻文，聖母光環上有「馬利亞」（Maria）字樣，天使向牧人報喜的場景有路加福音中天使讚譽上帝的文字。雕塑家也藉此機會堂皇地介紹了自己，在柱頭基描繪智者寶座的地方，他以非常鮮明的方式加上簽名：「郭斐德斯所作（GODFRIDUS ME FECIT）」。

柱頭雕塑：惡魔、怪物與魔獸；天使向牧人報喜（對頁下圖）
十二世紀後半葉，紹維尼，聖皮埃爾教堂，唱詩班廊。

唱詩班圍屏、聖壇屏與布道壇

　　為了區分神職暨神靈空間與俗人空間，教堂設有圍屏，多半為石製，偶有木製。在西方，單一長型的唱詩班席只需要一面聖壇屏，但唱詩班周圍的立柱間也需要圍屏。由於唱詩班圍屏也用來遮蔽教堂內殿，從高度來說，這也提供了一個經常長達數公尺、能夠進行圖像設計的平面。

　　特別是在義大利教堂，唱詩班圍屏與聖壇屏也包含讀經台，即四面圍有矮牆的大理石座。矮牆上的讀經台是用來做為讀經之用。

　　在希爾德斯海姆的早期本篤會聖米迦勒修道院教堂，其唱詩班圍屏中只有北側圍屏留存至今。拱廊上方的圍屏外部是七聖徒像，以錯視法安排；再上方是一排拱廊，覆有裝飾圖案的立柱與其架構是內殿唯一的設計圖樣；底端的寬飾帶描繪交纏的成對魔獸，三角穹窿上是天使幾近全身的雕像。

　　哈爾伯施塔特（Halberstadt）的早期奧古斯丁會聖母修道院教堂（Liebfrauenkirche）的唱詩班圍屏也有同樣的結構，兩座教堂皆在德國。環拱上有真人尺寸的彩繪灰泥浮雕坐像，栩栩如生；兩側各有六個使徒像，南側的聖母與北側的基督也在其中。史坦－凱克絲（Heidrun Stein-Kecks）曾生動描述雕像對中世紀訪客可能產生的影響，或許也適用其他地方。 由於訪客無法與在主祭壇前做日課的教堂神職人員有眼神接觸，只能由聽覺領會；因此在俗人眼裡，使徒形像便與唱詩神職人員的形象結合，不僅傳達著神職的神聖本質，也陳述了「天界」的宗教向度。

唱詩班圍屏南面的寶座天使像
約十三世紀早期，希爾德斯海姆，早期本篤會聖
米迦勒修道院教堂，西側唱詩班席。

寶座天使像局部
約十三世紀早期，希爾德斯海姆，早期本篤會聖
米迦勒修道院教堂，西側唱詩班圍屏。

◁ **使徒浮雕局部**
約十二世紀晚期，哈爾伯施塔特，聖母教堂，唱
詩班。

▷ **唱詩班圍屏的使徒浮雕**
約十三世紀早期，哈默斯萊本，聖龐加爵教堂，
唱詩班圍屏。

摩德納

在摩德納（Modena）主教座堂，唱詩班席前方的聖壇屏位於細柱上，另有一座布道壇，不過它原本並非聖壇屏設計的一部分。原聖壇屏的中央浮雕主題為最後的晚餐，左方是洗腳圖像，右方是橄欖山（Mount of Olives）場景，其後是基督被捕、彼拉多（Pilate）及基督受鞭笞的圖像，最後是基督背十字架的圖像。

使徒們在最後的晚餐中緊挨在一起，浮雕尺幅甚窄，所以每個人都正襟危坐，只有幾乎高出使徒一個頭的基督突破了浮雕的框緣。眾人生動的臉部表情與敘事意味濃厚的手勢形

布道壇的浮雕：寶座基督與使徒象徵
1208-1225 年間，摩德納，聖吉米尼亞諾（San Gimignano）主教座堂。

成有趣的對比。使徒們兩兩相對，馬太舉杯就唇，其他人則拿著杯子或把手放在桌緣。基督坐在中央，約翰把頭枕在他膝上入睡。這個場景聚焦於基督將聖餐的餅遞給猶大的那一刻，舉起的袖子表示著「這是我的身體」的獻身式。這件聖壇屏可能完成於 1170 年後不久，可以看出阿爾勒（Arles）與聖吉爾（Saint-Gilles）建築正面浮雕的直接影響。

聖壇屏浮雕
基督受難故事中的洗腳場景、最後的晚餐、基督站在彼拉多面前，約 1170-1175 年，摩德納，主教座堂。

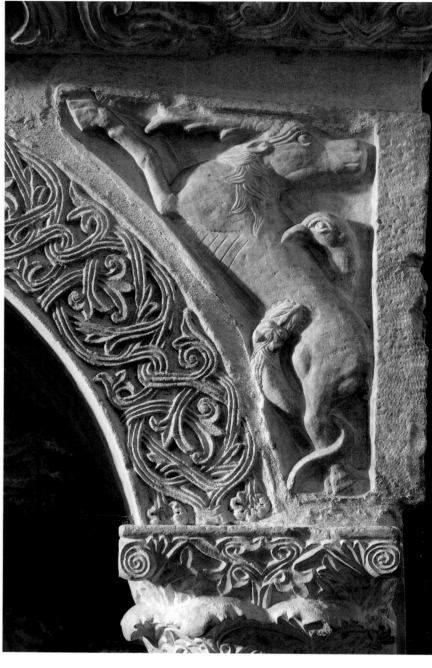

△布道壇：早期基督石棺外觀
約1110-1120年間與約1200年，米蘭，聖安波羅修聖殿。

△▷布道壇柱廊的雕像裝飾與辮狀圖案
約1110-1120年間。

米蘭

　　當米蘭聖安波羅修（Sant'Ambrogio）聖殿拱頂的一部分在1194與1196年間崩塌時，舊布道壇也隨之崩壞。1200年左右，聖殿以1110-1120年間原聖殿建築的碎片重建布道壇，並加入聖安波羅修時代的一座早期基督石棺。布道壇基座的下部結構是一排拱廊構造，柱頭與三角穹窿覆有雕塑裝飾。也許是因為早先的崩壞事件，其圖像主題不甚連貫。柱廊底下若無柱頭，則為臥獅支撐，被認為是義大利雕塑中年代最早的獅像。柱頭圖案主要為植物或鷹，拱緣飾有莨苕葉與辮狀圖案。三角穹窿有鬥獸像及聖母子逃進埃及的描繪。

　　波希克（Joachim Poeschke）從這座布道壇所增加的雕像中，看出十二世紀早期艾米利亞（Emilia）雕塑的影響，尤其是威利哲姆斯及其追隨者對西南角男像柱與獅像的影響。

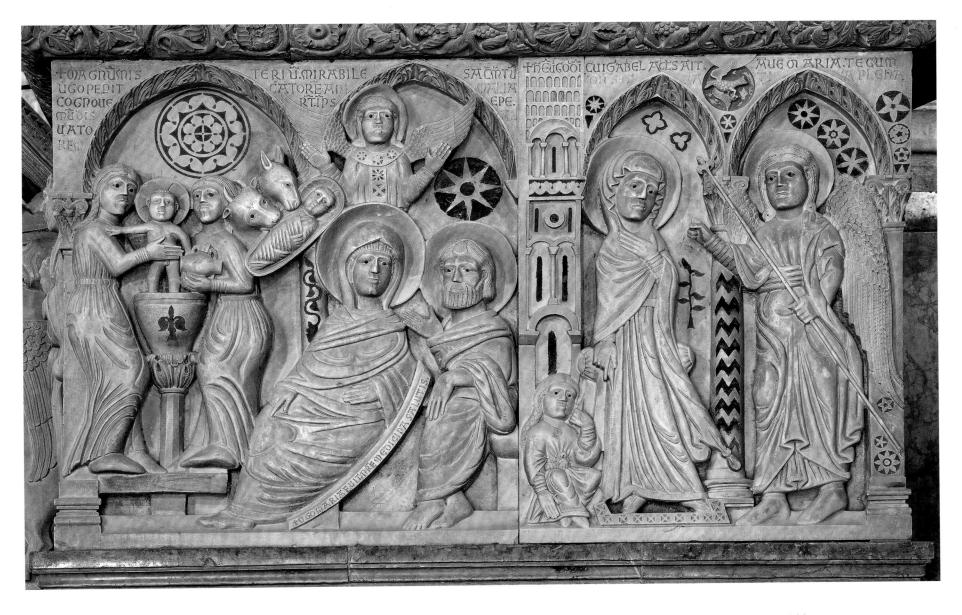

◁△ 布道壇與唱詩班圍屏外觀、布道壇浮雕：天使報喜、聖嬰誕生、聖嬰洗浴（由右至左）
約1240年，大理石，巴爾加，聖克里斯多福主教座堂。

▷▷ 布道壇與唱詩班圍屏外觀與支撐讀經台的托座獅像、小型人像、鷹像
約1240年，大理石，佛羅倫斯，聖米尼亞托大殿。

巴爾加

在相對規模不大的巴爾加（Barga）聖克里斯多福主教座堂（Cathedral of San Christofano）中，羅馬式布道壇以原有的唱詩班圍屏形式保存至今。長方形布道壇基座底下有四條紅色大理石柱，其中兩條前柱支以獅像，一條後柱前方有一個融入底座、但未發揮支撐功能的男性蹲像；另一條後柱底下有台座。布道壇四面圍著尖拱構成的盲拱廊，浮雕場景從左至右展開。首先是南面的先知以賽亞，接著是西面第一幅的天使報喜，隨後的聖嬰誕生與聖嬰洗浴，北面緊接著讀經台的第一幅是三賢士來朝，其後是福音書作者；三賢士中的一人已上前致意，但讀經台左方還有兩位賢士未下馬。最後一幅是教堂守護者聖克里斯多福像。布道壇外緣的鑲嵌與浮雕圖案加強了其裝飾效果。

佛羅倫斯

就如同巴爾加教堂的布道壇，位於佛羅倫斯的聖米尼亞托（San Miniato）大殿的布道壇與同時期建造的唱詩班圍屏形成了和諧的整體，至今仍保留在原地。布道壇後部建立在唱詩班圍屏上，前部有兩條立柱，柱頭紋樣是仿古典的混合風格。布道壇矮牆分成數個一樣大的方形壁面，皆飾以大量鑲嵌與雕塑裝飾。每個裝飾圖案中央都是一個圓形花朵徽章，頗有古典鑲板天花板的趣味。雕像裝飾甚少，僅出現在讀經台的支撐結構。雙臂交叉在前方的矮短人像站在托座上，托座上的獅頭轉向一邊，人像上方則是一隻雙翼大展的鷹，支撐著讀經台。由於比薩布道壇也常用福音書作者的四聯象徵，斯卡爾佩里亞（Scarperia）聖亞加大教堂（Pieve di Sant' Agata）早先也運用過支撐讀經台的雕像，波希克認為聖米尼亞托大殿布道壇的人像是福音書作者馬太。仿古典裝飾使這座布道壇成為所謂托斯卡尼的早期文藝復興風格的一個例子。

戰勝死亡——基督受難像與凱旋十字架群

西元 451 年迦克墩大公會議（Council of Chalcedon）所制定的教條融合了基督的神人二性，即基督既是具有永恆神聖性的上帝之子，也是具有脆弱肉身性的聖母之子，兩者聯合在一個位格裡。與這個教條相關的上帝、基督與聖母的概念，構成了歐洲中世紀整個精神生活的基礎，其重要性延續至今。

在藝術中，基督受難的主題起初僅表現為一組圖像，死於十字架上的人子基督以其神聖性續存於世。受難之後復活日早晨的空墓就是一例，多馬之疑（Doubting Thomas）也是。基督復活後，多馬為了釋疑而將手指伸進基督的釘痕裡。為了教導此神人二性，教會有可能將基督受難的主題從其脈絡中抽離出來，發展為一種獨立圖像，最後基督受難的圖像便成為基督信仰的象徵。

科隆聖喬治教堂的十字架基督軀幹

科隆聖喬治教堂著名的十字架像只有基督的軀幹留存至今。由於基督身體微曲並傾斜，所以不易重建雙臂，腳下則有腳座（suppedaneum）或腳凳。原圖像大多已佚失，但表現風格化而抽象的頭部，為簡樸的線條與半睜的眼睛賦予了高度表現力。這件作品是教堂最初進行裝潢時所作，教堂建於總主教亞諾二世（Anno II, 1056-1075 年在位）時期，並於 1067 年祝聖啟用。從這個角度來看，這尊人像也可以被理解為表現出當時宗教改革的理念。

明登十字架

明登（Minden）主教座堂的十字架可能是來自黑爾馬斯豪森的羅傑（Roger von Helmarshausen）的工作坊所製作，完成於 1170 年左右。垂死的基督雙臂筆直地釘在十字架上，腳下有龍形腳座。邪不勝正的主題表現在其銘文上：「基督，釘死於樹木的神，已將亞當受樹木之欺而帶來的破壞回復原狀。」這尊高過一公尺的青銅人像原本從頭到腳都有鍍金，由六部分組成，腰巾飾有烏銀鑲嵌的彩色菱形圖樣。

科隆聖喬治主教座堂的十字架基督像
約 1067-1099 年，柳木，人像高 189.5 公分，科隆，施紐特根博物館（Museum Schnütgen）。

明登主教座堂珍寶館的十字架
眼睛與腰巾以烏銀鑲嵌，約十二世紀前半葉，青銅，人像高101公分。

△ **伊馬沃德十字架**
約十二世紀後半葉或1209年以後，雕刻橡木製彩繪殘跡，布倫瑞克，福音路德會教區聖殿。

△ **「聖容」十字架局部**
中世紀早期十字架的仿作，冠冕與拱形為後人新增，約1200-1210年，盧卡，聖馬丁（San Martino）主教座堂。

▷ **卡彭博格十字架**
約十三世紀早期，橡木，雕像為白楊木，像高125.5公分，卡彭博格，早期普雷蒙特雷修會修道院。

伊馬沃德十字架

　　所謂的伊馬沃德十字架（Imervard Crucifix）現存於布倫瑞克（Brunswick）的福音路德會教區聖殿（Evangelical-Lutheran cathedral parish church），其名字來自聖索上的一個簽名：「伊馬沃德所作（IMERVARD ME FECIT）」，「伊馬沃德」可能是雕刻者，也可能是捐贈者或委託人。基督的雙臂筆直擺在十字架的橫梁上，厚重的長袖外袍包裹著祂的身體，造成深長的平行縐褶，這是這件作品唯一具雕塑性質的地方。基督的臉頎長，雙眼圓睜，眉毛高若拱形，鼻子與兩旁的法令紋相協調。這件十字架作品承襲了盧卡（Lucca）主教座堂從十一世紀以來就深受推崇的「聖容」（Volto Santo）圖像傳統，盧卡的原件已佚失，但從十二世紀早期歐洲各地就開始出現仿作。

卡彭博格十字架

　　卡彭博格早期普雷蒙特雷修會修道院（Premonstratensian monastery）的十字架可能完成於十三世紀早期。這件作品之所以特殊，不僅是因為抹油上光，受苦的基督更傳遞著羅馬式藝術中凱旋十字架的救贖概念。這點顯示此作品位於一個過渡階段；立於腳座的站姿與四根釘子仍舊屬於戰勝死亡的羅馬式主題，但痛苦的表情與人類苦難則是下一個時期的內容。眼睛的處理方式也與此有關，雕刻時可能是張開的，彩繪時卻讓眼睛閉上了。

凱旋十字架群

十字架在中殿與唱詩班席之間的祭壇發揮聖十字（Holy Cross）的功能，十一與十二世紀時再演變為凱旋十字架，懸掛於唱詩班圍屏上方或擺在聖壇屏上，面向中殿，讓人從遠處便可看見。雖然凱旋十字架的起源可追溯至日耳曼奧托王朝，但哈爾伯施塔特主教座堂約作於 1210-1215 年的凱旋十字架，據信是歐洲現存最古老的凱旋十字架。支撐性的十字架橫梁延伸至東側的交叉部墩柱，其兩側皆有使徒與先知的半身像；上方是一組獨立五人像，鑲框的十字架位於中央，十字架框中還包括復活的亞當，指涉著救贖的結果，基督在這裡已成為新的亞當。十字架框包圍著十字架，以及受縛其上、低頭垂目的基督。十字架周圍的圖像比基督像本身傳達出更多凱旋的概念；站在龍形腳座上的基督象徵著邪不勝正，隨侍的人像象徵著基督的勝利，聖母站在蛇上，蛇的消滅讓聖母成為新的夏娃，踩著戴冠人物的使徒約翰也代表異教世界被征服。

位於韋克瑟爾堡（Wechselburg）約作於 1230-1235 年間的凱旋十字架群，中央的圖像設計近似哈爾伯施塔特主教座堂的十字架，其概念卻朝三位一體的方向發展；十字架框上方三葉飾裡的並非天使，而是天父與代表聖靈的鴿。韋克瑟爾堡的十字架群是十三世紀最傑出的圖像作品之一，運用眼神、手勢與身體動作來製造互動，躺在地上的三賢士也是如此。

▷ 哈爾伯施塔特的凱旋十字架群
約 1210-1215 年，橡木、椴木與雲杉木橫梁 853×70×53 公分，十字架 515×350 公分，人像高 252 公分，聖斯德望與聖西斯篤福音主教座堂（Evangelical cathedral church of Sts. Stephen and Sixtus）。

▷▷ 韋克瑟爾堡的凱旋十字架群
約 1230-1245 年，橡木，十字架 530×350 公分，人像高 210-220 公分，早期奧古斯丁會教堂（主教教區與朝聖者聖十字教堂）。

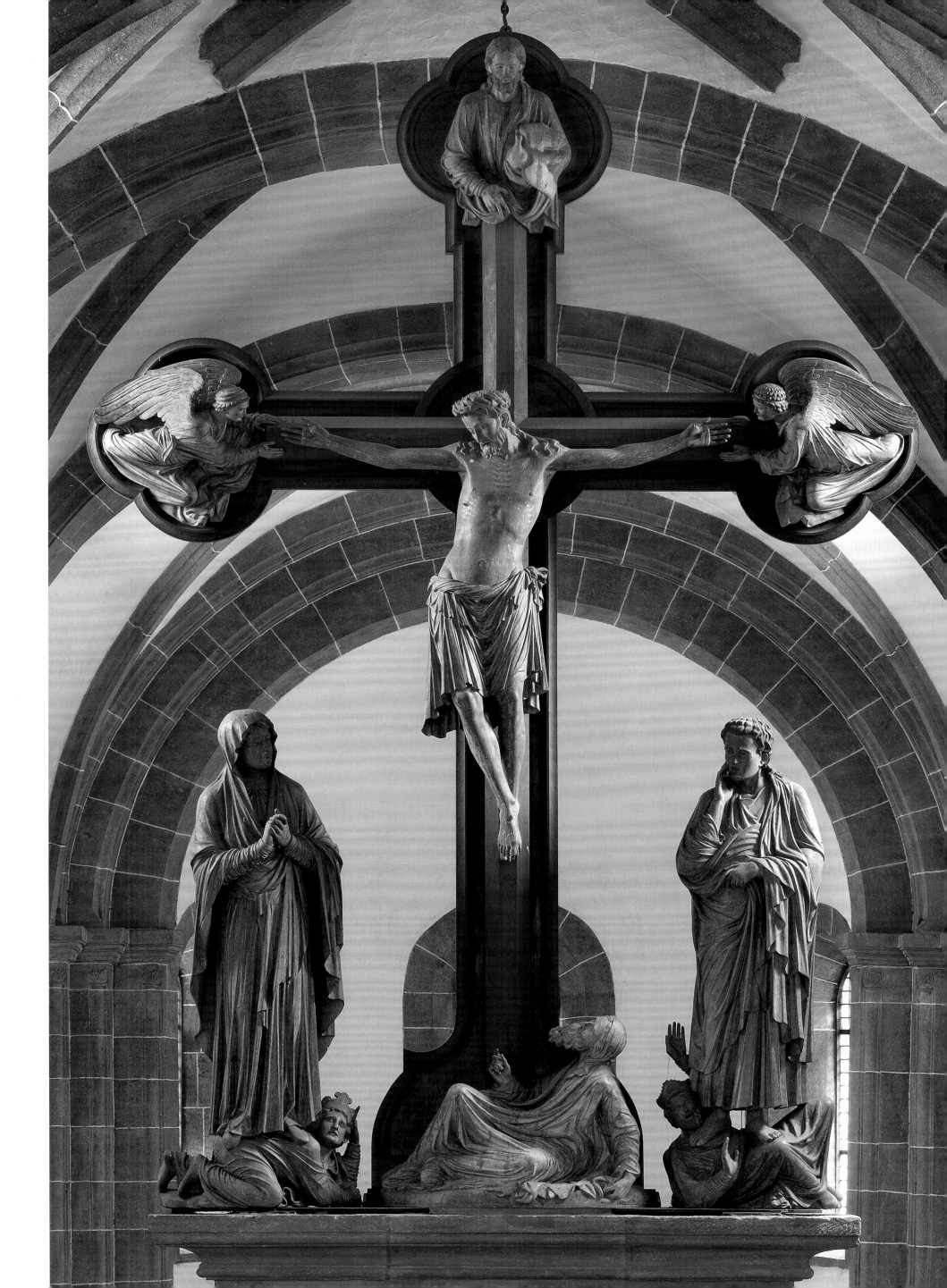

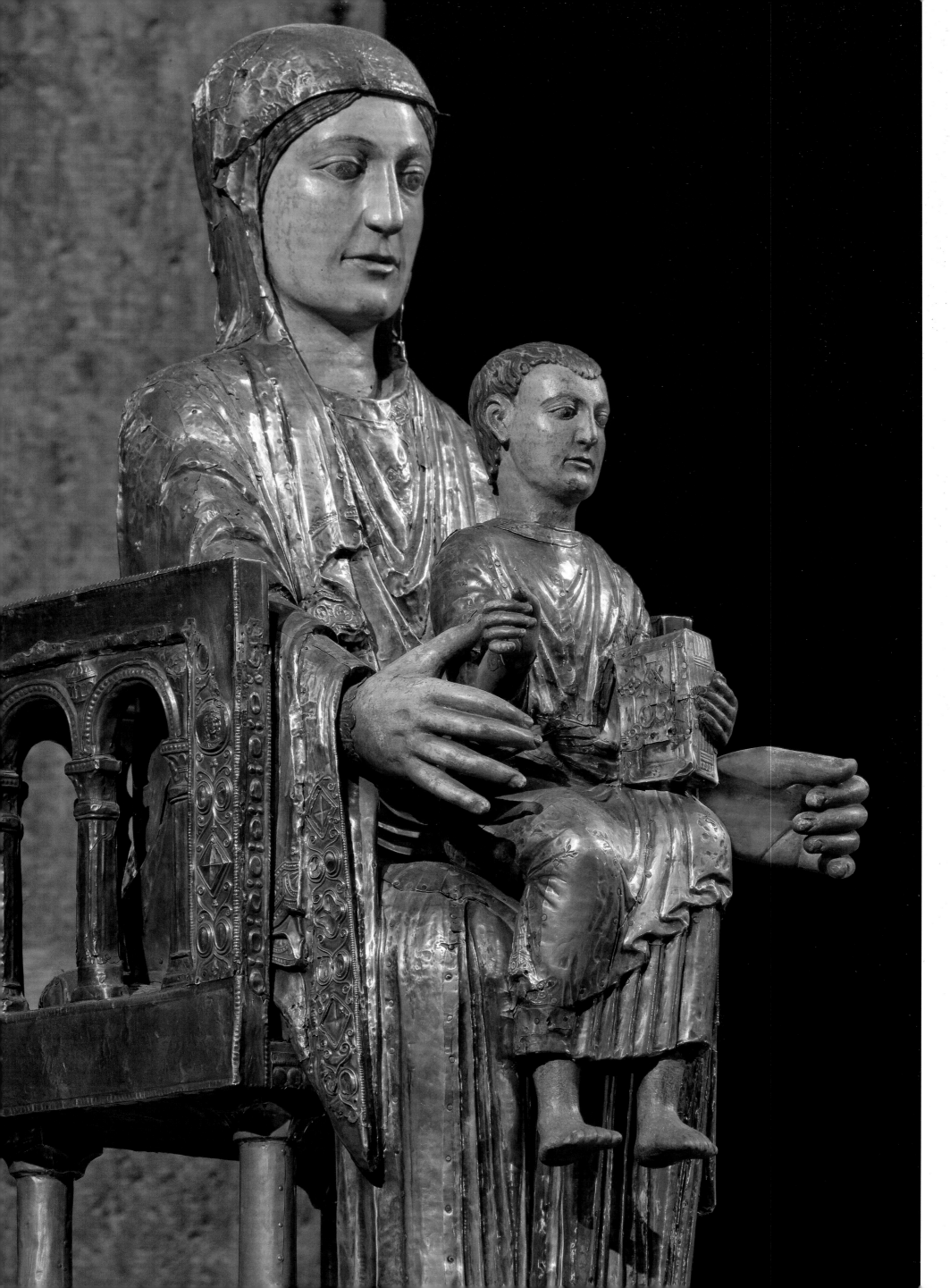

寶座聖母

寶座聖母（Enthroned Madonna）發展為一種獨立圖像，起源於日耳曼奧托王朝。聖母身為基督的母親而獲得崇拜的傳統，賦予了她一種神聖力量，特別能用來抵抗異端活動。寶座聖母的形象破除了她並非上帝母親的疑慮，使馬利亞成為西方羅馬式視覺藝術的代表圖像。由於這類圖像經常隨著遊行四處移動，一來有鼓勵偶像崇拜之嫌，二來也因為沒有教堂的保護，唯恐會受邪惡力量附身，因此據說克勒蒙（Clermont）的寶座聖母像會在返回教堂前，進行一種「神聖驅靈」的儀式。

依據昂熱的伯納德（Bernard of Angers）在 1007-1020 年間所寫的聖菲斯或聖佛依生平，聖母圖像的崇拜很早就在奧弗涅區域流傳。一尊 1170 年所製以金銀彩繪於胡桃木的聖母像，現存於奧爾西瓦（Orcival）聖母教堂唱詩班聖壇後方的一個高碑上，顯示她的地位至今不移。勃艮第圖爾尼（Turnus）的聖菲利貝爾（Saint-Philbert）教堂有另一尊鍍金聖母像，早先呈深褐色，因而被稱為「棕膚聖母」（Notre Dame la Brune），成人姿態的兒子基督坐在聖母右腿上，左手拿書，以教誨的手勢面向信眾。

◁ **寶座聖母子**
又稱聖母子聖像（Vierge en Majesté），1170年，胡桃木、銀、部分鍍金，高74公分，奧爾西瓦，聖母教堂。

▽ **寶座聖母子**
約十二世紀後半葉，木製彩繪，聖內克泰爾，聖內克泰爾小修道院教堂。

▽ **寶座聖母子**
又稱棕膚聖母像，約十二世紀後半葉，木製彩繪，高73公分，圖爾尼，聖菲利貝爾修道院教堂。

一直到 1956 年，人們才在德國魯波爾丁（Ruhpolding）的一間教區教堂禮拜堂內發現一尊寶座聖母像。去掉層層顏料後，雕像的珍貴原貌重現天日，部分得以留存至今。馬利亞坐在椅背出奇矮的寶座上，男孩基督坐在她的左大腿上，右手做出祝禱手勢，左手抓著母親的手，她略微下傾的左腿與男孩腿的位置讓這組雕像更顯生動。此外，衣料垂墜的方式，對比著聖母有力且嚴謹的前額所隱含的古風，讓人難以為其風格歸類。

另一尊人稱「柱式聖母」（Pillar Madonna）的雕像，是位於施瓦本（Swabia）羅馬風格中獨樹一幟的作品，現存於施瓦本格明德（Schwäbisch Gmünd）的天主教聖約翰城市教區教堂（Catholic urban parish church of St. Johannis）。由於融入石柱中，其肢體比例偏離正常甚多，不過親密的聖母與子創造出一種依戀感，從而打破了其嚴格的位階性。所幸是石材，頭冠得以保存至今，不致如同魯波爾丁與其他教堂那般常有佚失。結合權杖與寶座的權力象徵與古代王權時期的圖像傳統有關，指涉著是馬利亞的神聖權威。

◁ **柱式聖母**
又稱霍恩斯托芬聖母像（Hohenstaufen Madonna），約十二世紀晚期（？），施瓦本格明德，天主教聖約翰城市教區教堂。

▷ **寶座聖母子**
約 1230 年，木製彩繪，高 64 公分，魯波爾丁，聖喬治教堂。

沉靜的色澤──
壁畫與彩繪木天花板

雕塑裝飾變得愈來愈豐富，特別是在教堂外部，主題複雜而廣泛；相對地，壁畫的主題卻一直十分有限。同時，這也符合將浮雕形式的羅馬式雕塑與壁畫區分開來的現代觀點，因為雕塑性浮雕以往曾被視為繪畫，這從許多現存至今的彩繪雕塑作品便可看出，雖然這僅是部分證據。儘管並未明訂，壁畫的主題通常也取決於不同的教堂空間，最主要的地點毫無疑問是後殿，帶著光環或杏仁狀光圈的基督或聖母聖像幾乎全在這裡，由各種聖經人物環繞。這些圖像的視覺力量來自圓屋頂的拱頂部位，為二度空間壁畫賦予了一種張力，其效果確實是正門拱楣的平面所無法比擬的，只能用另一種雕塑刻畫的方式補強。這些在後殿的圖像有一種展示功能，向信眾呈現神聖力量的永恆性與至高性。出現在中殿或拱頂的則通常是舊約及新約聖經故事，地窖則專屬於聖者。

榮耀基督聖像

鄰近卡普阿（Capua）的弗密斯聖天使（Sant'Angelo in Formis）大會堂是一棟不甚起眼的建築，1072 年由卡西諾山（Montecassino）的德西德里烏斯（Desiderius）擔任院長，它擁有義大利羅馬式壁畫最完整的收藏之一。寶座基督像位於三個後殿的中殿，祂舉起右手祝禱，左手拿書，面向前方的臉表情肅穆，應和著書上可見的文字：「我是阿拉法，我是俄梅戞；我是首先的，我是末後的。」（ego sum alfa et omega primus et novissimus）祂身邊的啟示錄生物，包括左側的鷹與獅、右側的人與牛，皆各持一書，象徵著四福音書作者。

早期德國羅馬式藝術中最豐富的聖像描繪之一，出現在賴興瑙島（Island of Reichenau）下采爾（Niederzell）的聖彼得與聖保羅教堂。基督坐在彩虹寶座上，圍有杏仁狀光圈，再外圍是四福音書作者象徵。此外，祂的右邊是聖保羅，其對面的聖者主教可能是聖彼得。兩個乘著火輪的智天使分別位在場景兩側。這幅壁畫已毀壞甚多，尤其是細節部位如臉部表情或衣物布料，但突出的人物設計與和諧的色彩運用仍保留了下來。

▷ **寶座基督**
後殿壁畫局部，1072/1087年，鄰近卡普阿的弗密斯聖天使大會堂。

▷ **基督聖像**
以及聖彼得與聖保羅（？），使徒坐像下方為先知站像，十二世紀前半葉，後殿繪畫，賴興瑙島下采爾，聖彼得與聖保羅教堂。

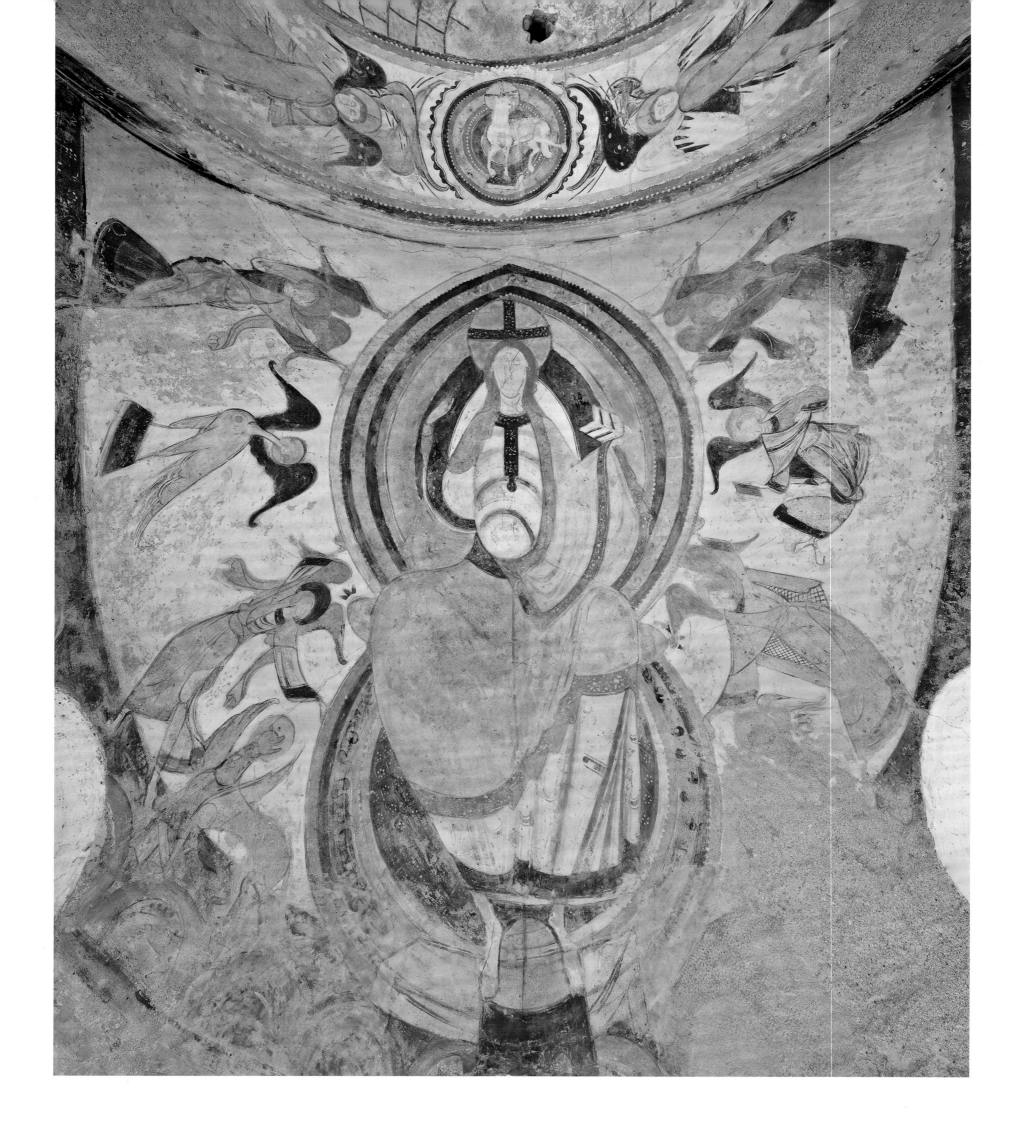

△ 四位天使隨侍的榮耀基督聖像
約1126-1150年，蒙圖瓦爾聖吉爾教堂，東後
殿半圓龕。

▷ 光圈中的榮耀基督聖像
約十二世紀前或十二世紀中，蒙圖瓦爾聖吉爾教
堂，南後殿半圓龕。

　　蒙圖瓦爾（Montoire）聖吉爾（Saint-Gilles）教堂東後殿的聖像，色彩散發出非凡的光澤。白色背景上的寶座基督位於呈「8」字的光圈中，由四位飛騰的天使支撐，天使中間飄浮著福音書作者象徵。這幅實際上已轉化為溼壁畫的畫作主要由紅黃二色畫成，由於繪畫技巧的關係，人物與服飾顯得有些平面。

　　同一間教堂的南後殿與北後殿半圓龕還有兩幅大型聖像，不僅有別於唱詩班後殿明顯有多位人物的聖像，服飾處理的方式也不同，顯示這兩幅畫是完成於羅馬風格晚期。一間小教堂有多達三幅聖像是不尋常的，這表示教堂有不同的使用者群。

聖約翰啟示錄中的城市──天上耶路撒冷

在聖約翰的啟示錄中，耶路撒冷新城──即聖城──是一個超越最後審判及世界末日的末世象徵。書中多次提及舊約中的天堂，援引基督信仰神學，指出時間盡頭的救贖，將會使世界回復理想狀態。因此，天上耶路撒冷的描繪在羅馬式藝術中意義崇高，在壁畫中尤其如此。

位於聖舍（Saint-Chef）的修道院教堂有一幅天上耶路撒冷的大型畫作，布滿並超越了整個拱頂，連穹稜的輪廓也幾乎隱沒。然而，這幅圖像仍依拱頂結構分為四部分。在中央部位，舉起雙臂的寶座基督位於杏仁狀光圈中，東方腳邊站著聖母，其四周是七位天使；天使與聖母對面是聖舍市本身的建築，兩側是正在天使引導下進入城市的兩位聖者，從窗戶還可見到其他人物；榮耀基督聖像的南北兩側各有六位天使與一位六翼天使，棕櫚葉飾帶不僅是圖像的框飾，也顯示出拱頂的頂端盡頭。

後殿窗戶下方的銘文提及教堂祭壇將獻給基督、聖喬治及大天使米迦勒、加百列（Gabriel）與拉斐爾（Raphael）。因為無年分標示，德莫斯（Otto Demus）從銘文的「古文書性質」推論，這幅畫完成於1167-1199年間，這也解釋了它與奧托時期藝術之間的關聯。

◁▽ **天上耶路撒冷**
約1180年，天花板的溼壁畫，多菲內聖舍（Saint-Chef-en-Dauphiné），聖圖戴爾（Saint-Theudère）修道院教堂。

奇瓦泰附近的聖伯多祿山上聖堂，其朝東入口的拱頂有一幅描繪天上耶路撒冷的獨特圖像。四周圍有方牆的城市中央，基督坐在地球上，左手拿著打開的書，右手以金測杖觸地。城牆內的樹木之間可見天使而非使徒，這與中世紀「閉鎖之園」（hortus conclusus）的概念有關。閉鎖之園等同於天堂，並被視為教會的象徵。生命之河支持著這個解釋，它從基督腳下流出，分流為天堂的四條河，一旁的拱頂就描繪著天堂。地球是基督的寶座，描繪出來自晚期古典風格的神聖帝國概念，在這裡則以基督信仰的方式來解釋。穆勒（Monika E. Müller）在其專論中歸納道，少見的金測杖指涉著基督為宇宙與神聖智慧的永恆權威。

布倫瑞克的聖布拉修斯（St. Blasius）主教座堂是德國中古世紀盛期最大規模的繪畫來源之一。十字形拱頂覆有基督生平圖像，在天上耶路撒冷的城牆內展開。中央是上帝之羊，四周的扇形場景從基督誕生、獻基督於神殿開始，隨即跳到基督墓旁的女人與天使，其後是以馬忤斯（Emmaus）與五旬節（Pentecost）奇蹟。藝術家加里庫斯（Johannes Gallicus）也在畫作上大方簽下自己的名字。

◁天上耶路撒冷
1190年代，溼壁畫，奇瓦泰的聖伯多祿山上聖堂，入口大廳東牆。

▷上帝之羊
周圍是聖經場景：基督誕生與獻基督於神殿、走向以馬忤斯與在以馬忤斯晚餐、基督墓旁的天使與三位瑪麗、五旬節的奇蹟，約1234-1266年，布倫瑞克主教座堂，十字形拱頂。

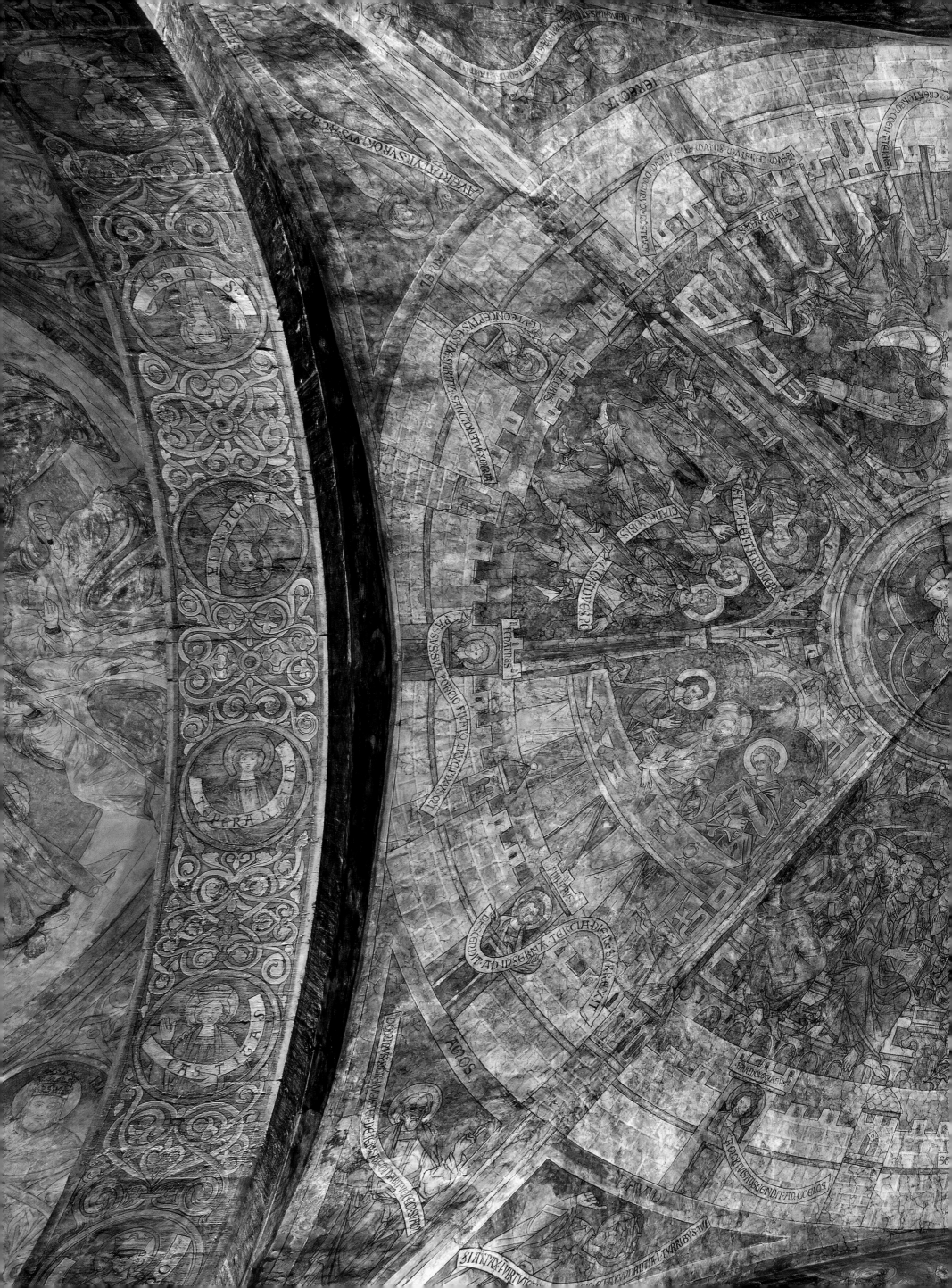

◁△△ 教堂下部壁畫（經多次修復）的外觀與局部
約十二世紀中，胥華茨海因多夫，聖母與聖克勉
一世雙教堂。

▷ 啟示錄之羊、榮耀基督聖像及捐獻主與聖者
約十二世紀中，溼壁畫，胥華茨海因多夫，聖母
與聖克勉一世雙教堂，教堂上部後殿。

　　聖母與教宗聖克勉一世雙教堂（Double chapel of the Virgin Mary and Pope St. Clement）由科隆主教座堂修士長暨日耳曼王康拉德三世（Conrad III）的祕書阿諾德（Arnold of Wied）建造，做為其領地上的私人墓地，於 1151 年 4 月 24 日於波恩附近的胥華茨海因多夫（Schwarzrheindorf）隆重祝聖啟用。由於阿諾德是當時的總主教候選人，祝聖隔日可望在科隆主教座堂獲任聖職，這間雙教堂的祝聖儀式被籌畫為某種國家典禮，參加者包括國王與一群俗世與教會顯貴，主建物高兩層樓的雄偉教堂及其裝飾也備受期待。教堂下部十字形區域的四個拱頂依據先知以西結（Ezekiel）預見的景象，呈現上帝審判以色列及耶路撒冷舊城的毀滅；對面十字形拱頂的四部分則呈現以西結預見的耶路撒冷新城景象。舊約與新約圖像主題的多重關聯，是以錫格堡（Siegburg）的盧伯（Rupert of Deutz）於 1117 年所做的評論作為其圖像設計的基礎，盧伯以基督信仰的角度重新詮釋了猶太文化圖像。

　　正如許多羅馬式壁畫，這幅畫之所以能留存至今，是因為經過復繪。由於這類情形多發現於十九世紀，難免讓畫作經過當時思維的重新設計而有過度修復的情形。1868 年發現的胥華茨海因多夫雙教堂壁畫在 1875 年的修復中被大量破壞，因此難以論斷其風格表現，也有人就其圖像內容懷疑這是否真為中世紀畫作。舉例來說，聖母在基督受難時暈厥一幕，可能較吻合十九世紀的浪漫主義思維，而與十二世紀的羅馬式藝術無關。

最大的羅馬式系列壁畫：
加爾唐普河畔聖薩萬修道院教堂

由於缺乏精確資料，加爾唐普河畔聖薩萬本篤會修道院（Saint-Savin-sur-Gartempe）興建教堂的時間，一般都僅追溯至十一世紀晚期。教堂內部由支撐著中殿筒形拱頂及兩個側殿十字形拱頂的柱列定出三殿範圍。這間修道院教堂藏有法國最多、圖像意義也最重要的一批羅馬式壁畫。

十字架壇包含這間教堂最古老的一部分畫作，描繪著基督受難與基督復活，教堂入口的裝飾主題是啟示錄。地窖東牆為圓形光圈中的寶座基督與福音書作者象徵，邊牆與低矮單殿空間的筒形拱頂上伴隨著聖撒比諾（St. Savinus）與聖西彼廉（St. Cyprian）的生平傳說。

壁畫的主要部分位於中殿的筒形拱頂，從上帝創世到摩西生平的舊約故事在這裡展開。西側的筒形拱頂由橫拱構成三個隔間，這個區域只有少數繪畫留存至今，其中部分創世故事如上帝創造植物、日月、可能是夏娃的女性，以及亞當與夏娃進入天堂、夏娃與蛇等圖像至今還能辨識。以中線切分，故事分為四部分發展，首先是拱頂北側內面，描繪的是第一對人類父母的頭一次分娩，這個主題延續至東側；東側的結尾是諾亞（Noah）的故事，接著從南側向西側發展；在建造巴別塔（Tower of Babel）的場景之後是亞伯拉罕的故事，並在達到最後一個橫拱之前跳到下方的圖面，結束於第三個隔間，剩餘圖面描繪約瑟（Joseph）的故事；最後，這段聖經故事在北側下方圖面以摩西的故事作結。

整段敘事進行的進程很不尋常，特別是西側，場景兩度轉到另一個圖面，其原因可能和工程的過程有關。由於缺乏文獻佐證，我們僅能藉由風格比較為其進行藝術史分類。學者認為這件十一世紀晚期的普瓦圖風格作品有三間工作坊參與製作。

◁▷ 教堂內部、中廊拱頂天花板及壁畫局部：建造巴別塔、諾亞方舟
約十一世紀晚期，加爾唐普河畔聖薩萬本篤會修道院教堂。

△△ 地窖全景與局部：羅馬總督拉迪修斯（Ladicius）第一次審問聖撒比諾與聖西彼廉
約十二世紀早期，加爾唐普河畔聖薩萬本篤會修道院教堂。

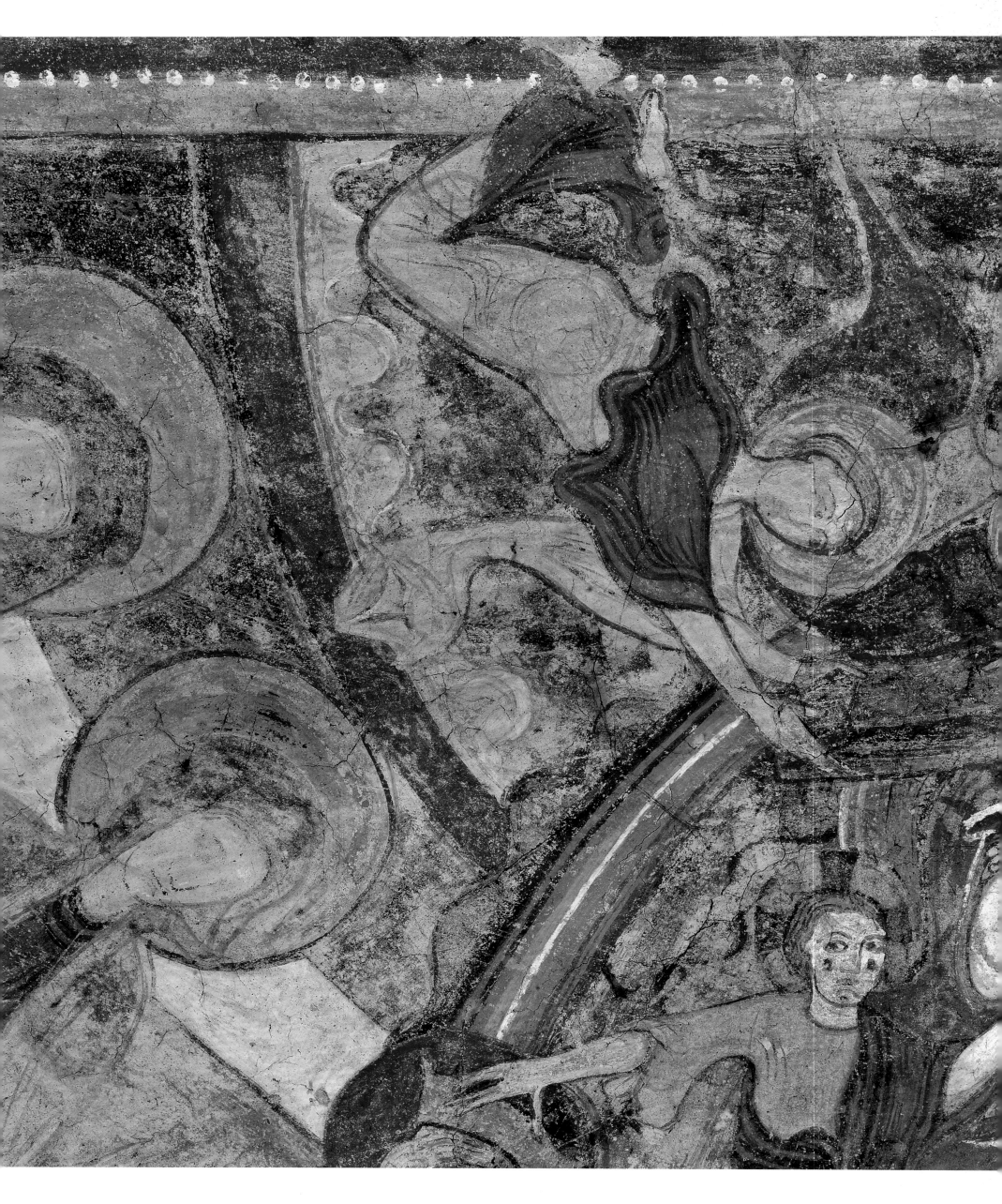

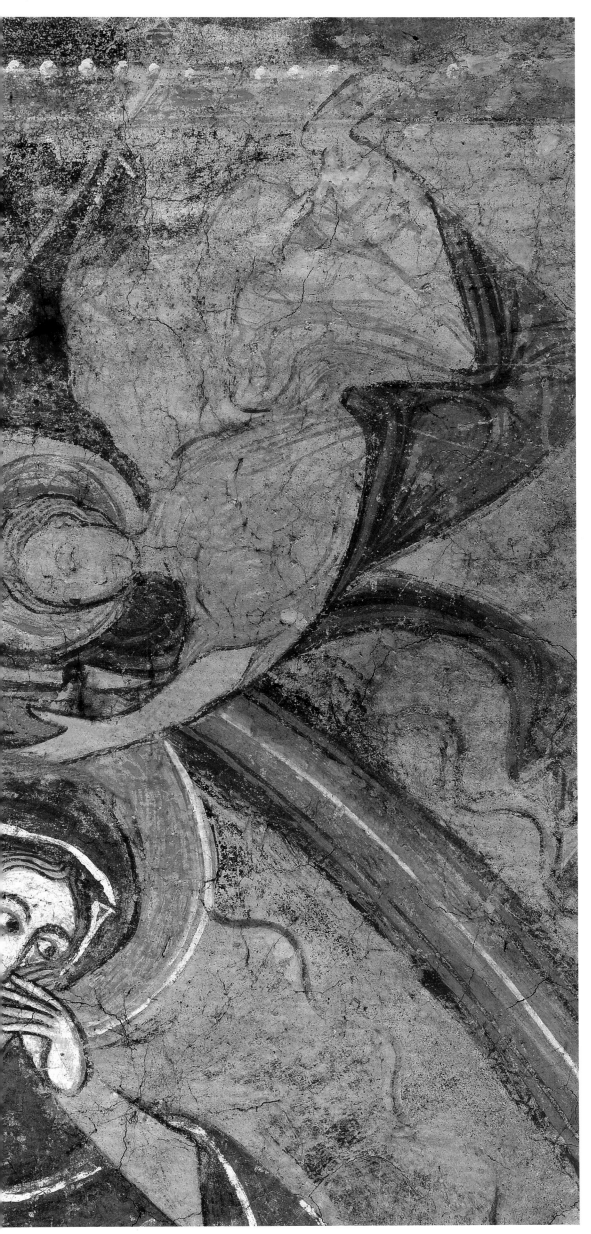

加爾唐普河畔的蒙特莫里隆聖母教堂

位於加爾唐普河畔的蒙特莫里隆（Montmorillon-sur-Gartempe）的聖母教堂，其唱詩班席下方有一間獻給聖凱薩琳（St. Catherine.）的禮拜堂。禮拜堂後殿有一幅品質上乘的壁畫，中央是寶座聖母位於杏仁狀光輪中，天使從天而降為她加冕，聖母右手環抱著聖子，並拿起他的左手親吻；男孩基督的右手平直伸出，為可能是聖凱薩琳，也可能是教會化身的一位身分不明的女性加冕。在有水平條飾與波浪線的背景上，左方有三位拿著冠冕的女性聖徒，另外三位帶光環的女性則從右方走近。

這幅畫作的細緻風格與不尋常的圖像，讓人得以辨認出對這個主題的詮釋變化。敬神的主題進入前景，顯示出哥德時期聖母讚美詞的內容，這說明畫作可能完成於十二世紀末或1200年左右。

寶座聖母與聖子、為聖凱薩琳（或教會）加冕
約1200年，加爾唐普河畔蒙特莫里隆，聖母教堂，聖凱薩琳禮拜堂後殿半圓龕中央。

拜占庭的影響：
晚期羅馬式風格的羅馬壁畫

羅馬式風格這個詞不足以形容十一至十三世紀的羅馬壁畫，此時期的圖像與風格可以追溯至遙遠的中古世紀早期，而且無重大變化。它的發展深受第六至九世紀希臘或拜占庭修士所帶至羅馬的拜占庭繪畫與馬賽克藝術影響。十二世紀羅馬藝術的主要特徵是風格統一，無論創造力高低，皆偏好採用明亮色彩與顯著裝飾。

內皮的聖阿納斯塔修聖殿

位於內皮聖耶利亞堡（Castel Sant'Elia, Nepi）的聖阿納斯塔修（Sant'Anastasio）聖殿，其溼壁畫僅有部分留存至今；壁畫位於耳堂牆面，描繪穿著羅馬袍的先知們，以及一系列啟示錄場景，現存者為其中七幅。然而，聖殿最重要的溼壁畫位於後殿半圓龕的拱頂，畫面上基督站在中央，兩旁是聖彼得與聖保羅兩位使徒，以及聖耶利亞斯（St. Elias）與聖阿納斯塔修斯（St. Anastasius）兩位殉道者，位於羅馬聖葛斯默與聖達彌盎（Santi Cosma e Damiano）聖殿的一幅六世紀馬賽克畫被認為是其構圖範本。在下方，基督於風口處再次出現，身邊是象徵使徒的羊。確實，羊的圖像在五至十三世紀間屢次成為使徒的象徵，五、六世紀時尤為盛行，這幅圖像或許與此有關。後殿牆壁風口下部有兩組人像，各為四位男女殉道者與一位大天使，中央原本有皇后聖母像，但已佚失。皇后聖母的概念在東方比在西方盛行，但從未入畫，而即使在西方，這個概念多半也僅在羅馬流傳。殉道者身著長的儀式服飾，線條直順而下，未透露任何身體特徵。這個頗為單調的風格以平行線居多，布料上也有許多以工整的幾何風格排列的圓形圖案與飾邊，這在羅馬繪畫中很常見。

溼壁畫的一條銘文提到三位畫家的名字，約翰內斯（Johannes）與史帝弗斯（Stephaus）被描述為兄弟，尼可勞斯（Nicolaus）是約翰內斯的姪子。儘管難以辨別各人風格，但由於後殿溼壁畫較為重要，學者們認為其製作者應該是第一位提到的藝術家約翰內斯，他的姪子尼可勞斯則負責右手邊耳堂的溼壁畫，因其風格較前衛，可能是較年輕的藝術家所作。

◁▷ ▷▷**祭壇與後殿、後殿左半部的溼壁畫及其局部：**
大天使面前的四位殉道者大天使右方腳邊為獻贈此作的修士，約十一世紀末、十二世紀初，內皮聖耶利亞堡，聖阿納斯塔修聖殿。

阿納尼的主教座堂

　　雖然阿納尼（Anagni）主教座堂建於 1072 與 1102 年之間，但其最早的紀錄是地窖所記載的奉獻祭壇時間，即 1112 年。地窖於 1226 至 1250 年間進行裝飾，由葛斯默師傅（Magister Cosmas）和兒子路卡斯（Lucas）、雅各布（Jacobus）為地板鋪上馬賽克。然而，教堂中最重要的還是覆蓋其所有拱頂、牆面與殿堂的豐富溼壁畫。西側牆描繪聖馬格努斯（St. Magnus）的神蹟與聖髑。依據傳說，這位聖徒於 250 年左右在豐迪（Fondi）殉道，1130 年其聖髑被帶進這間教堂。在南側牆前方倒數第二個開間下描繪著兩幅場景，一幅是聖約翰被丟入油鍋而殉道，右方的另一幅是發生在聖馬格努斯去世後的奇蹟，他救了一個孩子，使他免於掉入井中。只有在義大利南部，這位聖徒才會被描繪成穿著主教法衣，手持聖杖。在與這些溼壁畫有關的三位藝術家中，歐納提斯塔大師（Maestro Ornatista）被認為是主持者。三位畫家都已經展現出哥德風格的傾向。

　　轉繪大師（Maestro delle Traslazioni）的風格仍然受由來已久的羅馬壁畫傳統所主導，他的作品包括位於主後殿前方拱頂的啟示錄聖像或彩繪裝飾。主後殿拱頂描繪啟示錄主題圖像，二十四位長老帶著自己的頭冠與盛滿香的金爐來向上帝之羊致敬，羊的四周是福音書作者象徵。這隻約翰啟示錄所描寫的羊以七角七眼的形象出現（啟示錄 5：6），前腿中央的書帶有七個封印，被讚譽為一本值得展讀的書。在啟示錄圖像底下，後殿右手邊描繪聖馬格努斯的聖髑移送到阿納尼的景象。

聖約翰殉道與聖馬格努斯生平事蹟

約 1226-1250 年，溼壁畫，阿納尼主教座堂，地窖西側牆。

△ 啟示錄聖像
約 1226-1250 年，溼壁畫，阿納尼主教座堂，主
後殿前方地窖的拱頂。

▷ 啟示錄之羊與福音書作者象徵
底下為奉獻金冠的二十四位啟示錄長老，1226-
1250 年，溼壁畫局部，阿納尼主教座堂，主後殿
左半圓龕地窖。

羅馬的四戴冠聖徒堂

　　四戴冠聖徒堂（Santi Quattro Coronati）的名字來自一個傳說。依據傳說，有四名士兵或雕塑家因為拒絕敬拜或雕刻異教圖像，而被戴上刺鐵冠殉道。四戴冠聖徒堂的前身是建於四世紀的一棟建築，於 1111 年改建為四戴冠聖徒堂，1240 年代完成溼壁畫裝飾。

　　四戴冠聖徒堂對於羅馬歷史別具重要性，主要是因為其聖西爾維斯特（St. Sylvester）禮拜堂的壁畫。在入口窄牆有最後的審判圖像，邊牆則描繪教宗西爾維斯特一世（Sylvester I，314-335 年在位）與君士坦丁大帝（逝於 337 年）的一則傳說；這位受麻瘋病所苦的異教帝王接受西爾維斯特的洗禮而病癒，為了答謝，據說他大力賞賜教宗及其後代，不僅讓他入主拉特朗宮（Lateran Palace）、整個羅馬城和羅馬帝國西部，更將象徵王權的皇冠與紫袍獻予教宗。此段史事記錄於中世紀早期最著名的一份文件中，後世稱為〈君士坦丁獻土〉（Donation of Constantine），直到文藝復興時期，人們才發現這是一份偽造於八或九世紀的文件，在這之前，它將相對於世俗權威的教宗權力合法化，直到十三世紀都未動搖。在日耳曼霍亨斯陶芬王朝的腓特烈二世（Frederick II, 1194-1250）與教宗激烈相爭的時期，聖西爾維斯特禮拜堂的溼壁畫指出教宗的權力高於君士坦丁帝王。其中一幅溼壁畫描繪君士坦丁跪在教宗西爾維斯特面前，獻上其弗利吉亞帽（phrygium），即王冠。而在門邊壁畫中，戴著此權力象徵的教宗騎著鞍馬，引領隨從人員朝下一幅壁畫前進，他騎馬緩行，身邊圍繞著神職人員與女士們，帝王則如同看守馬的角色跟隨並親自為他帶路，這在封建法中代表一種效忠的舉動。

最後的審判（上）、君士坦丁大帝的傳說（下）
約 1246 年，溼壁畫，羅馬，四戴冠聖徒堂，聖西爾維斯特禮拜堂的窄牆。

△ **教宗西爾維斯特一世與君士坦丁大帝的傳說**
君士坦丁大帝接受教宗西爾維斯特洗禮，約
1246年，溼壁畫，羅馬，四戴冠聖徒堂，聖西
爾維斯特禮拜堂。

△ **君士坦丁獻土**
受洗而病癒的君士坦丁大帝，為致謝而將王冠贈
予教宗，並將羅馬歸諸其權力之下。

▷ **君士坦丁大帝宣示效忠**
為教宗拉馬，以馬伕的角色表示對教宗效忠。

S. S... OTTO... PVS.

彩繪木天花板的一百五十三幅獨立圖像局部
約1130/1140年，齊利斯（Zillis），聖馬丁教堂。

彩繪木天花板

教堂若是無拱頂，便由畫家們負責為木天花板平面進行設計。由於木材極易遭祝融，有彩繪裝飾的羅馬式木天花板僅有兩幅留存至今，其中品質明顯較佳者位在希爾德斯海姆的早期本篤會聖米迦勒教堂。或許與主教伯恩哈德（Bernhard, 993-1022 年在位）於 1194 年封聖後，其遺骸移送至此有關。長形天花板分為大小不等但排列整齊的圖面，八個大圖面左右各有兩個長形小圖面，天花板長邊有莨苕葉飾與圓形圖案飾帶，四個邊角是福音書作者象徵。整幅圖像從西側人類墮落的精彩描繪開始，兩棵生命樹與知識樹一起出現，生命樹的樹冠上包含基督與五位獲救贖者的臉像；其上方圖面是躺臥的耶西（Jesse），後方有一棵基督的家脈樹，下方框架中央出現亞當之子塞特（Seth），通過天堂樹來到生命樹，指涉基督將以新亞當的身分降世。基督出現在整幅圖像的另一端，祂的下方圖面是身為新夏娃的寶座聖母，四位先知像則依次列在圖像中間。

在瑞士格勞賓登州（Graubünden）的齊利斯有一間聖馬丁（St. Martin）教堂，以一百三十五個獨立飾邊鑲板描繪基督生平、受難事件，以及教堂守護者聖馬丁的生平圖像，再圍以奇幻的海中生物圖與莨苕葉飾帶，四個邊角是四風的擬人圖像。這些圖像缺乏藝術美感，有時甚至幾近粗俗，人物區別也不明，整體風格固守傳統而缺乏想像力。這件作品約完成於 1151 至 1175 年。天花板雖然經過多次修復，仍留存至今。

▷　▷▷ **彩繪木天花板全景與局部：天堂中的亞當與夏娃受蛇誘惑**

約 1226-1250 年，希爾德斯海姆，早期本篤會聖米迦勒教堂。

光與色彩的舞台：玻璃彩繪

　　雖然早在六世紀，圖爾的額我略（Gregory of Tours）就曾提及「發光的窗戶」，但玻璃彩繪直到九世紀才有清楚的文獻紀錄。玻璃彩飾與壁畫不同，它是經由穿透窗戶照進教堂空間的光來產生效果，光的元素讓玻璃彩繪被比喻為建造天上耶路撒冷所用的寶石，並在窗面圖像內容的引導下，為信徒帶來天啟。

　　德國現存最古老的玻璃彩繪位於奧格斯堡（Augsberg）主教座堂的南側高窗。舊約中原本有十一位先知，在這裡以組畫表現其中四位：約拿（Jonah）、但以理（Daniel）、何西亞（Hosea）與大衛（David），第五位先知摩西的圖像於 1550 年左右經過大幅修復。鑲嵌於圓拱形窗戶中的玻璃彩繪，受限於寬厚的棕櫚木窗條，而呈現出今日所見的高

但以理、何西亞、大衛與約拿
1132 年以後，玻璃彩繪，約 225 × 53 公分，奧格斯堡主教座堂，南殿高側窗。

而窄的圖面。人物端正地面向前方，兩臂緊貼身體。每位先知都一手拿著飄帶，一手舉起做演說狀；大衛右手還拿著一根權杖。其他先知們都戴著簡單的猶太帽，只有大衛戴著鑲有寶石的金冠。人物們靜止不動，腳上的便鞋對稱外張，只有約拿腳下是大張的魚口。冷峻的服裝線條在色彩強烈的豐富細節中獲得紓解，筆直垂落的衣襬飾有大量寶石。依據某份文獻，可能描繪著眾使徒的北側窗戶於 1311 年因雹暴而毀壞殆盡。

△ 摩西與燃燒的灌木叢
下方為哲勒楚斯大師像，約 1170-1180 年，阿
爾恩施泰因的普雷蒙特雷修會教堂玻璃彩繪，
明斯特（Münster），西伐利亞州立藝術暨文化
史博物館藏（Westphalian State Museum of Art
and Cultural History）。

▷ 聖凱薩琳
飾以厚邊裝飾，約 1220-1230 年，玻璃彩繪，
約 195×144 公分，科隆，聖庫尼貝特教堂，北
耳堂。

　　阿爾恩施泰因（Arnstein）的普雷蒙特雷修會教堂（Pre-monstratensians）有一面保存良好的彩繪窗戶，描繪摩西見上帝時杖化為蛇的那一幕。這幅圖像的特殊魅力在於藝術家畫出了拿著畫刷與顏料罐的自己，稱呼為哲勒楚斯（Ger-lachus）。由於修道院內就住著一位名為哲勒楚斯的俗人修士，畫家也以俗人修士的形象描繪自己，其身分呼之欲出。

　　科隆的聖庫尼貝特（St. Kunibert）教堂現存有幾面描繪站姿聖徒的大型窗戶，例如戴著頭冠、光環與持著棕櫚枝的聖凱薩琳，其圖面邊緣的串珠狀緣飾上寫有一位神職人員伊歐達諾斯（Iordanus）的名字，他可能是聖庫尼貝特教堂的一位參事，逝世於 1238 年。他在圖像左下方以敬拜者的姿態出現，這也顯示他是捐獻主。

VIII 第八章

「以此，紀念我」

禮拜儀式的用品

在所有我們所熟知的中世紀禮拜儀式，即所謂日課（officium divinum）中，彌撒的儀式最為重要；與基督獻祭有著密切關聯的核心活動——聖餐，在祭壇上不斷重複著，使所有內心懺悔的參與者都能夠從罪惡中獲得聖恩與救贖。神父於彌撒時所說的「最後的晚餐」慣用語：「這是我的身體」和「這是我的血」，強而有力地標誌出從舊約到新約的轉捩，即救世主誕生為拯救世人此一故事所帶來的分野。在這個觀點上，基督教團的團結和成員的階級制度，伴隨每個彌撒儀式不斷地被重新提醒。

彌撒儀式的政治重要性於 1215 年顯現，由於異教活動的蔓延，聖餐變體的教條在第四次拉特朗會議（Fourth Lateran Council）時宣布。根據這項教義，基督的獻祭並非僅象徵性地出現於彌撒，而是真實的永存，因此餅與酒完全地轉化成基督的身體與血。

在聖餐儀式過程中使用的器具——祭器（vasa sacra），在過去以其特別的質感著稱，直到十一世紀更著重在昂貴的材質，於十二世紀搭配的圖像設計越趨重要。

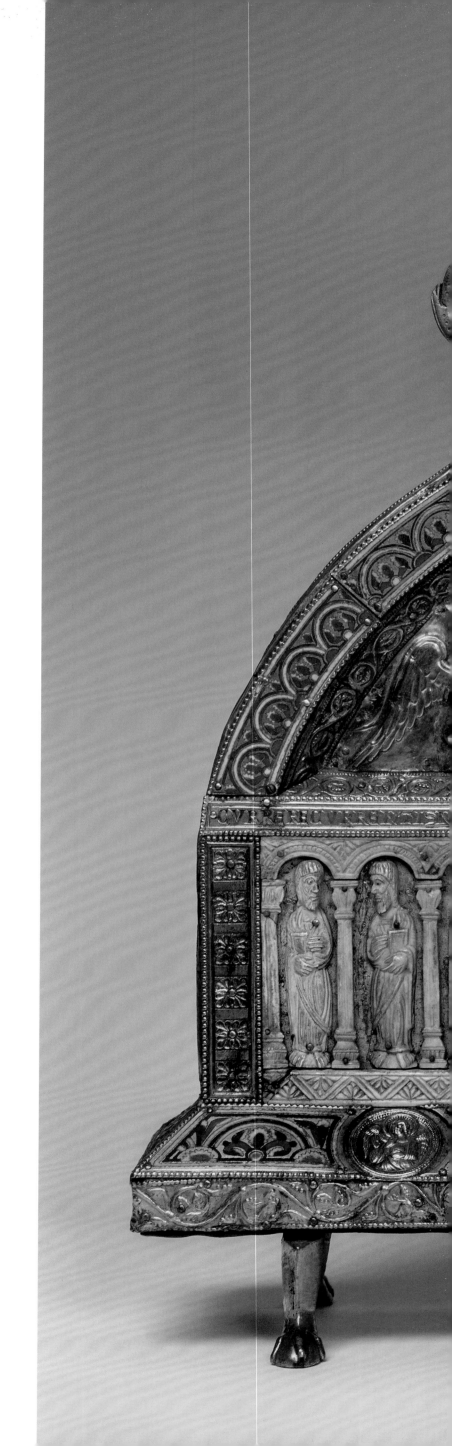

祭壇和壇前飾物——禮拜儀式的核心之作

作為一個永久安置的平臺，祭壇決定了行使聖餐之所在。因此教堂空間內往往提供給祭壇一個盡可能接近神的特定位置，展現其特性與地位，例如朝東的唱詩班席，或教堂中殿與耳堂的交叉部。事實上，設於東側唱詩班席的高祭壇是為教會聖職人員保留，而交叉部的祭壇是為信徒的彌撒所設。

基督於彌撒聖禮的臨在需要祭壇特殊的儀式祝聖，禮拜儀式的用品因此隨之神聖化。與此相關的是聖髑的存放，聖髑大多來自祭壇或教堂的守護聖徒，並存放於祭壇墓穴或洞穴中。為了創造可獨立致敬或私人禮拜的空間，擁有聖髑的教堂需要建造附屬祭壇。例如附屬保存於科隆聖庫尼貝特教堂的附屬祭壇，據載於 1226 年祝聖，祭壇前有三幅嚴重褪色的繪畫，以四個大理石製具葉飾柱頭的立柱為框。

布倫瑞克主教座堂的聖母祭壇有著黑大理石製的聖壇石頂板，以五個青銅立柱支撐。根據記載這是由獅子亨利和其配偶所贊助，並於 1188 年祝聖啟用。在藝術史上將之與黑爾馬斯豪森（Helmarshausen）福音書的創造相連結。四個角立柱有著雕刻傑出的老鷹柱頭，而中央的立柱則為葉飾柱頭，內有裝載聖髑及阿德羅格主教（Bishop Adelog）印璽的小型鉛製容器（見頁 145）。

▽ 祭壇
1222-1226年，粗面岩，凝灰岩，深色大理石，殘存繪畫，101×102公分，科隆，聖庫尼貝特牧師會教堂。

▷ 聖母祭壇
於1188年由獅子亨利及其妻子馬蒂爾達設置，深色大理石，青銅，布倫瑞克主教座堂。

祭壇（壇前飾物）前的構造垂下，裝飾祭壇的正面，只要神職人員站於聖壇石頂板的後方便可面向祝聖。考慮到基督於聖餐時真正的臨在，壇前飾物也以奢華的材料製作。在德國靠近施韋比施哈爾（Schwäbisch Hall）的郭斯康堡（Groβcomburg），有一間修道院教堂內便有很傑出的例子。

壇前飾物由可滑動的銅薄片覆於木版上，其圖像的內容與祭壇上的事件相關，以浮雕、壓模、雕刻，以及鑲嵌琺瑯上

釉和寶石鑲嵌等技術製成。在簡樸有序的裝飾中央處，基督以非典型的站姿出現在榮耀基督聖像中。帶著六對翅膀的福音傳道者象徵，圍繞在杏仁狀光圈的周遭，每一個僅有少數羅馬式風格的案例，例如時代相接近的黑爾馬斯豪森福音書的封面（見頁 547）。雖然基督的形象為站姿，但上帝的寶座可藉由榮耀基督聖像的形式而指涉出來。

透過正面像及右手舉起的暗示性講道手勢，呈現出統治者及老師的形象。圖像學的闡釋也延伸至杏仁狀光圈的刻文上，意指基督升天，並暗示基督將再臨，也與傳統的最後審判相連結。在這層含義上，使徒們以奉行者之姿圍繞在榮耀基督聖像的兩側，其身分可藉由人像背景上的名稱辨識出。

郭斯康堡的壇前飾物以及環形的枝狀燭臺（見頁 535），皆為修道院院長海特維格（Abbot Hertwig，1103/1104—約 1140）所捐贈，為其所請託的金匠作品的一部份。由於無法從風格推論出作品歸屬於當時哪位著名的金匠，藝術史學家假設作品出自一間靠近修道院且僅活躍於郭斯康堡，被視為德國南方具有高水準金匠品質的工作坊。

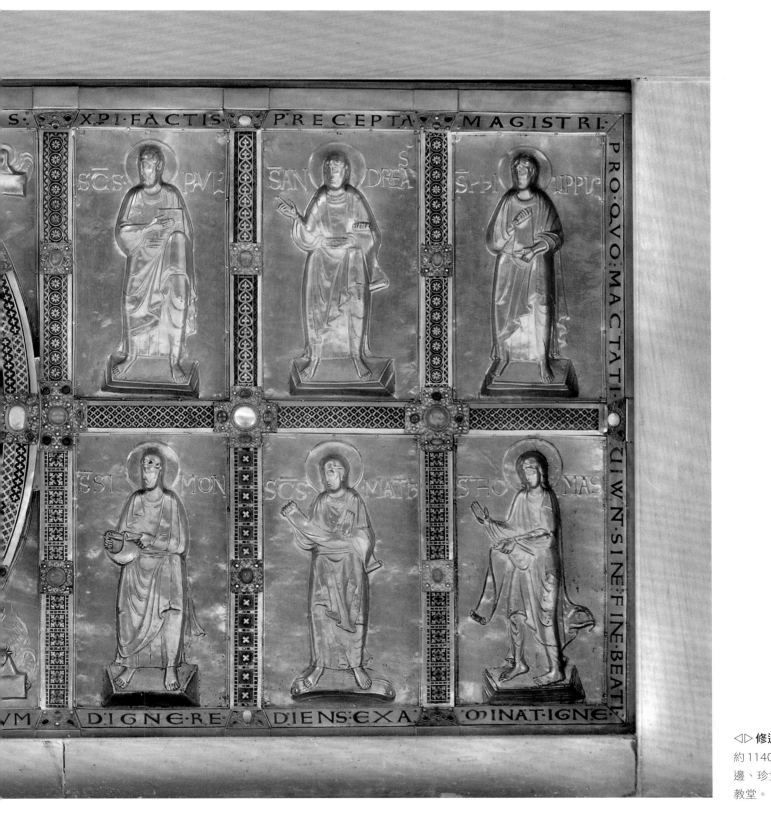

◁▷ **修道院院長海特維格的祭壇壇前飾物**
約1140年，銅製、木板鑲金、琺瑯、金銀絲花邊、珍貴寶石，全觀與細部，郭斯康堡，修道院教堂。

O M̃IA · S

EST RIA · IN

為了裝飾克洛斯特新堡（Klosterneuburg）修道院教堂的讀經臺，其中一位重要藝術家金匠，來自中世紀洛林（Lorraine）知名的凡爾登的尼古拉斯（Nicholas of Verdun，可追溯至1181年至1205年），製作了一系列鑲嵌琺瑯瓷釉的鑲板，根據銘文完成於1181年。於1329年或1331年，這個讀經臺被重新製作為有翼的祭壇裝飾，兩個垂直軸被嵌入中心處，於十字架的兩側。這些十二世紀及十四世紀的製作過程，皆被詳細載於水平帶狀銘文上。

這件被辨識為凡爾登的尼古拉斯最早的作品，同時也是中世紀最大件的知名琺瑯作品，為歷史上第一次的鑲嵌琺瑯，舊約與新約的場景在此以類型學的順序相互連結。同時，尼古拉斯成功地將拜占庭與古典的形式以自然主義的描寫方式結合，為十三世紀早期雕塑與繪畫的新古典主義風格奠定基礎。

▽ 凡爾登聖壇（Verdun Altar）的鑲嵌琺瑯鑲板
包覆於克洛斯特新堡教堂內讀經臺上，由凡爾登的尼古拉斯製作（完成於1118年），高108.5公分，中央寬263公分，兩翼寬120.5公分，克洛斯特新堡，奧古斯丁會

△ 最後的審判
天使吹奏低音號的前奏曲。

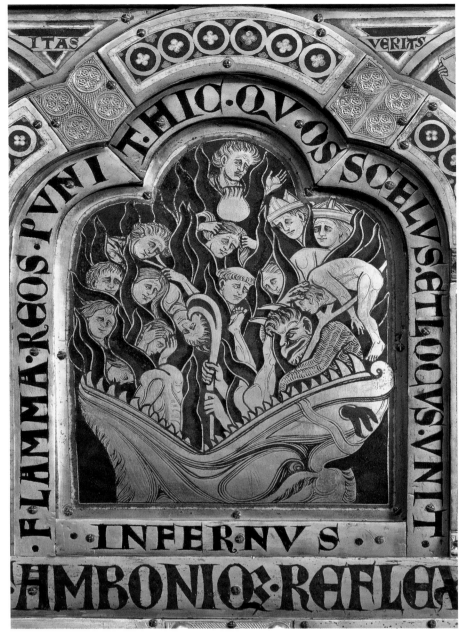

△ 天上的耶路撒冷
天使和被拯救的靈魂。

△ 被詛咒的靈魂
在地獄的入口，深陷地獄之火中。

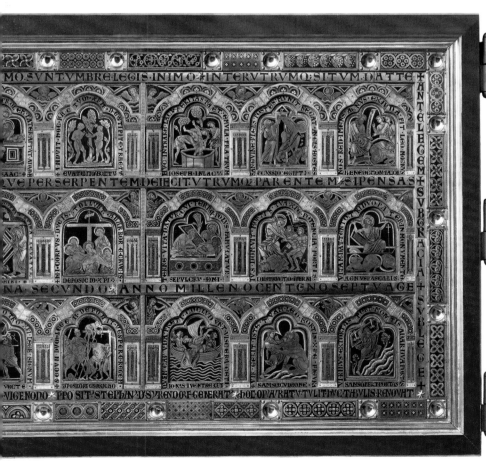

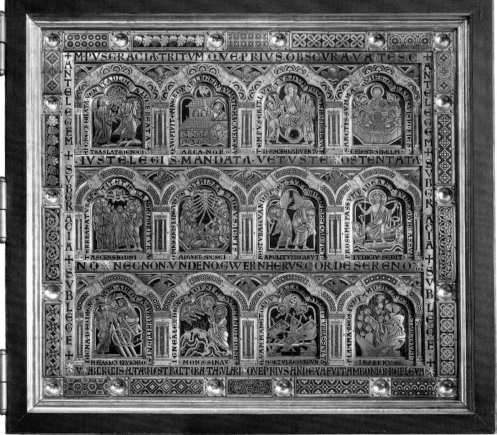

△ 圓盤十字架
約 1110-1140 年，銅製、鑄型、雕刻及鍍金，金銀絲花邊，鑲有寶石，直徑 355 公分，希爾德斯海姆主教座堂珍寶室。

▷ 索斯特圓盤和祭壇飾屏
1220-1230 年，松木及雲杉木，原版繪畫，389 公分 ×345 公分，索斯特，山上聖瑪麗教堂（St. Maria zur Höhe）。

　　這是一件以珍貴寶石和莨苕葉形金銀絲花邊飾框所環繞的盤狀物，結合寶石鑲嵌的十字架。幾近方形延展的十字架交叉處及十字架末端鑲有大的卵形寶石水晶。另外兩件類似案例藏於希爾德斯海姆主教座堂珍寶室。圓盤十字架的外形仿效團扇的形式，早期為禮拜儀式用的扇子，用於驅趕祝聖儀式時麵包與紅酒上的昆蟲。至少從六世紀開始，便以良好的材料製作，失去原有儀式中的功能。這些物件被設置在祭壇上，或是以呈列的形式附於祭壇外側。這件作品出自於希爾德斯海姆一間金工的工作坊。

　　約 1200 年間，斯堪地那維亞和德國西伐利亞區域開始製作紀念性的圓盤十字架，這些十字架被視為慶祝勝利的十字架。目前唯一倖存的例子位於德國的索斯特（Soest）；位於圓盤前方的十字架具有方形浮雕，圓盤本身並附有四組圓形浮雕裝飾。方形浮雕內容為耶穌救世，而圓盤則描繪耶穌受難之前的事件。由於世上的罪惡源於生命之樹，十字架便製成生命之樹的樣貌，並於木製十字架上得到救贖。在中世紀時，結合圓盤所製成的十字架被視為是宇宙和諧和神聖真理的象徵。在此基督受難、聖母馬利亞和聖約翰的形象皆已佚失。

移動式祭壇

移動式祭壇又稱可攜式（portatile）祭壇，是六世紀時高階神職人員於旅行時彌撒祝聖所用。然而，移動式祭壇偶爾也會用於教堂內，與設置好的固定式祭壇一同使用，以符合彌撒儀式於一天內，於同一祭壇舉行一次的規定。移動式祭壇的裝飾較樸素；上方埋入聖髑的小型簡易祭壇鑲板可滿足彌撒時詠誦的需求，之後發展出含有金屬或象牙並附腳座的小盒，成為微型祭壇。

帕德博恩（Paderborn）總主教博物館中的移動式祭壇具有部分鍍薄銀的橡木盒。長側邊各刻有五個拱廊，每一拱廊內坐有一使徒，中心處為聖彼得與聖保羅。於彩虹上登基的基督以凸紋刻於正面較窄的側邊，位於聖基利安（Sts. Kilian）和聖利博里厄斯（Sts. Liborius）之間，而另一面為聖母坐於使徒約翰和雅各之間。

位於德國西部門興格拉德巴赫（Mönchengladbach）的移動式祭壇，其側邊拱廊的使徒則是以白色琺瑯上釉。頂部及較窄兩側所保留的複雜繪畫以聖餐為題材。

弗里茨拉爾主教座堂（Fritzlar Cathedral）的祭壇背部裝飾（頁 510 與 523），有可能作為旅行用的祭壇，是一件極為罕見的例子。由於平坦的圓盤造型以及裝有聖髑，它同時被視為是聖髑箱。這件祭壇背部裝飾以不同的技術組合了多樣的材質，並融合了各式風格，這都妨礙了它在藝術史上的分類。

◁◁**移動式祭壇**
1120-1127年，橡木和石質鑲板與珍貴金屬，
16.5×34.5×21.2公分，帕德博恩，總主教美
術館（Archiepiscopal Museum）。

◁**祭壇背部裝飾**（正面在頁510和511）
半身長的基督在天使之間，十二使徒；背面：動
物及成對裝飾，約1170-1180年，中心部分為
木質，薄銀片，浮雕，壓製，鍍金，鑲嵌琺瑯，
棕色亮漆，骨雕，高47公分，弗里茨拉爾，主
教座堂珍寶室。

▽▷**移動式祭壇**
約1160年，中心部分為橡木，鑲嵌琺瑯，雕
刻，棕色亮漆，壓製，鑄造青銅，鍍金，綠斑岩
鑲板，長29.5公分，寬21公分，全觀與使徒加
冕的長邊，門興格拉德巴赫大教堂珍寶室。

祭器：
聖餐杯、聖盤、聖餐盒及其他禮拜儀式器皿

祭壇作為祝慶聖餐的中心位置，而祭器例如聖餐杯和聖盤，作為裝盛紅酒及麵包等聖餐的容器，便成為最重要的禮拜儀式器皿。這些器皿在彌撒儀式中直接接觸到轉化為基督肉身與血的聖餐，並且從本質上闡明此一在祭壇上的轉化事件。憑藉這層崇高的禮拜儀式含義，祭器從最早的時候開始便使用最高貴的金屬來製作。直到十一世紀為止，材料的價值在神聖物品的製作上佔首要，而器皿本身的裝飾性則較為次要。中世紀盛期，書籍作為中介記載圖像與題辭仍有限，

藝術則將之帶往禮拜儀式神聖的領域。至十二世紀，祭器已成為圖像的傳送媒介，儘管圖像主題以聖餐活動為主，但仍具有地方性的關聯。

自十三世紀前半葉以降最為華美的神聖用品之一，為德國希爾德斯海姆的聖哥達天主教教區教堂（Catholic parish church of St. Godehard）的聖餐杯和聖盤。在聖餐杯上杯腳的舊約描繪，類型學地與杯碗上基督一生的場景描繪相呼應。聖盤中心處以八瓣形或稱八片葉形圍繞設計成圓雕飾，

△ 羅馬式聖餐杯
具有人物形象描繪，來自格涅茲諾大主教（Archbishopric of Gnesen）的主教座堂珍寶室／博物館。

△ 卸下聖體的十字架基座
約1150年，銅、澆鑄、雕刻、鏤刻、鍍金、水晶石，高43.2公分，倫敦，維多利亞與艾伯特博物館（Victoria & Albert Museum）。

並刻有基督於彩虹上登基審判，基督右手呈祝福手勢，左手持聖餅。在聖餐儀式期間，圖像上覆蓋的聖餅最終將轉化成基督的肉身。圓雕飾周圍的迴讀銘文述及基督獻祭般的死亡：「看啊，人類，我的死亡救贖了你們！」（HVC SPECTATE VIRI SIC VOS MORIENDO REDEMI）。

相較於代表勝利的遊行十字架，「卸下聖體的十字架基座」將基督受難的雕塑移至前景，釘刑場景及華麗的腳座設計占據祭壇上的一席之地。倫敦維多利亞與艾伯特博物館所藏的

這件十字架作品，藝術性地將禮拜儀式中聖餐與基督肉身的融會貫通描繪出來。這同時也是一件聖餐盒，由亞利馬太的約瑟（Joseph of Arimathea）和尼哥底母（Nicodemus）卸下十字架上受難的基督聖體，以祝聖的聖餅形式盛裝於聖餐盒中，而聖餐盒的建構設計則作成如同聖墓般的特徵。戰勝死亡與罪惡的母題象徵性地藉由聖餐盒的龍爪腳座呈現，龍爪像受到十字架重壓的蛇一般向地面延伸，此外也表現在延伸的十字架柄上張開大口的獅子。

聖貝恩瓦德（St. Bernward）聖餐杯與聖盤
約十三世紀中葉，銀、浮雕、雕刻、鍍金、金銀絲細工，鑲有寶石，高17.9公分，聖盤直徑17.7公分，希爾德斯海姆，聖哥達教堂。

△ 美茵茨聖阿爾班教堂的聖水桶
約1116-1119年，青銅、澆鑄、鏤刻、鍍金、
鍍銀層，高16.5公分，施派爾，普法茨歷史美
術館的施派爾主教座堂寶室（cathedral treas-
ury in Historisches Museum der Pfalz）。

△▷ 葛茲伯圖斯香爐
描繪上帝之城和先知半身像，約十二世紀前半
葉，網狀細工澆鑄青銅、保留鍍金，高22公
分，特里爾（Trier），主教座堂寶室。

　　作為盛裝聖水的容器，聖水桶是維持儀式中重新淨化很重要的象徵媒介物。位於德國美茵茨聖阿爾班（St. Alban）教堂的聖水桶以緊密的小拱支撐。

　　鍍金聖水桶外側分為兩條繪畫橫飾，並框以三條字體卷飾。較低的兩條卷飾其銘文註明創建者為院長貝拖爾德（Abbot Bertold）。下層橫飾描繪狩獵場景和打鬥的動物，並結合奇妙的生物與獅身鷹首獸，上方橫飾的四條天堂之河與四傳道者的象徵指向聖水的淨化與治癒的效果，如同福音書所記載，廣傳並遍及全世界。把柄上註明作品設計者史尼洛（Snello）和燒鑄者哈特維奇（Hartwich）。

　　即便承水鉢和香爐被視為非祭器，但十二世紀彌撒的寓言詮釋讓這兩種器皿經歷了極高程度的解釋。因此往往香爐的建構外形指涉天上的耶路撒冷，而忠誠的祈禱者則隨著煙霧向上帝飄升。很可能是最華麗的香爐就珍藏在德國特里爾主教座堂寶室中；以十字型為構建的中心設計，圖像主題也與上帝之城的概念一致，於較低的區域刻有半身的先知亞倫（Aaron）、摩西、以賽亞和耶利米，與此一致的還有在頂部的舊約人物及其象徵，以及所羅門（Solomon）登基寶座的圖像。銘文上的姓名葛茲伯圖斯（Frater Gozbertus），可能是此件作品的創造者。

德國桑騰主教座堂珍寶室（Cathedral treasury of Xanten）中以青銅盒作為十字架基座，為耶穌十字架受難像置於祭壇上時的支撐物。其頂部與四壁皆有透孔及鍍金。其中一個長面的杏仁狀光圈內呈現基督於彩虹上登基，身旁伴隨著帶翅膀的福音傳道者。在另一面，聖母馬利亞及天使長位於榮耀基督聖像兩側。頂部及短側邊為置有使徒的小拱廊。頂部角落坐有完整的年輕教士輔祭雕塑像，其有力的外型與平面的青銅圖像相區別，並使觀者看到創作者製作青銅作品的技術；推測創作者來自下薩克森（Lower Saxony）。

德國南部班貝格（Bamberg）教區的美術館保留了一件象牙製的基督受難像，約製於 1130 至 1140 年間。舉起雙臂釘於十字架貌的基督立於腳板（suppedaneum）上，其背後沒有十字架。據推測此基督像為中世紀的班貝格主教座堂中早期聖米迦勒祭壇上勝利十字架的一部分。耶穌受難像常與復活節的禮拜儀式相關聯，但在這個例子中僅有十五世紀的文獻記載其使用。根據文獻，此聖像於棕枝主日（Palm Sunday）時從十字架上卸下，並置於教堂門前，此教堂門被視為恩典門（Gnadenpforte），為恩典的入口。在耶穌受難日時，十字架會被擺放在高祭壇上供人崇敬，並在復活節遊行夜的過程中被置放回傳統的位置上。

◁ 聖物箱形式的十字架底座
基督位於福音傳道者、聖母馬利亞和天使長象徵之間，十二世紀中，青銅鍍金，高 22 公分，桑騰，主教座堂珍寶室。

▷ 耶穌受難像
高 12 公分，約 1100 年，象牙，高 12 公分，班貝格，主教座堂珍寶室。

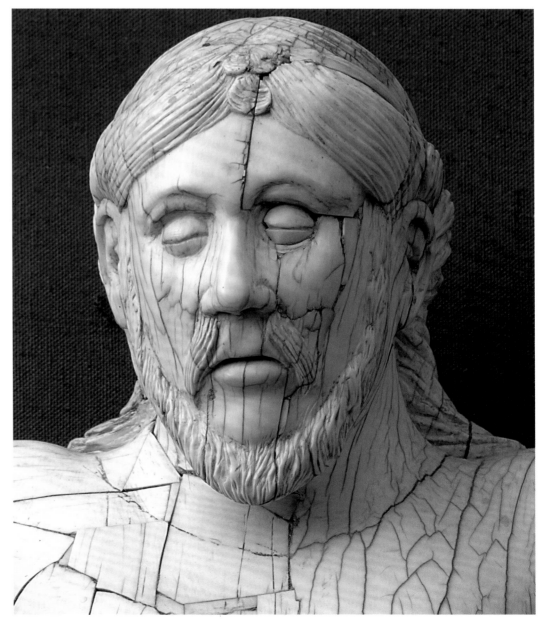

喜樂與希望之光──枝狀燭臺及其象徵

在基督教的神聖領域中，枝狀燭臺直接與其聖經中的象徵意義相連。七個分枝的枝狀大燭臺便是由猶太教的光明節燈臺所衍伸而來，而其創造與形式是由上帝指示予摩西（出埃及記 25：31-40）。作為猶太神堂和後來的所羅門神殿中枝狀大燭臺的複製品，基督教的七枝枝狀燭臺以其形式承繼了象徵意涵，象徵新的基督教的神殿。此外，以賽亞書十一章一到二節中也提到了基督教早期將七盞燈詮釋為聖靈的七件聖禮，在此「耶和華的靈」被描繪成「智慧與聰明的靈」、「謀略和能力的靈」及「知識和敬畏耶和華的靈」。

在布倫瑞克主教座堂，青銅製的七枝枝狀燭臺以四個腳座支撐。燭臺兩邊各有三支燭柄和緩地向上彎曲延伸，呈圓錐狀於尖端處漸細並帶有四葉飾。略微顯露於外側的燭托以百合葉修飾。70 公分高的四腳底座以翼龍的形貌表現，龍首與龍爪皆壓於臥獅身上的缽。而在底座之間莨苕葉形的填板為十九世紀時增加的部分。

▽▷ **七枝枝狀燭臺**
全觀與腳座細節部分：獅子與龍，約1170至1190年，澆鑄青銅，鑲嵌琺瑯，高約480公分，布倫瑞克，主教座堂。

藉由光在神學基督論中的象徵意涵，單一的燭臺也被看作是基督的表徵，同時燃燒自我以照亮信仰的蠟燭，也被視為基督自我獻祭的象徵。因此，教宗依諾增爵三世（1198-1216年）指示祭壇上的十字架應以兩個燭臺環繞。柏林工藝美術館館藏的祭壇燭臺以三隻受壓於地且身體環抱燭柄中心點的龍支撐。這些出現在底座及盛水缽的似龍生物，可以從圖像學詮釋為征服邪惡的象徵，在這層意義下，在此處以及七枝枝狀燭臺出現的龍，皆成為神聖光亮的傳遞者，而七枝枝狀燭臺底部支撐的獅子更是象徵基督自身。

位於德國早期聖本篤教堂的郭斯康堡修道院教堂的環形吊燭架，據載為修道院院長海特維格的捐贈（紀錄於1102年至1139年間）。這件作品與希爾德斯海姆主教海席洛（Bishop Hezilo，1055-1064年在位）的環形吊燭架相同，同樣象徵著天上的耶路撒冷，這點由希爾德斯海姆主教的記事所指出。海特維格的環形吊燭架有著十二個不同故事的塔形結構規律間隔，塔形結構據載代表著使徒。在每個塔形結構的壁龕與上部構造中，共有53個守護天使的形象，代表著住在聖城中受到祝福的靈魂。與塔形結構輪流交替的為十二個內含半身像先知浮雕的大型圓雕飾，他們在刻文中被命為真正和平的奠基者。海席洛的環形吊燭架也有附門的塔間隔，並有附門的圓柱形塔與之交替。即便這些有門的塔不附帶任何形像，其刻文也載有舊約的人物與力天使之名。

▽ 祭壇枝狀燭臺
約十二世紀中葉後半，青銅、澆鑄、鏤刻，高17公分（含尖頂），柏林，國家博物館群，工藝美術館。

▽ 主教海席洛的環形吊燭架
1055至1065年間，銅薄片，部分以棕色亮光漆覆蓋，直徑600公分，希爾德斯海姆，主教座堂（正值主教座堂修復期間，於聖哥達教堂）。

△ 修道院院長海特維格的環形吊燭架

1139 年前，銅薄片、鍍金、棕色亮光漆，直徑
500 公分，郭斯康堡，聖尼古拉斯早期聖本篤修道
院。

▽ 新羅馬式環形吊燭架

漢諾威皇后瑪麗（Queen Marie of Hanno-
ver）於 1864 年捐贈，希爾德斯海姆，聖哥達
教堂。

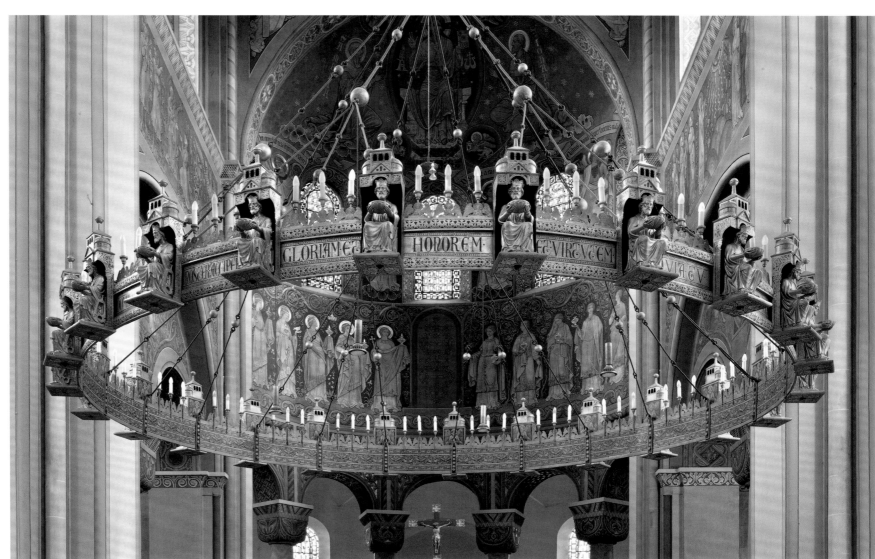

洗禮盆

所羅門王（King Solomon）為了裝飾其神殿，擁有大量的黃銅製品。「又造一個銅海⋯⋯有十二隻銅牛馱海，三隻向北，三隻向西，三隻向南，三隻向東：⋯⋯牛尾都向內。海厚一掌，邊如杯邊⋯⋯」（歷代志下 4：2-5）黃銅海用於洗禮儀式的參考文獻與十二隻銅牛與使徒的身份，使得位於比利時列日市聖巴泰勒米（Saint-Barthélémy）教堂的洗禮盆就如同舊約描述的化身。十二世紀初列日市為其中一個黃銅藝術發展重鎮。

據推測於 1107 年至 1118 年間，銅製藝術家于伊的瑞尼（Renier de Huy）為洗禮盆聖母修道院（Notre-Dame-aux-Fonts）的院長製作了其中一件極為突出的作品：洗禮盆。其中施洗者約翰將基督於約旦河的洗禮成為浮雕的主要場景，而有些浮雕人像如此突出於背景之上，彷彿如同完整的雕塑。這引發了對於古典原型的聯想——一個直到義大利文藝復興前不再出現的呈現人像背景的技法。

△▽▷ **洗禮盆**
于伊的瑞尼所作，1107-1118年，銅，高60公分，古典鍍金形象的洗禮場景全觀與細節，列日市，聖巴泰勒米教堂。

希爾德斯海姆洗禮盆由四個獨立且擬人化的伊甸園之河——比遜河（Pihson）、基訓河（Gihn）和幼法拉底河（Euphrates）及底格里斯河（Tigris）所支撐。他們呈跪姿並將聖水倒於四個腳座的周圍，以此方式縱向與橫向地呈現數字四，作為圖像學主題的象徵。在他們的頭上有四位主要的力天使刻於圓雕飾中，並與伊甸園之河的刻文相關聯。其上又有四個各附有先知——以賽亞、耶利米、但以理及以西結——的圓雕飾，逐一由四位福音傳道者加冕。覆有似三葉草形的小拱廊將洗禮盆上的浮雕區隔出四個主要區塊，分別呈現基督於約旦河洗禮，通過紅海（Red Sea）與帶著約櫃（the Ark of the Covenant）橫渡約旦河等場景，後兩者皆為舊約中基督洗禮的前兆。第四個浮雕呈現聖母馬利亞與聖子的登基像，以及捐贈者的畫像。頂蓋上的浮雕寓意性地與盆上的浮雕相關。例如有罪女人為耶穌洗腳與洗禮儀式、亞倫杖（Aaron's rod）的奇蹟與聖母馬利亞、諸聖嬰孩殉道（Massacre of the Innocents）與出埃及（Exodus）以及慈悲濟世（Works of Mercy）與約櫃等場景的相呼應。

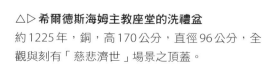

△▷ **希爾德斯海姆主教座堂的洗禮盆**
約1225年，銅，高170公分，直徑96公分，全觀與刻有「慈悲濟世」場景之頂蓋。

修道院院長與主教的牧杖：
教牧關懷的象徵與神職正統性的標誌

牧杖作為表示主教身分的證章，提供主教於正式禮拜儀式時被賦予教牧權利的個人象徵。德國錫格堡（Siegburg）聖瑟法斯（St. Servatius）教區教堂的聖亞諾（Anno）牧杖被視為留存至今最古老的象牙曲柄杖。八邊形的手柄於象牙節

點外，逐漸變細以彎曲的柄杖結尾。鍍銀薄片的底座上的銘文提及維吉爾（Virgil）《牧歌集》（Eclogues）（第三章，20）中的牧羊人提屠魯（Tityrus），以此典故將聖亞諾的牧杖視為教牧角色（教牧同工）的象徵。牧羊人以曲柄杖抓住他所放牧的羊的後腿，此功能也可能留存在牧杖之曲柄杖裡。聖亞諾牧杖銘文的第二部分將重點放在蛇上，牠的狡猾靈巧提醒牧羊人保護「天真無知的悲鳴小鳥」。牠的頭部（在張開的嘴中有隻鳥）被固定在曲柄杖的頂部。錫格堡的聖亞諾牧杖便是以上述簡樸的美而著稱。

在特里爾主教座堂珍寶室中，保存兩件主教牧杖的曲柄杖，以其藍色及綠松色的琺瑯裝飾而著名。這兩件曲柄杖應該是在法國西南部的利摩日（Limoges）製作，此地出產許多以這些顏色製作的作品，並散佈於全歐洲。費內特朗格總主教海因里希（Heinrich von Finstingen，1260-1286 年在位）墓地中發現的曲柄杖為鍍金銅製品。牧杖的莨苕葉形裝飾套筒支撐著以蛇形、扭曲怪物及成對花朵組成的鏤空節點；在這之上坐著一個加冕、有翼且手持書本於胸前的人物半身像，從他的頭上生長出多層盤繞的曲柄杖，其上有蔓草花紋雕飾及莨苕葉形裝飾，並以舌頭向外伸的龍作結，這涉及主教的保護責任。

第二件來自利摩日的曲柄杖在渦卷形裝飾上有著天使報喜的人物形象描繪。此件的附加物僅有少數特徵，立於聖母馬利亞前的天使長加百列手持一本書，以右手食指向她報喜宣佈兒子的誕生。權杖代表著孩子未來神聖的權力。

聖亞諾的牧杖
牧杖，約十一世紀，節點上的套筒約十一世紀下半葉至十二世紀前半葉，象牙、木、鍍金銀、鐵，曲柄杖含節點高 20 公分，錫格堡，聖瑟法斯教區教堂珍寶室。

△▷ **費內特朗格總主教海因里希的牧杖**
利摩日，十三世紀上半葉，牧杖套筒和銅製曲柄
杖，鍍金，具羅馬式盛期的藍色琺瑯莨苕葉飾，
特里爾，主教座堂珍寶室。

△▷▷ **主教的牧杖**
利摩日，十三世紀上半葉，藍色琺瑯上以鍍金裝
飾的牧杖套筒和曲柄杖，中央捲曲部分：天使報
喜場景，特里爾，主教座堂珍寶室。

聖經及其呈現：讀經臺、奢華的裝幀及圖飾

為了能夠於禮拜儀式時閱讀厚重的古書手抄本，需要獨特的讀經臺使書籍能夠平放翻閱。德國弗羅伊登施塔特（Freudenstadt）基督教城區教堂（Protestant city church）所藏的讀經臺應為最著名的範例。由讀經臺上的象徵物可以清楚辨別四位福音傳道者的身分，他們背對背站立、以肩膀支撐著讀經臺，雙手穩固地握著讀經臺。除了頗為粗糙的雕刻製作，富色彩的塗繪擔負起設計的實際任務。讀經臺的本體結構及裝飾皆表現出強而有力的色彩效果。

瑙姆堡主教座堂（Naumburg Cathedral）有一件以小橡樹支撐的砂岩讀經臺。在其後方站有一位著禮拜儀式長袍、與真人等身的輔祭形像，且手持讀經臺與其上攤開的聖經。橡木以木頭的本質彰顯其象徵力，在古典以及中世紀時它代表著廉潔；確切而言，它不僅是力量與堅忍不拔的象徵，同時也是永生的象徵，在此傳遞天國的世界中所頌揚的特質。帶塗繪的雕塑風格使作品被精確定位為十三世紀中葉萊茵河中部地區的創作。

△▷ **輔祭與讀經臺**
約十三世紀中葉，砂岩與留存的多彩塗繪，瑙姆堡，主教座堂。

◁ **福音傳道者人像與讀經臺**
來自阿爾皮爾斯巴赫（Alpirsbach）的修道院教堂，上半部，約十二世紀中葉後半，木製多彩塗繪，高120公分，弗羅伊登施塔特，基督教城區教堂。

奢華的裝幀

約1120年，黑爾馬斯豪森福音書，其手抄本約完成於十一世紀，於橡木上鍍銅和金銀薄片、金銀絲細工、次等寶石、銀珠、小型景泰藍鑲板，封面全觀與細節：福音傳道者象徵，獅子（馬可），特里爾，主教座堂珍寶室。

書封

中世紀時，書籍不過是一種日用品。自從基督教——這個有別於中世紀前古代教派——以聖經為根源的宗教開始，書籍從根本上即成為聖經的體現，具有直接的儀式性意義需求。而聖經作為救恩的證據，其崇高的象徵價值便透過整體奢華的設計來表現。

在迪默爾河（Diemel）黑爾馬斯豪森的聖本篤修道院所藏的書籍封面（頁 546-547），由藝術史家認定為修道院福音書的手抄本，製作於十一世紀晚期。十字架安置於邊框內，十字架的橫梁置於側邊邊框之上，為封面分隔出四個內部的區塊。框住的四福音傳道者象徵，以鍍金銀或鍍銅薄片

裝飾。在有限的背景浮雕中，有翼的形象以有機而生動的姿態展現，他們回頭面向中心與向外的身體形成相對的姿勢。基督在此以巨大的寶石作為象徵，寶石現已佚失，連十字架與邊框交疊處的裝飾寶石也不復見。

藏於弗雷肯霍斯特女修道院的金福音書（Codex Aureus，或稱「金書」）中心處具有象牙鑲板，此手抄本的書籍封面以其大面積的金箔著稱。杏仁狀光圈中的基督登基於彩虹上，周圍環繞以手持象徵物的四福音傳道者及莨苕葉框。高藝術水準的象牙雕刻不僅表現在頭髮的處理上，更在其衣著上的金銀絲細工技術，據推測創作者為一位很有經驗的師父，於 1070 至 1080 年代間，也就是手抄本起源的時代製作。豐富的珍貴珠寶裝飾——可被詮釋為中世紀時對於數字與珍貴寶石的象徵寓意，結合榮耀基督聖像，形成對於福音書的頌讚。

位於布藍茲維的聖阿基殿（St. Ägidien）教堂所藏的傑出福音書裝幀，其年代記載為 1170 至 1190 年間。書籍封面上保存良好的鍍金銀薄片裝飾以豐富的珍珠、珍貴寶石及金銀絲細工。在五個法國加洛林王朝風格的象牙雙聯畫中，由四個牙雕鑲板圍繞中心的第五個鑲板，且中心鑲板在飾有石榴石及珍珠的金工細框中更為突顯。杏仁狀光圈中基督於彩虹上登基並有福音傳道者的象徵環繞。兩側站有頌讚基督的使徒彼得與保羅及從雲中降下的天使們。而上方橫向的矩形鑲板描繪墓中的女人與天使，下方橫版則刻畫三賢士以覆蓋的雙手呈貢禮予聖母膝上的聖子。

△ 弗雷肯霍斯特金福音書封面
約 1100 年及十二世紀，木質封面、金箔、珍珠、珍珠母貝，及珍貴寶石裝飾，高 22.6 公分，象牙高 12.2 公分，明斯特。

▷ 聖阿基殿教堂奢華的福音書裝幀
原版，約 1170 至 1190 年，木質核心、銀、鍍金、牙雕鑲板、珍貴寶石及珍珠、金銀絲細工，布藍茲維，安東烏利奇公爵美術館（Herzog Anton Ulrich Museum）。

圖飾：聖經、詩篇集及其他宗教書籍

奧托王朝時期，聖經本身幾乎沒有圖像裝飾，但到了被視為羅馬式圖飾全盛期的十二世紀時改變了。起初，僅有禮拜儀式及神職人員於祭壇所使用的書籍有圖飾。中世紀早期的聖禮式書（sacramentary）是唯一最重要的禮拜儀式書籍。原先它是一本集結神職人員或主教於彌撒時所說的祈禱語句或祝聖儀式慣用套語的書，它具有豐富的圖飾，以及因為文句的首要字母為大寫「T」的十字型形狀（來自拉丁文語句：「因此，我們」Te igitur laudamus），書中時常配有十字架作為彌撒時的典型圖像。自十世紀起，聖禮式書便作為彌撒用書，也因如此，它更包含了經句、祈禱文、文本，及其他由神職人員與信徒輪流朗誦或吟唱的部分歌曲。

與禮拜儀式書籍最大的區別為福音傳道書，其由依據教會法所排序的新約四福音書所組成，依序為馬太福音、馬可福音、路加福音及約翰福音。其昂貴且華美的裝幀與多彩圖飾的傑出外觀，使其具有極高的價值，並且如果其出自聖人的所有物，那便具有聖髑的地位而成為受膜拜的物品。

福音書或聖禮式書的內容較少，僅包含依據教會年曆為週日與假日所選讀的福音經句。聖禮式書不需要含括福音書所必備的規範表，及與福音書相應的用語索引，除此之外，它與福音書的外觀相似，並附加聖人及教堂或教會活動資助者的圖像。

應答輪唱歌集（antiphonary）含有輪唱讚美詩或禮拜儀式聖歌的經句與旋律，以及包含了教堂日課儀式中祈禱的回應經文。自十二世紀起，於彌撒中便開始規律地輪唱聖歌，並且記錄於彌撒升階聖歌的書籍中。應答輪唱歌集早於二世紀時便開始使用，並由教宗額我略一世納入教會法的形式中。書籍繪有基督與聖母瑪利亞一生的場景，以及在教會年曆中很重要的聖人圖像。

除了禮拜儀式書籍，為信徒所製作的宗教性書籍也逐漸增長。含有完整一百五十則詩篇經句的詩篇集，也時常附有含讚美詩及其他經句的附錄。其最初是為修道院唱詩班的成員所保留，十三世紀時與每日祈禱書一起發展成為信徒所製的祈禱書，後來成為日課祈禱所用的書籍。作為教堂定時日課祈禱的禮拜儀式書籍，每日祈禱書包含祈禱文、聖歌和讚美詩，以及出自聖經和教堂神父書寫的文本。詩篇集通常會呈現出聖經場景，而祈禱書時常由富裕的信徒委託製作，並以極其奢華的方式裝飾。這些書籍由修士所書寫與繪製而成，其製作的背後還有創始於十一及十二世紀修道院院長的偉大品格。

◁ 亨利二世禮書
fol 8v：對牧羊人報喜，賴興瑙島，1007年，不晚於1012年，42.5×32公分，慕尼黑，巴伐利亞國家圖書館。

△ 獅子亨利的福音書
fol. 112v，黑爾馬斯豪森，1173至1188/1189年，34×25.5公分，沃爾芬比特爾（Wolfenbüttel），奧古斯特公爵圖書館（Herzog August Bibliothek），Cod. 105 Novice.2°。

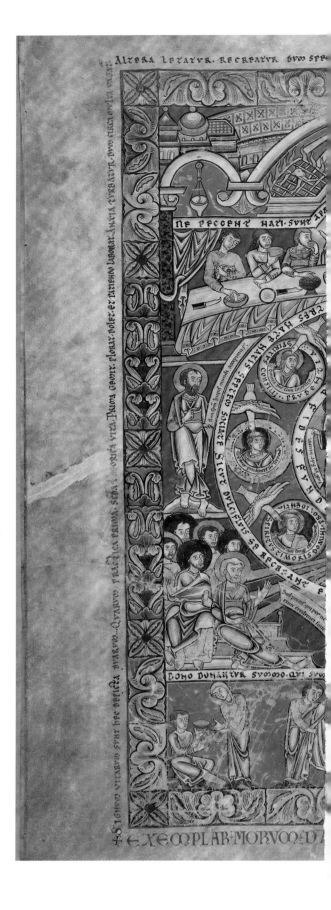

弗洛雷夫聖經

　　弗洛雷夫（Floreffe）普雷蒙特雷修會修道院的聖經在十二世紀羅馬式圖飾的主要作品當中，兼具藝術性與知性。1121年，桑騰的聖諾伯特（Norbert of Xanten）於那慕爾（Namur，今位於比利時）的西南方創立第二座修道院，弗洛雷夫聖經據載於1153年至1172年間在那裡被創作出來。在兩卷編制的作品中，創世紀開頭的插圖被強制移除。

　　除了六幅微型畫，還含有許多附歷史傳說圖案及裝飾作用的首字母，以及幾頁以拱廊為邊框飾的修道院紀錄。血緣之樹（Arbor Consanguinitatis）描繪基督的家譜，為讀者於閱讀經句的過程中提供一種精神上的支持。三個對觀福音書（Synoptic Gospels）──馬太福音、馬可福音及路加福音，僅有圓柱寬的圖飾，而約翰福音書的開頭則標示有整頁的微型畫。福音書的描繪呈現出基督一生中的重要事件，而附圖則與典型的救恩敘述相關聯。因此伴隨路加福音的微型畫有在受難十字架下獻祭的公牛，其不僅是作為福音傳道者路加的象徵，同時也與基督獻祭的死亡相關，即舊約中血祭品被新約中基督的血所取代的信仰有所關聯。

　　第二卷則以約伯記（Book of Job）中兩面的微型畫作為開頭，其在圖像空間中以概略的片段呈現。例如552頁右圖上方約伯之子女的宴會圖像，呼應553頁右圖下方的最後晚餐圖像，概念上與永恆的天國盛宴相連。同樣地，552頁右圖圓拱下的約伯獻祭的圖像與下方濟世事工場景：「行動

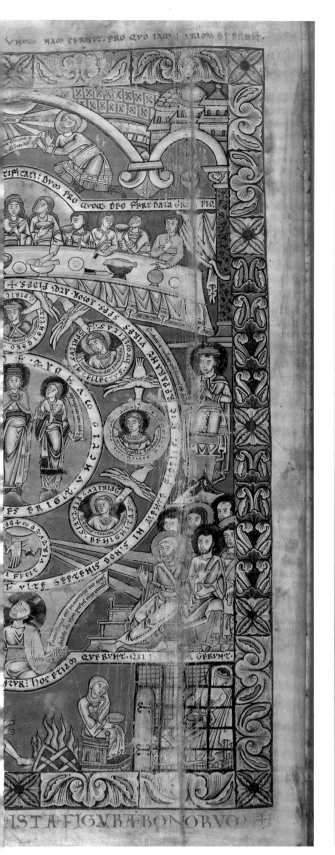

的生活」（vita activa）表現相連，而 553 頁右圖上半部以基督顯聖容表現出「沈思的生活」（vita contemplativa）。於此普雷孟特雷修會的核心期許在這個複雜的雙聯畫中被點出，並以題詞表現其註解文字的特色。

聖瑟韋的貝亞突斯啟示錄

一份不被東正教所認可的早期文本，充滿幻想地描述聖約翰受到的天啟，具有強烈視覺效果的描繪表現，伴隨著著名的描繪，例如羅馬式拱楣的「最後的審判」，啟示錄的書籍圖飾在中世紀早期與盛期便顯著地廣泛傳播。關於里厄巴納的貝亞突斯（Beatus of Liébana）註釋啟示錄的起源，最早在八世紀晚期以圖飾手抄本的形式出現於西班牙北部。而聖瑟韋的貝亞突斯啟示錄是在十一世紀時製作於亞奎丹的聖瑟韋修道院。這個聖本篤修道院由加斯科尼的公爵（Duke of Gascony）威廉二世（William II）於十世紀時建立。十一世紀時，貝亞突斯插畫家──斯特凡努斯·加西亞（Stephanus Garsia）──仍在此處的繕寫室活動，為書籍圖飾創作的重要中心之一。

兩件重要的羅馬式圖飾作品：
埃希特納赫金福音書與溫徹斯特聖經

雖然加洛林王朝的書籍圖飾仍集中於宮廷工作坊，但大約1000年時書籍製作已逐漸分散；書籍的各方需求在修道院及主教的引領下逐漸整合。於十一世紀時在亨利三世的帶領下，許多老舊的繕寫室復甦成為書籍插圖的新中心。他對書籍圖飾的保存也延伸至今日盧森堡境內的埃希特納赫（Echternach），該地的繕寫室於1018年起在杭伯特修道院院長（Abbot Humbert）的帶領下，幾乎建立了無可比擬的藝術家流派。

《埃希特納赫金福音書》製於1030年，是埃希特納赫繕寫室作品中最重要的一件作品。此書以來自特里爾昂貴的封面裝訂，並由皇后狄奧凡諾（Theophanu）及其兒子奧托——之後的奧托三世捐贈給修道院。書本以榮耀基督聖像開始，其周圍除了環繞福音傳道者的象徵物外，也有四位先知耶利米、以賽亞、以西結和但以理。福音書的評論可在手抄本的刻寫板上找到，由天使持拿，記有四樞德（cardinal virtues）：義德（正義，Justice）、節德（節制，Temperance）、勇德（勇敢，Courage）及智德（明智，Wisdom）。古書手抄本所包含的四福音書經句，皆具有裝飾的頁面及眾多描繪耶穌生平、傳道和受難場景的微型畫。路加福音書的頁面中呈現了痲瘋病人拉撒路（Lazarus）的故事及揮霍者最終墮落於地獄的故事。這些場景搭配作為作者的福音傳道者的描繪，以及最後引出文字的圖飾起首字母（incipit）。起首字母以金色（aureus）作為作品內容的開始。

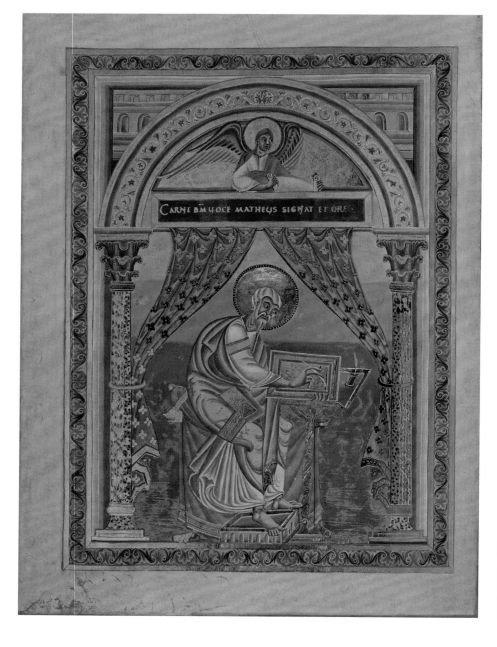

▽▽ **埃希特納赫金福音書**
fol. 20 v-21 r：帶著展開之書的福音傳道者馬太及天使，約1030年，44.6×31公分，紐倫堡，日耳曼國家博物館，Hs. 156142。

▷ **埃希特納赫金福音書**
fol. 78 r：富人與窮人拉撒路的寓言故事，路加福音14：16-24，以三條圖像帶表現。

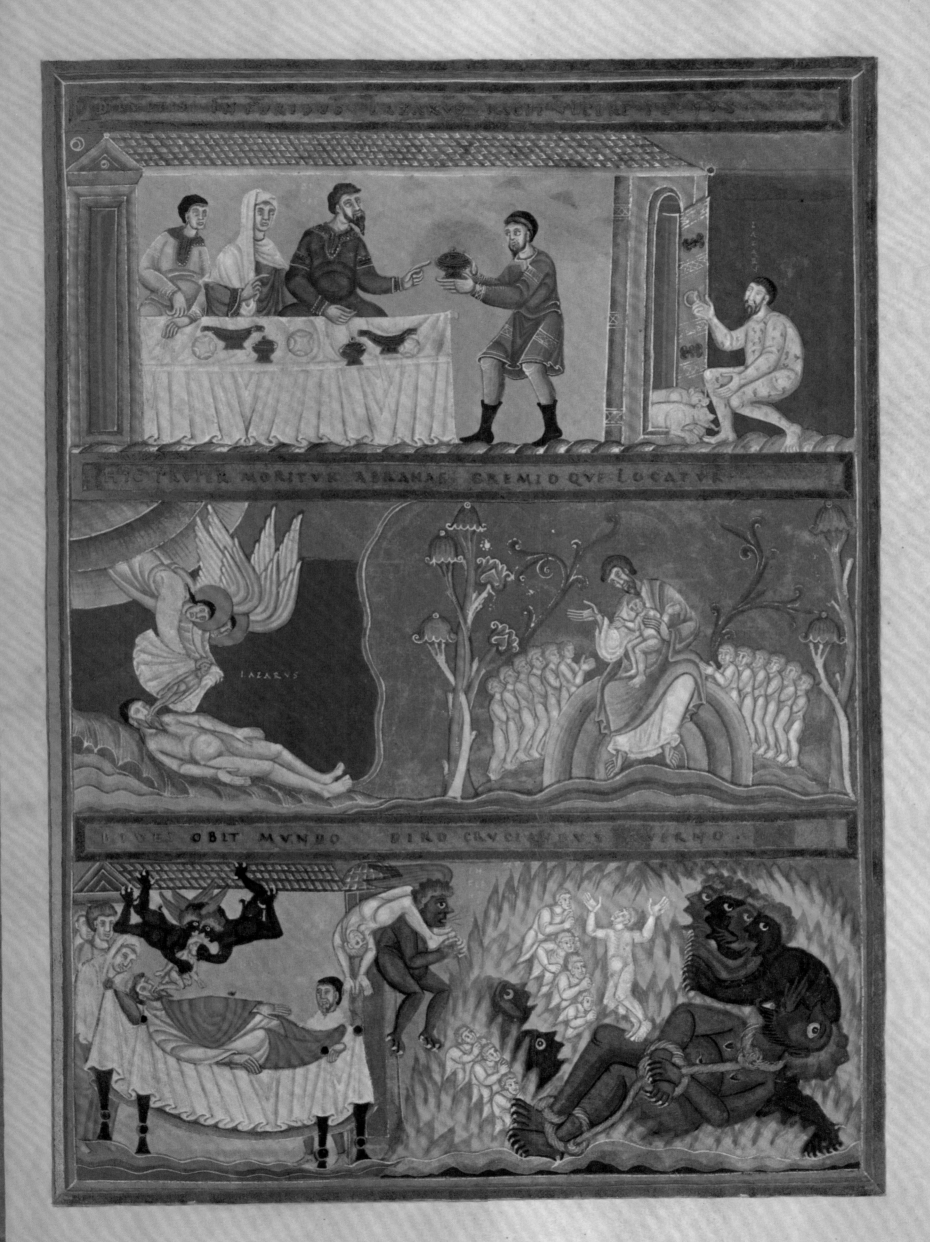

·ORATIO·

noster · compleri sunt dies nri · qa uenit finis nr ·
Uelociores fuerunt psecutores nri · Coph
aquilis celi · sup montes psecuti sunt nos · in
deserto insidiati sunt nobis · ꝫ ubus · REX
Spū̄s ouis nri · xpc̄ dn̄s captus est in peccatis
nris cui diximus · in umbra tua uiuem in gen̄
Gaude & letare filia edóm quiha SEN
bitas interra hus · ad te quoq; puenict calix
inebriaberis atq; nudaberis · TAV
Completa est iniquitas tua filia syon · non
addet ultra ut transmigret te · Visitauit ini
quitate tuā filia edóm · discooprit peccata tua ·
FINIT LAMENTATIO IEREMIE · Pph̄e ·

INCIPIT ORATIO EIVSDEM :

RECORDARE
dn̄e quid acciderit nob ·
intuere & respice op
probrium nostrum ·
Hereditas nr̄a uersa
est ad alienos · domus
nr̄e ad extraneos ·
Pupilli facti sumus
absq; patre · matres
nr̄e quasi uidue ·
Aquam nostram pecunia bibimus & lig
na nostra precio comparauimus ·
Ceruicibus minabamur lassis
non dabatur requies ·
Egypto dedimus manum & assyriis ·
ut saturaremur pane ·
Patres nostri peccauerunt & non sunt ·
& nos iniquitates eorum portauimus ·
Serui dominati sunt nri · & non fuit
qui nos redimeret de manu eorum ·
in animabus nris afferebamus panem
nob a facie gladii in deserto ·
Pellis nra quasi clibanus exusta est
a facie tempestatum famis ·
Mulieres in syón humiliauerūt ·
uirgines in ciuitatibus iuda ·
Principes manu suspensi sunt · facies
senum non erubuerunt ·
Adolescentibus impudice abusi sunt ·
& pueri in ligno corruerūt ·
Senes de portis defecerunt · iuuenes
de choro psallentium ·
Defecit gaudium cordis nri · uersus est in luc
tum chorus nr̄ · cecidit corona capitis nri ·
ꝫ nobis quia peccauimus ·
Propterea mestum factum est cor nr̄m · idó
contenebrati sunt oculi nostri ·
Propter montem syón quia disperiit ·

uulpes ambulauerunt in eo ·
Tu aute dn̄e in eternū pmanebis · soliū tuū
in generatione & generationem ·
Quare in ppetuum obliuisceris nri · & dere
linques nos in longitudinem dierum ?
Conuerte nos dn̄e ad te & conuertemur · IN
noua dies nr̄os sicut a principio ·
Sed piciens reppulisti nos · iratus es contra
nos uehementer · FINIT ORATIO IEREMIE :

INCIPIT PROLOGVS IN LIBRV
BARVCH NOTARII IEREMIE Pph̄e ·

Liber iste qui baruch nomine pnotatur in hebreo
canone non habetur · sed tantum in uulgata editione · Si
militer & epl̄a ieremie · pph̄ce · Propter notitiam autem
legentium hic scripta sunt · quia multa de xp̄o nouissimisq;
temporibus indicant ·

FINIT PROLOGVS

De oratione & sacrificio pro uita Nabuchodonosor ·

INCIPLIB BARVCH INTABR IEREMIE
PROPH̄E :

ET
VERBA
LIBRI
QVE SCRI
PSIT
baruch filius neeri · filii amasie · filii sedechie ·
filii sedei · filii helchie in babylonia · in anno
quinto · in septima die mensis · in tempore quo
cepunt chaldei ierl̄m & succenderunt eā igni ·
Et legit baruch uerba libri huius ad aures ie
chonie filii ioachim regis iuda · & ad aures uni
uersi populi uenientis ad librum · & ad aures
potentium filiorū regum · & ad aures presbi
terorum · & ad aures populi a minimo usq;
ad maximum eorū omniū habitantium in
babylonia · ad flumen sudi · Qui audientes
plorabant · & ieiunabant · & orabant in con
spectu dn̄i · Et collegerunt pecuniam sedm̄
quod potuit uniuscuiusq; manus · & miseru̅t
in ierl̄m ad ioachim filium helchie filii salon
sacerdotem · & ad reliquos sacerdotes · & ad
omnē populū qui inuentus est cū eo in ierl̄m :

溫徹斯特聖經

接近 1120 年，書籍圖飾的重心從法國移至英國——聖奧爾本斯（Saint Albans）修道院——為詩篇集手抄本創作之地，在此圖飾起首字母以圖像代替裝飾。如此的形象化改變與十二世紀對整個聖經圖飾的需求相應，且聖經通常以許多卷冊編輯而成。已知於中世紀時，書籍以特大型開本出版，藝術史學家稱其為大型聖經。這些帶有紀念性且具豐富圖繪的聖經持續了整個世紀，並遍佈全歐洲。

其中一件富想像性歷史圖案裝飾字母的大型英文聖經，被保存在溫徹斯特（Winchester）主教座堂的圖書館。至少辨識出有六位微型畫的畫家為此本聖經圖飾繪製逾半世紀的時間。先知以利亞（Elijah）章節的起首字母，被認為是第一個不再以纏繞的莨苕葉形而出現，而改為生動情節呈現的作品。以利亞升天的場景描繪在起首字母「P」的豎桿中。其後的微型畫畫家恣意地將圖像填滿整個起首字母，並提供各自的空間發展出許多的連環故事情節圖像。許多仍在準備的草稿保留未上色。例如《馬加比家族一書》（*Book of Maccabees*）的標題頁，可以看到其參考自加洛林王朝傳統的典型範本。英文資料與本文註記所顯示的高低聲調語態，可推測這些聖經文本皆用於修道院的用餐時間。

◁◁ **溫徹斯特聖經**
溫徹斯特，1160-1175 年，58×39.6 公分，溫徹斯特主教座堂圖書館，Ms. 17，fol. 179 r。這張頁面呈現出典型的圖像與經句結合，帶有形象化和戲劇性的起首字母裝飾。

△ **起首字母「P」**
舊約先知以利亞升天前往天堂的故事，fol. 190 r。

◁ **起首字母「B」**
大衛拯救他的羊與基督驅趕惡魔的場景。

559

附錄

建築平面圖

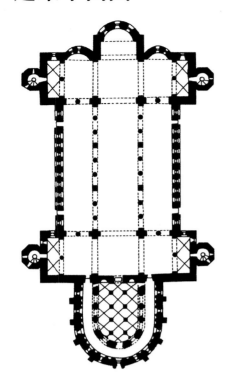

希爾德斯海姆的聖米迦勒教堂
（Hildesheim, St. Michael）

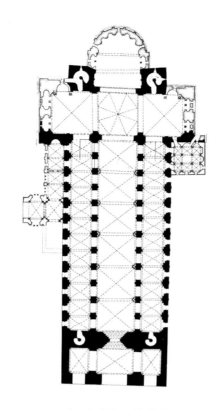

施派爾的主教座堂
（Speyer, Cathedral）

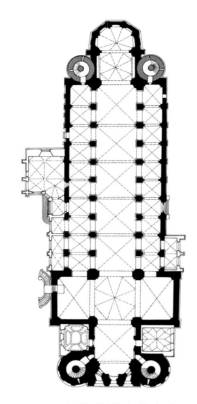

沃爾姆斯的主教座堂
（Worms, Cathedral）

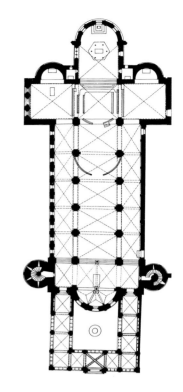

馬利亞拉赫修道院教堂
（Maria Laach, monastery church）

科隆卡比托的聖瑪麗女修道院
（Cologne, St. Mary's in the Capitol）

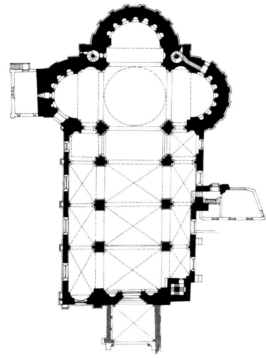

科隆的大聖馬丁教堂
（Cologne, Groß St. Martin）

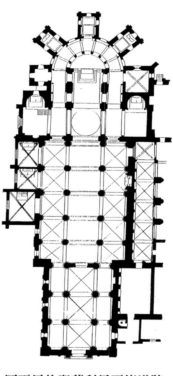

圖爾尼的聖菲利貝爾修道院
（Tournus, Saint-Philibert）

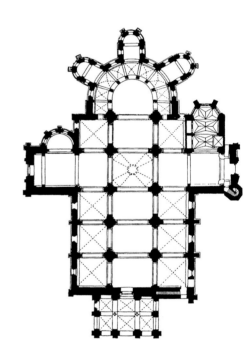

帕賴勒莫尼亞勒的早期修道院教堂
（Paray-le-Monial, former priory church）

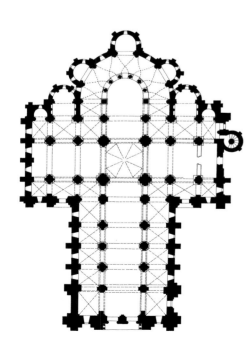

孔克的聖佛依教堂
（Conques, Sainte-Foy）

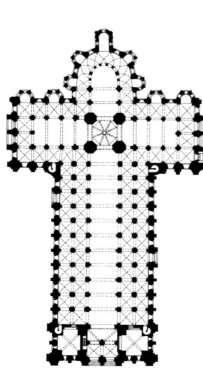

土魯斯的聖塞寧聖殿
（Toulouse, Saint-Sernin）

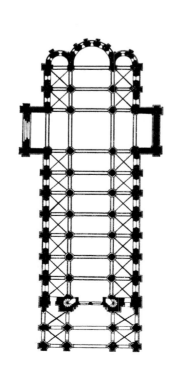

歐坦的聖拉札爾主教座堂
（Autun, Cathedral of Saint-Lazare）

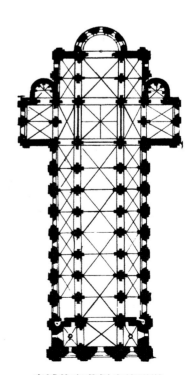

康城的聖艾提安修道院
（Caen, Saint-Étienne）

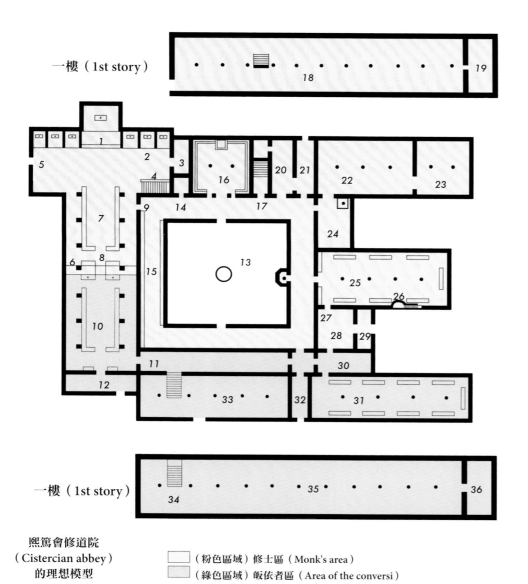

一樓（1st story）

一樓（1st story）

熙篤會修道院
（Cistercian abbey）
的理想模型

（粉色區域）修士區（Monk's area）
（綠色區域）皈依者區（Area of the conversi）

1. 聖堂與主祭壇（Sanctuary and main altar）
2. 側祭壇（Side altars）
3. 聖器室（Sacristy）
4. 聖馬丁階梯（Matins staircase）
5. 通往墓園的門（Cemetery gate）
6. 唱詩班圍屏（Choir screen）
7. 修士唱詩班席（Monks' choir）
8. 唱詩祈禱病人席（Choir of the sick）
9. 修士通向迴廊的門（Monks' gate to the cloister）
10. 皈依者的唱詩班席（Choir of the conversi）
11. 皈依者用門（Gate of the conversi）
12. 前廳（Narthex）
13. 修道院中庭噴泉（Fountain in the monastery courtyard）
14. 古羅馬書櫥（圖書室）〔Armarium (library)〕
15. 迴廊側翼（集合走道）〔Cloister wing (collation passage)〕
16. 聖堂參事會室（Chapter house）
17. 通往 18 的日間階梯（Day staircase to 18）
18. 修士宿舍（Monks' dormitory）
19. 溝型廁所（Latrines）

20. 修士會堂（起居室）〔Monks' auditorium (parlor)〕
21. 通道（Passage）
22. 繕寫室（修士大廳）〔Scriptorium (monks' hall)〕
23. 見習修士廳（Novices' hall）
24. 取暖室（暖房）〔Calefactory (warming house)〕
25. 修士膳堂（Monks' refectory）
26. 餐前禱告席（Seat for reader）
27. 送膳窗口（Service hatches）
28. 廚房（Kitchen）
29. 儲藏室（Storerooms）
30. 皈依者起居室（Parlor of the conversi）
31. 皈依者膳堂（Refectory of the conversi）
32. 皈依者用過道（Alley of the conversi）
33. 地下室（Cellar）
34. 皈依者用階梯（Staircase of the conversi）
35. 皈依者宿舍（Dormitory of the conversi）
36. 溝型廁所（Latrines）

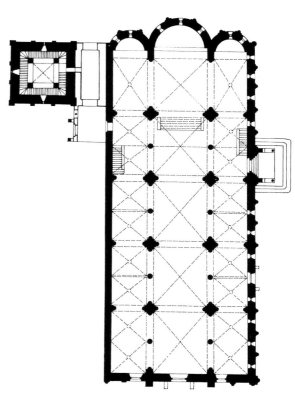

摩德納的主教座堂
（Modena, Cathedral）

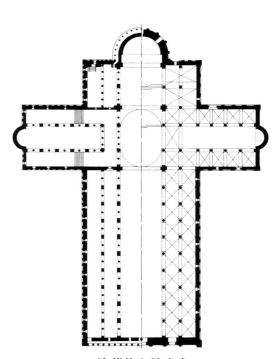

比薩的主教座堂
（Pisa, Cathedral）

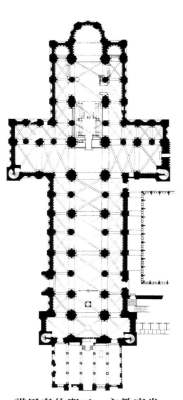

諾里奇的聖三一主教座堂
（Norwich, Cathedral）

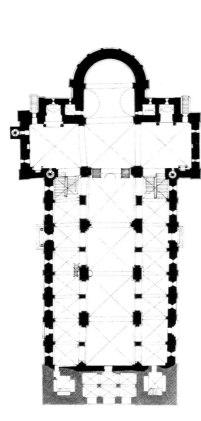

隆德的主教座堂
（Lund, Cathedral）

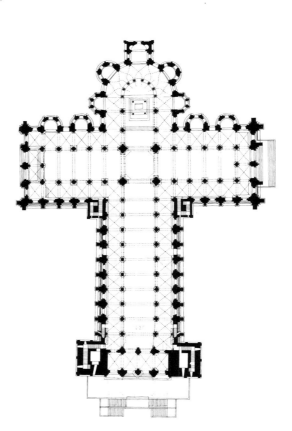

聖地亞哥－德－康波斯特拉的主教座堂
（Santiago de Compostela）

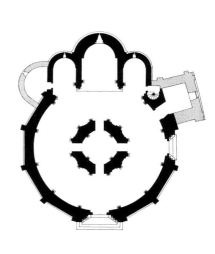

塞哥維亞的韋拉克魯斯教堂
（Segovia, Veracruz）

詞彙解說

abbey 修道院
由男或女修道院院長主持的修道院。

abutment 拱柱
拱或拱頂的支柱，也指抵消拱或拱頂對拱頂壓力的建築元素。

altar 祭壇
舉行彌撒的中心。桌式的祭壇是最常見的形式，由支柱、底板與頂板（祭壇石）構成，也有其他形式：櫃式祭壇、塊式祭壇與棺式祭壇。教堂的主祭壇通常位於朝東的唱詩班後殿前方或在其內，側祭壇則通常位於側後殿、側禮拜堂或地下室。

alternating columns 交替柱
規律而重複地交替使用不同種類的柱子。

ambo 讀經台
類似布道壇的講台，連接著唱詩班圍屏。

antependium 壇前飾物
覆蓋於祭壇座的裝飾。起源於祭壇做為承載基督形像的象徵意義。

apex 頂點
拱或拱頂的最高點。

apse 後殿
半圓形或多邊形的開闊空間，在宗教建築中通常位於東邊唱詩席尾端。

arcade 拱廊
又稱arcature，指單一拱型或側邊相連的立柱所形成的連續拱型。

arch 拱
牆壁開口上方以楔形或矩形石材和楔形接頭構成的橋樑構造。

arch frieze 拱形橫飾
盲拱橫飾，即橫飾般的小型盲拱，通常位於與梁托交替的壁柱上方。

archivolt 拱邊飾
拱的輪廓造型或裝飾，特別是在階梯狀的入口。

ashlar block 琢石、琢石塊
經過工整切割或方形的石塊，通常有平滑的表面且紋路方向一致。

axial chapel 中軸禮拜堂
又稱聖母堂（Lady Chapel），沿著唱詩席中軸突出的單一或整排禮拜堂，通常是獻給聖母的禮拜堂。

baldachin 華蓋
宗教物件或雕像上的篷蓋或屋頂狀構造。

barrel vault 筒形拱頂
圓筒形的穹頂或拱頂，偶爾也有錐狀形式。除了馬蹄拱之外，為了配合拱的多樣造形，筒形拱頂尚有許多形式：圓形、尖形、弓形或斜爬式拱頂；圓形設計上的環狀或高筒。

base 柱基
立柱或柱構造的柱腳輪廓，兩端連接著柱身與柱基座。

basilica 長方形大會堂
一種多廊道教堂，中殿較高且獨立，由高側窗提供光源。

bay 開間
凸出且有頂的延伸部分。

blind 盲
用於牆壁或支柱的建築母題（盲拱、盲拱廊等）。

blind façade 盲建築面
基於設計理由而運用在不同結構上的建築面設計，並不發揮其結構功能。

book of hours 祈禱書
名字來自日課禱書。這是給俗人的祈禱書，出現於十二世紀，十四、十五世紀尤其受歡迎，開本雕小，但裝飾豐富。

bound system 方形結構系統
拱頂大會堂的空間設計方式，兩個方形側廊聯結區的長度是方形中主中殿聯結區的一半。

buttress 扶壁
伸出四周牆外或於牆內凸出、做為拱頂柱的柱子。在大會堂中，扶壁於低側廊簷上方展開，上接飛扶壁（flying buttress）。

buttress system 扶壁系統
興建扶壁與飛扶壁，藉以分散肋拱頂（ribbed vault）的推力與壓力及高窗牆的風壓。

calotte 小圓頂
球體的一部分，用來稱呼圓拱頂。

campanile 義式鐘塔
獨立的鐘塔，義式教堂中尤其常見。

cannelure 柱身凹槽
立柱或半露柱柱身上的垂直凹槽。

capital 柱頭
立柱或半露柱延伸出的柱頭，連接著柱身與拱或楣樑。希臘的古典柱頭形式〔多利亞式（Doric）、愛奧尼亞式（Ionic）、柯林斯式（Corinthian）〕在拜占庭建築中有進一步發展。

capstone 頂石
拱心石或在頂點呈十字的拱肋。

cathedra 主教座椅
主教的座椅或寶座，通常為石製，原本是位於被遮的祭壇的前方，後來演變為在唱詩班讚美詩中殿的北方。主教座椅（cathedral）的名稱便是來自主教座椅。

cathedral 主教座堂
主教轄區中的主教堂，即主教堂，德國與義大利通常稱之為圓頂教堂（Dom, Duomo）。

cell 拱頂隔間
由穹稜與拱肋圍成的拱頂區域。

center nave 中殿
多廊道構造的中央空間，四周圍有拱廊。

central-plan building 中心式設計建築
圍繞著一個中心進行對稱設計的建築物。

chalice 聖餐杯
禮拜儀式使用的酒杯：有底座與柄、

盛裝聖餐酒的酒杯，西元九世紀以前通常為玻璃製、木製，或以簡單金屬製成，後來主要以金銀製作，且裝飾貴重。

chancel screen 聖壇圍屏
從側邊將多廊道唱詩班席中央區域圍起來的石製高牆，有時甚至會將此區域從教堂中殿隔開，以區分出它與俗人空間的不同。聖壇圍屏經常與十字架屏相連，後來被唱詩班圍屏取代。

chapel 禮拜堂
教堂中獨立的小禮拜房，或無教權利而有特殊目的的小教堂，例如為洗禮、葬禮或團體所設立的小教堂。

chapter house (monastery) 參事會室（修道院）
主教座堂或聖堂參事會中代表性的集會會堂，通常位於迴廊的東部。

chapter house 參事會室
英式主教座堂中的矩形或多邊形空間，可能以側廊與迴廊或耳堂相連；也可能是一個獨立空間。有別於修道院的參事會室，它不是封閉空間。

charterhouse 卡爾特修道院
加爾都西會（Carthusians）的修道院，每個修士房都是獨立的小屋，僅以迴廊連接。

choir ambulatory 唱詩班走道
環繞唱詩班席的一條走道，通常是中殿側廊的延伸，低於內側唱詩席。

choir 唱詩班席
教堂中唱詩班與教士祈禱的區域，通常位於東側。

choir yoke 唱詩班席軛部
唱詩班席前方與圓形、矩形或多邊形唱詩班席尾端之間的區域。

Church Fathers 教父
早期基督教信仰的導師與具有神學影響力的教父，他們的著作被認為是基督教教義與倫理的基礎讀物。四大拉丁教父是安波羅修（Ambrose, 約340-397）、奧古斯丁（Augustine, 約354-430）、耶柔米（Jerome, 約340/347-420）與額我略一世（Gregory the Great, 約540-604）；四大希臘教父則是亞他那修（Athanasius the Great, 約295-373）、巴西流（Basil the Great, 329-379、納齊安的額我略（Gregory of Nazianzus, 約326-c. 390）與金口若望（John Chrysostom, 349/350-407）。

ciborium 聖禮容器
一種禮拜儀式用品，為有附蓋的圓柱狀或桶狀器皿，用於貯藏與分配聖體。這種有蓋器皿由木頭、象牙或貴金屬製作。

clerestory 高側窗
基督教大會堂的中殿牆上部的窗戶。

cloister 迴廊
修道院的開放性矩形中庭，周圍是教堂與修道院建築。

codex 古書手抄本
中世紀與古典時代晚期取代卷軸而興起。長方形的書本含有多層羊皮紙，且通常裝訂有木製或皮革製的封面。包覆珍貴手稿的封面有貴金屬塗層，並裝飾大量寶石、象牙雕刻等。

colonnade 柱廊
連續排列的立柱，具楣樑。

column 立柱
橫切面為圓形、多邊形或輪廓鮮明的柱子，具有柱基、柱身與柱頭。

columned portal 柱列正門
兩側立有柱子的正門。

conche 半圓建築
附半圓形頂的半圓形附屬建物（如半圓形後殿）。

console 托座
凸出的基座，通常有鮮明輪廓或雕刻。

convent 修道院會
所有具有投票權的修道院成員的集會，進一步來說，即修道院中包含所有男女修士的整個社群。

conversi 皈依者
〔俗人修士（lay brothers）〕原本是指所有過禁欲的苦修生活的成年人。因為各種原因，十一或十二世紀開始出現一種新形態的皈依者，他們住在與修士區隔開的社群中，並照料修道院的財務安全。

cornice 壁帶
將一面牆分為數個部分的平行結構元素。

crossing 十字交叉部
教堂中殿與耳堂相接的方形區域。交叉部是方形結構系統的設計基礎。

crypt 地窖
教堂唱詩班席底下的空間，是敬拜聖髑的地方，以及教堂創建者或其他高階層人物的墓室，起初是廊狀空間（隧道式地窖），也有仿後殿形式的圓形（圓形地窖），後來呈廳堂式（廳堂式地窖）。

decagon 十邊形建築
十邊形的中央設計建築。

diptych 雙摺板、雙聯畫
長方形小刻寫板，中間以鉸鏈相連，附有象牙浮雕、木飾或貴金屬，見證著古典時代晚期、早期基督信仰與早期中世紀工藝的發展。後來這個詞也用來稱呼雙翼祭壇或繪畫。

dome 圓頂
通常是正方形、多邊形或圓形空間上方的中央對稱拱頂，長方形或橢圓形空間則鮮少有圓頂。圓頂通常有用來採光的鼓座（tambour）或採光燈（lantern）。圓頂尚有淺圓頂、疊澀圓頂、洋蔥形圓頂等其他幾種形式。

door lintel 門楣
見「楣」（lintel）。

entablature 柱頂楣構
1. 天花板或屋頂的整體木製構造；2. 支柱（立柱、柱構造）的上部結構，包括楣樑、簷壁（腰線）與壁帶。

Exedra 半圓建築、龕座
半圓形後殿或其他半圓形的壁龕。

figure portal 人像正門
門框上具有人像的正門。

filiation 親源
用來表示新建築（子建築）與其修道院母體之關係的詞彙。親源系統發展自修道院聯合構造形成的脈絡中。

flying buttress 飛扶壁
以四十五度角上升的外拱，將拱頂的推力從大會堂中央廊道的高窗牆跨過側廊帶往扶壁墩柱。

fort 堡壘
原本指一種羅馬兵營，後來用來稱呼防禦性建築物。

frieze 簷壁（腰線）
通常為裝飾的水平帶狀物或區域，劃界或裝飾著牆面。

gallery 樓道
有頂的走道，開放的一側經常有特別設計的支柱區域。

gargoyle 滴水嘴
從屋頂簷溝凸出或在扶壁上的排水口，經常有具象元素。

gloriole 光圈
光輪、光暈、光環。

gospel 福音書
基督教禮拜儀式的主要書籍，收錄四部福音書的完整內容（馬太福音、馬可福音、路加福音、約翰福音），記述自第一世紀基督的生平與作為，並收錄來自其他福音書的文本與概述（有關各福音書內容是否一致的信件、各部福音書的短序、正典插圖等）。福音書一般都有豐富圖繪。

Greek cross 正十字形
四臂等長的十字形平面設計。

grisaille 灰調單色畫
灰中帶灰（grey-in-grey）或同色系配色（tone-on-tone）的灰色、石頭色或褐色繪畫，最早是為了在玻璃彩繪中迴避色彩，因為照亮的建築物（一開始）是禁止使用有色窗戶的。

groin vault 交叉拱頂
兩個等高而交叉的筒狀拱頂，有四個三角形隔間，在中央拱肋相交處彼此連接。

half (semi)-column, 半柱
牆壁或立柱前的半柱，將其連接至底下的磚造物。

hall church 廳式教堂
1. 內部不以支柱區隔的教堂；2. 天花板或圓頂各部分等高的多廊道空間。在仿大會堂形式的廳式教堂中，末端呈階梯狀從中殿向側廊延伸。

Holy of Holies 至聖所
宗教建築中的特殊空間，專門用做祭壇或聖餐之用。

iconography 圖像學
對圖像物件、內容、意涵與象徵體系的研究與詮釋。

impost 拱基
輪廓鮮明的板狀物，位於拱或拱頂起始處的柱構造或立柱柱頭上端。

incrustation 表面裝飾
在建築上指牆壁與地板的表面結構或裝飾的石板，尤指大理石石板。

initial 起首字母
第一個字母，通常以其尺寸、裝飾與色彩予以強調，中古世紀手稿中尤其如此。

inner choir 內側唱詩班席
主要唱詩班席，位於多廊道聖壇的中央區域，尤其是半圓唱詩班走道中。

intarsia 嵌木細工
木、象牙、珍珠母、龜殼或金屬的鑲嵌刻工。

intercolumniation 柱距
建築中柱與柱之間的距離，一般都是指量好立柱直徑後，從一根立柱的柱心（柱中軸）量到下一根立柱柱心的距離。柱距比率決定了立柱的效果。

jamb 門窗側柱，或 embrasure 斜面牆
正門或窗切入牆壁的側斜邊，可能為多層結構，具有豐富裝飾，並刻有雕像。

keep 主樓
防禦城堡的主塔；一種防禦性構造，也用來避難所。

Latin cross 拉丁十字形
一種建築形式，指下臂較長的十字架〔參見四臂等長的正十字形（Greek cross）〕。

lintel 楣
門或窗的平直上緣。

liturgy 禮拜儀式
興起於現代的學術名詞，意指基督教會的一切儀式活動。中世紀的常用詞是 officium（拉丁語）。

long choir 長形唱詩班席
長形或多軛的唱詩班席。

***Majestas Domini* 榮耀基督聖像**
在杏仁狀光圈中登座的基督像，身邊有福音書作者的象徵；身為世界統治者（Cosmocrator）的基督像。

mezzanine 夾樓
夾層樓面。

miniature (painting) 微型畫
手稿或書本中的繪畫或圖畫，名稱來自中世紀用於標題、邊框與起首字母的紅色。

monastery 修道院
原本是修士與教會成員的獨立生活空間，引申為神職人員社群的任一分支〔亦見「修道院」（abbey）〕。

monks' choir 修士唱詩班席
修道院教堂中的獨立空間，為修士專用區域，並設有唱詩班席位。

monstrance 聖體匣
禮拜儀式用物件，為一種以貴金屬製作的展示器皿，置放於玻璃或石英櫃中，其神聖的聖體於其中展示被人崇拜，並隨著遊行儀式四處展示。

narthex 前廳
早期基督信仰與拜占庭宗教建築中殿的獨立、具區隔性的入口區域。

nave 中殿
單廊道或多廊道的教堂主室，位於建築正面（或西翼）與交叉部（或唱詩班席）之間。

niche 壁龕
牆上的半圓形、長方形或多邊形凹處，上方是封閉的。

nimbus 光輪
光環。

octagon 八邊形設計
八邊形的建築或建築平面設計。

***oculus*（拉丁語）牛眼窗**
小型圓窗。

***opus sectile* 花磚飾面**
地面與牆壁表板，大多是有圖案的多色石板。

oratory 祈禱室
靠近教堂唱詩班席主room（偶爾也在中殿）的封閉性十字架壇，為教堂的特殊訪客專用，延伸用作祈禱室。

palas 宮殿
有大廳的中世紀防禦性城堡，通常有一個儀式廳。

paraments 禮罩
教堂各室與禮拜儀式中使用的織物，通常有高雅精緻的設計。

paten 聖盤
禮拜儀式用具；金製或銀製的扁平碗盤，內有鍍金，用來呈裝聖體。

***patrocinium* 庇護**
某個機構為所託管的保護者提供的保護。這個詞也用來表示教堂為其專屬聖者舉行的慶典（守護聖者節）。

pediment 山牆
通常指鞍形屋頂、窗戶或盒式建築的正面表牆，可能為三角形、梯狀或以拱形設計。拱楣則常有雕刻裝飾。

pendentive 三角穹窿
三角形的表面或區域，可能位於兩座拱的之間，或其與框架（拱肩）之間，類似拱頂。

Pfalz (palatinate) 普法爾茨宮（宮廷宮）
無固定住所的中世紀王子的宮殿。

pier 墩柱
前方的柱structure，柱心通常為圓形，以半柱或四分之三柱做為支柱。

pilaster 半露柱、壁柱、附牆柱
三角形、略微凸出的壁柱，有柱基座、柱身與柱頭，為牆壁結構之一。

pilaster strip 柱條
從牆壁略微凸出的直式半露柱，很少有柱基與柱基，通常由拱與拱形橫飾連接。

pillar 柱構造
開口（拱廊、門、窗等）與開口之間的磚石支柱，橫切面為三角形、方形或多邊形，有時也有圓形（但不像立柱那樣上方變細且有柱頭）。柱構造可能有柱基，此外一定要有拱基（否則就成了牆壁的一部分）。

pinnacle 小尖頂
塔頂。

portico 柱廊
有頂的廳堂或門廊（porch），一邊為開放性的拱廊、柱頂楣構或有支柱的屋頂。

predella 祭壇飾台
如臺座般的有翼祭壇基座，部分是為了收納聖體匣，一般都有聖經繪飾。

presbytery choir 司祭唱詩班席
教堂的主要祭壇空間，原本是主教與司祭的空間。

priory 小修道院
獨立於母修道院的修道院，兩者由同一位院長主持。

proprietary church 私有教堂
存在於約十一世紀宗教改革以前的一種教堂，以封地的形式歸屬於其創立者、領主及其合法繼承者所有，其神職人員皆由領主指派。

psalter 詩篇集
一百五十首詩篇的合集。自基督信仰最早期開始，詩篇就是修士的彌撒與日課祈禱等公開禮拜的基礎。通常也指中世紀的私人祈禱書〔英格博詩篇集（*Ingeborg Psalter*）等〕。

pulpit 布道壇
布道的高臺，可拾級而上，圍有欄杆，上方通常有音篷；自中世紀起也有教堂外的布道壇〔外布道壇（exterior pulpit）〕。

radiating chapel 放射狀禮拜堂
以唱詩班走廊為中心配置的一群小禮拜堂。

refectory 膳堂
修士用膳廳。

relics 聖髑
殉道者、聖徒與聖者的「遺留物」（remains）。基督信仰中的神聖遺物有主要與次要之別。主要神聖遺物是指遺體（包括死者骨灰），次要神聖遺物是指聖者所觸碰或穿戴過的一切物件。

relief 浮雕
雕刻作品，其中的人像並未如雕塑作品一般獨立，而是連接至某個區域或背景。依人物的深度可分成淺浮雕（low relief, bas relief）與高浮雕（high relief, haut relief）。

reliquaries 聖物、聖髑箱盒
方便攜帶遺物的移動式容器〔不同於聖髑箱（relic shrine）〕，內裝有殉道者、聖徒與聖者的遺骸、衣物的一部分（織物）與聖物，以及聖十字架的殘片，供禮拜儀式或私人祈禱用。有一種大型特殊的聖髑箱稱為「顯形聖髑箱」（talking reliquaries），因為聖髑箱的外觀表現出內容物的形貌，最常見的是頭、胸、手臂與腿聖髑箱。

retable 祭壇飾屏
有基座的祭壇雕刻，可能從祭壇背面或後方升起。祭壇飾屏出現於十一世紀，起初是金匠的工作（以木質覆以經鎚薄與鏤鍍的銀、金或銅箔），十三世紀起也開始出現雕像裝飾，或做成板上繪畫的形式。祭壇飾屏主要分成三種：板上繪畫（祭壇畫）、

建築結構，以及有翼聖祠（有翼祭壇）。中古晚期與之後的祭壇飾屏通常由數幅獨立圖像組成。

retro-choir 後堂區
在英國，指的是教堂唱詩班席後方的空間，連接著中殿側廊。

rib 拱肋
自立的拱結構，橫跨磚造拱頂下，並與其他拱肋連成不同的拱肋圖案。

ribbed vault 肋拱頂
即交叉拱頂，其穹稜（groin）以中央軛部相交的拱肋支撐，並具有頂石。

ridge turret 屋脊塔樓
教堂屋頂上的小塔。

rood loft 十字架壇
教堂內部樓道般的裝置，用來區隔教堂儀式進行中的某些團體。

rood screen 聖壇屏
封閉的圍屏或以柱廊構造出的圍屏，將屬於神職人員空間的唱詩班席從教堂中殿西側的俗人區域中區隔開來；朗讀福音書時也會使用聖壇屏。

rose, rose window 圓花窗
布滿花飾的圓窗。

rotunda 圓形建築
圓形的主結構。

shrine 聖祠、聖物箱
木製容器；這個詞主要用來指某些容器（聖髑盒、聖盒、祭壇箱），或是有翼祭壇中央的祠堂狀部位。

side aisle 側廊
多廊道構造的側邊空間，通常在中殿兩側。大會堂的中殿與側廊中間隔著拱圈；廳式教堂則以拱區隔兩者。

skeleton structure 骨架結構
相對於建築實體的結構系統，其承重元素體系負責一切支撐性功能，力的走勢對其形式有決定性影響。這種架構之外是玻璃等非支撐性的填充物。

spolia 轉用材
重複使用的建築用材，挪用自被拆毀的建築或被拆解的藝術作品。

support 基底材料
支撐性的建築元素；立柱、柱構造、半露柱的高階建築詞彙。

tetraconch 四圓頂
四個半圓壁龕的結構，由四個半圓壁龕構成首蓿葉狀的主建築設計。

tracery 花飾
鏤空幾何構造的建築裝飾，尤其是窗戶的拱楣與圓花窗所使用的裝飾。位於前方的盲花飾僅是飾面。

transept 耳堂
1. 橫貫中殿的建築空間，可能由數個高度不同的房間組成；2. 橫貫教堂的空間，以直角越過中殿。

transverse arch 橫拱
拱頂縱軸所延伸的拱，區隔出拱頂隔間。

travée 跨度〔亦見 yoke〕
十字軸設計中所有廊道的軛部結構，扶壁設計系統也有此構造。

trefoil 三葉飾
三個圓形組成的花飾。

trefoiled choir、triconch 三葉唱詩班席、三個半圓頂建築
三個半圓壁龕構成的首蓿葉狀唱詩班席。

triforium 側廊樓
大會堂的拱廊（或樓道）與窗戶之間的牆外走道，高度與側廊屋頂相同。盲側廊樓無走道，牆外僅有盲拱。

triptych 三聯作
三部分構成的板上畫作，更常指以三部分構成的有翼祭壇，可移動的兩翼各只有中央部分的一半寬度。

triumphal arch 凱旋拱
在古羅馬，指的是一種獨立的拱，其通道為筒狀拱頂；在宗教建築中，則是指將唱詩班席與交叉部或中殿隔開的橫拱。

triumphal cross 凱旋十字架
紀念性十字架，自十一世紀起置於教堂凱旋拱底下的高處。凱旋十字架象徵著基督克服死亡的勝利；釘於十字架的基督雙眼睜閉，臉上沒有一絲痛苦的表情。

trompe 突角拱
半中空錐形的漏斗式拱頂，連結著一個角落，並覆有一面有角牆。突角拱圓頂（trompe dome）有四個連成八角形的突角拱，早期羅馬式的突角拱圓頂偶爾也出現圓形。

trumeau 入口中柱
雙扇正門的中央立柱或柱構造。

tympanum 拱楣
正門門楣上方的拱，經常飾有浮雕。

typology 類型學
對類型的研究，就物體的類型進行科學描述與分類。在基督教藝術中，指的是將舊約中的某種類型分類，做為新約中某個相對類型的範本。

vault 拱頂
自立的曲面牆，橫跨房間上方的拱座之間，通常由穹稜與拱肋分成幾個小圓面。拱頂的種類包括迴廊拱頂、交叉拱頂、肋拱頂、筒形拱頂、突角拱頂等；哥德晚期的隔間拱頂、星狀枝肋拱頂與肋拱頂尤其特別。

Vulgate 武加大聖經譯本
中世紀拉丁文聖經的基礎，為聖耶柔米奉教宗達瑪穌一世（Damasus I）之令，於 383-406 年譯成的拉丁文聖經譯本。

western complex 西面建築
有大型獨棟建築物（塔、前廳）的教堂西面。

yoke 軛部
帶有拱頂區一連串相似拱頂的某個空間區域，沿著縱軸展開〔亦見「跨度」（travée）〕。

索引

Acknowledgments

My thanks to all who contributed to the success of this work: in particular, Lucas Lüdemann, the publisher's project manager, to whom I am grateful for giving me constructive criticism; Barbara Linz and Cornelia Volk, who obtained photo licenses which were sometimes difficult to get. To them and to the many people not mentioned here who helped us with finding numerous new pictures, I offer my thanks for their dedication and support.

Picture Credits

Most of the illustrations in this volume are new photographs by Cologne photographer Achim Bednorz, commissioned by the publisher. These are listed below. The publisher and editor wish to thank the museums, archives, and photographers for supplying additional images and granting reproduction licenses. In addition to those mentioned in captions, others are as follows below:

© BPK images: 54, 62, 231 top, 534 l.; BPK/ British Library: 552 l., 552/553 m., 553 r.; BPK/SCALA: 56, 57

© The Bridgeman Art Library: 25 l., 25 r., 30 bottom, 31, 59, 76 top, 77 top, 78 r., 79, 83, 526 r.; BAL/British Library Board. All Rights Reserved: 28 top, 46 l., 58 r.; BAL/Culture and Sport Glasgow (Museums): 90 l.; BAL/De Agostini Picture Library: 127 l., 128; BAL/Flammarion: 129 bottom l.; BAL/Giraudon: 28 bottom, 30 top, 130/131 bottom, 131 top, 131 m., 132 bottom l., 141 top; BAL/ Kunsthistorisches Museum, Vienna: 127 r.; BAL/ Paul Maeyaert: 29; BAL/ Winchester Cathedral, UK: 559 top, 559 bottom

© Bildarchiv Foto Marburg/Dom-Museum Hildesheim, Lutz Engelhardt: 520

© Burgerbibliothek Bern/Bibliothèque de la Bourgeoisie de Berne: 63 l.

© The Dean & Chapter of Winchester Cathedral 2014, Reproduced by kind permission of The Dean & Chapter of Winchester Cathedral: 558

© Erzbischöfliches Diözesanmuseum Paderborn, Ansgar Hoffmann: 522

© Erzbistum Köln, Kulturdenkmalarchiv, Matz und Schenk: 116

© Ghent University Library: 58 l.

Romanesque Art

修道院・十字軍 **羅馬藝術**
中世紀歐洲的建築文化與視覺饗宴

出 版 社	閣林文創股份有限公司
發 行 人	楊培中
作 者	羅夫・托曼（Rolf Toman），阿希姆・柏諾茲（Achim Bednorz），烏韋・吉斯（Uwe Geese）
總 編 輯	王存立
特約主編	王奕文・邱艷翎
協力編輯	陳映儒
翻 譯	王為祺（第一至三章）
	張馨方（第四至五章）
	謝汝萱（第六至七章、附錄）
	宓 儀（第八章）
美術編輯	邱佳齡
出版地址	新北市235中和區建一路137號6樓
電 話	02-8221-9888
傳 真	02-8221-7088
閣林讀樂網	www.greenland-book.com
E-mail	service@greenland-book.com
劃撥帳號	19332291
出版日期	2017年1月初版一刷
ISBN	978-986-292-623-9

版權所有 翻印必究

國家圖書館出版品預行編目

修道院.十字軍 羅馬藝術：中世紀歐洲的建築文化與視覺饗宴 / 羅夫.托曼(Rolf Toman),阿希姆.柏諾茲(Achim Bednorz),烏韋.吉斯(Uwe Geese) 作；王為祺等翻譯. -- 初版. -- 新北市：閣林文創, 2017.01
  面； 公分
  譯自：Romanik
  ISBN 978-986-292-623-9（精裝）

  1.羅馬式建築 2.羅馬式藝術 3.宗教建築 4.中世紀 5.歐洲

923.4024   105021403

© for this edition: Greenland Creative Co. Ltd, 2017

© original edition: h.f.ullmann publishing GmbH

Original Title: Romanik

Original ISBN: 978-3-8480-0733-2

Editing and production: Rolf Toman, Thomas Paffen

Photographs: Achim Bednorz

Idea and development of the series: Rolf Toman, Lucas Lüdemann

Lithography and typesetting: Thomas Paffen

Project management for h.f.ullmann: Lucas Lüdemann

Overall responsibility for production: h.f.ullmann publishing GmbH, Potsdam, Germany

Printed in China